54-7200

Deus
estava com ele

Preparação de originais,
Revisão e Editoração Eletrônica
Sandra Martha Dolinsky

Direção de Arte
Luiz Antonio Gasparetto
Capa
Kátia Cabello

2ª edição
Dezembro • 2000
10.000 exemplares

Publicação, Distribuição
Impressão e Acabamento
CENTRO DE ESTUDOS
VIDA & CONSCIÊNCIA EDITORA LTDA.

Rua Santo Irineu, 170
Saúde • CEP 04127-120
São Paulo • S.P. • Brasil
F.: (11) 5574-5688 / 5549-8344
FAX (11) 5571-9870 / 5575-4378
E-mail: gasparetto@snet.com.br
Site: www.gasparetto.com.br

Elisa Masselli

Deus
estava com ele

Sumário

O Divórcio

Walther entrou em casa acompanhado por Steven, seu amigo de infância e padrinho de casamento. Tirou a gravata e o paletó, jogou-os sobre um sofá, dirigiu-se até o bar e preparou dois drinques. Estava nervoso; começou a falar alto:

— Steven! Pode me explicar? Como minha vida mudou dessa maneira? Por mais que tente, não consigo acreditar que o meu casamento tenha terminado de um modo tão deprimente.

Steven, pegando o copo que Walther lhe oferecia, disse:

— Confesso que também estou admirado. Jamais imaginei que isso fosse acontecer. Vocês representavam o casal perfeito. Fui testemunha do início de tudo e sempre acreditei que eram felizes.

— Lembra-se de como conheci Ellen?

— Claro que sim! Foi na festa de aniversário de Brian. Aquela à qual você não queria ir! Tive que convencer você.

— Foi... você quase teve que me obrigar. Eu nem imaginava que encontraria alguém. Principalmente uma mulher.

— Encontrou, e ficou muito feliz.

— Fiquei mesmo. Você não viu quando ela chegou. Como sempre, estava rodeado por mulheres. Não sei o que tem de especial para atraí-las.

Steven, com olhar maroto, disse:

— Charme, meu amigo. Charme.

Walther começou a rir:

— Você é mesmo um palhaço.

— Talvez seja porque sempre estou de bem com a vida.

— Não sei como consegue ser assim. Parece que nada o atinge, que nunca teve problemas!

— Depende do que você julga ser um problema. Algumas vezes tive que tomar decisões, mas tenho uma teoria: "se existe um problema, com certeza existe também uma solução". Isso é cier tífico!

— Com problemas que envolvem números não me assusto. Já com os da vida, quase sempre tenho dificuldades para resolver.

— Pois eu com números é que tenho muita dificuldade. Mas continue falando de Ellen.

— Naquela noite eu estava entediado, pois você sabe que não gosto de festas, principalmente as de aniversário. Mas você me fez ver que precisava ir, pois Brian era nosso amigo. Assim que ela chegou, não consegui mais desviar meus olhos. Foi paixão à primeira vista. Ela estava linda naquela festa.

— Ellen é realmente muito bonita. Eu logo percebi que você estava fascinado, não acreditei quando o vi indo em direção a ela.

— Lembro-me de uma música suave que começou a tocar. Aproximei-me e timidamente perguntei:

— Quer dançar?
Ela me olhou por alguns segundos, sorriu, abriu os braços e saímos dançando. Daquele dia em diante começamos a nos encontrar cada vez mais assiduamente. Em menos de seis meses estávamos casados.

— Nunca pensei que todo aquele amor fosse um dia terminar, e de uma maneira tão repentina...

— Tem razão, ficamos todos surpresos. Primeiro com o casamento, pois você se dizia um solteiro inveterado. Era o último da turma ainda solteiro. Depois com a separação. Nunca poderíamos imaginar que isso fosse acontecer. Não com vocês...

Walther voltou ao bar e encheu outro copo. Não conseguia controlar o ódio que sentia naquele momento.

— Como ela pôde dizer tudo aquilo diante do juiz? Como, de repente, um amor igual ao nosso transformou-se em algo tão pequeno? Não consigo entender. Será que ela tinha razão em suas queixas?

— De que ela se queixava?

— De várias coisas, que na época eu achava sem importância. Mas agora estou pensando. Talvez ela tivesse motivos para as queixas.

— Por que está dizendo isso?

– Para manter o cargo que ocupo na empresa tenho que trabalhar muito. Por isso eu trabalhava até altas horas da noite. Chegava em casa sempre cansado. Trabalhava até nos fins de semana. Ela é jovem e bonita, queria sair para dançar, ir ao teatro ou simplesmente a um cinema. Eu sempre me recusava a sair de casa.

Com o tempo, distanciei-me ainda mais, não queria que lhe faltasse nada. Queria que ela tivesse todo o dinheiro que precisasse para fazer compras ou o que quisesse.

Reconheço hoje que me tornei uma companhia insuportável. Por muitas vezes ela reclamou.

Lembro-me agora de uma noite, eu estava aqui nesta sala, lendo alguns documentos. Na manhã seguinte eu teria que fazer uma apresentação. Ela se aproximou e me beijou. Eu afastei o rosto. Ela, chorando, disse:

– *Você não se preocupa comigo! Estou cansada de ficar em casa sem ter o que fazer! Quero trabalhar, ter o meu próprio dinheiro!*

– *Como não me preocupo? Como não tem o que fazer? A casa é grande! Tem muito trabalho aqui! Não precisa ter seu próprio dinheiro! Tem tudo o que necessita, nunca lhe faltou nada! Para isso trabalho tanto!*

– *Sei que trabalha e que não quer que me falte nada, mas não me dá o principal, sua companhia, seu carinho! Estou sempre muito só, preciso fazer algo para me distrair!*

– *Procure, então, algo para fazer. Vá às compras, ao cabeleireiro. Faça o que quiser, mas por favor deixe-me em paz! Quando chego em casa preciso ter tranquilidade. Já tenho muito com o que me preocupar durante o dia todo! Os problemas na empresa são muitos. Sabe que tenho que trazer algum trabalho para casa! Meu salário é alto! Preciso trabalhar muito para merecê-lo! Não suporto suas queixas fúteis! Deveria se queixar se eu, em vez de trabalhar, ficasse pelos bares bebendo ou saísse com amigos! Aí sim, teria motivo de sobra para reclamar! Mas tudo o que faço é pensando em você, no seu bem-estar! No nosso futuro!*

– *Quando o ouço falar dessa maneira chego a pensar que não teremos futuro algum!*

– *Que está dizendo?*

– *Nada... não estou dizendo nada...*

Steven, que até o momento ouvia em silêncio o desabafo do amigo, perguntou:

11

– Nunca parou para pensar que talvez ela tivesse razão?

– Não. Eu a considerava mimada, fútil e ingrata. Já que eu trabalhava tanto só para lhe dar conforto. Achava que ela não tinha motivo para reclamar.

– Será que era só para isso mesmo?

Walther arregalou os olhos.

– Por que está dizendo isso?

– Conheço você muito bem. Crescemos juntos. Você nunca foi de falar muito, mas na escola sempre se fazia notar sendo o primeiro da classe. Por isso acredito que sempre esteve pensando em você mesmo. Em mostrar na empresa que era o melhor.

– Você está me ofendendo!

– Ora, Walther, entre amigos não há ofensas. Não o estou ofendendo, estamos apenas conversando. Estou sendo sincero. Não queria mesmo mostrar seu trabalho diante de seus superiores?

Walther ficou calado, pensando. Depois de alguns segundos, respondeu:

– Talvez você tenha razão. Em toda minha vida sempre fiz tudo da melhor maneira possível.

– Isso não é defeito, e sim uma qualidade. Desde que não seja exagerada.

– Será que Ellen também sentia isso? Sempre que tínhamos essas brigas ela ia para o quarto chorando. Algumas vezes eu ia até ela, pedia desculpas e prometia mudar, mas não adiantava. Depois de alguns dias eu me deixava novamente envolver pelo trabalho e voltava a ser como antes. Não sei quando, ou como, ela se envolveu com outra pessoa. Um dia, sem que eu esperasse, ela disse:

– Quero o divórcio!

Levei um grande susto:

– Como? Quer o divórcio? Está louca?

– Não, não estou louca, quero o divórcio porque encontrei alguém que me ama, respeita e que me faz muito feliz.

– Está dizendo que tem outra pessoa? Está dizendo que andou me traindo?

Ela estava tranqüila e falava com firmeza:

– Isso mesmo. Conheci esse rapaz, nos apaixonamos, e para não continuar traindo você, quero o divórcio.

Fiquei desnorteado, jamais pensei que um dia aquilo poderia acontecer: Com muita raiva, perguntei:

– Quem é ele? É rico? Pode dar-lhe mais conforto do que eu?

– Não, ele não é rico, mas me ama e me dá toda a atenção que você nunca me deu.

– Se ele não tem dinheiro e você não trabalha, pretendem viver do quê? Não está pensando que vou dar-lhe uma pensão para sustentar um vagabundo qualquer, está?

– Por que sempre tem que pôr o dinheiro à frente de tudo? A maneira como viveremos não é da sua conta. Só quero o divórcio. Sabe que tenho meus direitos, mas não vou querer nada. O resto é problema meu.

– Naquela mesma noite ela saiu de casa. Daí em diante só conversamos através dos advogados. Você sabe que esta casa eu comprei antes do casamento. Ela não quis levar nada do que tinha aqui. Nem sequer quis a pensão, mesmo sabendo que tinha direito. Disse que não achava justo, pois eu havia comprado tudo. Só queria mesmo sua liberdade. O divórcio foi rápido.

– Pegou-nos a todos de surpresa.

– Agora fico pensando: será que valeu a pena eu ter trabalhado tanto? Será que eu realmente a amava? Hoje, ao vê-la, pareceu-me uma estranha. Mas, enfim, agora está tudo terminado. Estou perdido, sem saber o que fazer com minha vida.

– Ainda a ama?

– Acredito que não. No princípio eu a amava, mas aos poucos todo aquele amor foi esfriando. Logo se tornou rotina. Eu chegava, tomava banho, jantava, assistia televisão ou verificava alguns documentos.

– Uma vida normal, igual a muitas.

– Também achava que era normal. Pensava que estava fazendo o melhor para o nosso futuro.

– Você achava que sim, mas ela pensava diferente. Não estava preocupada com o futuro, queria viver o presente.

– Deve ter sido isso mesmo. Ainda bem que não tivemos filhos, pois se isso houvesse acontecido, hoje a situação seria bem pior...

– Nisso você tem razão. Uma criança agora só complicaria. Mas enfim, está feito. Agora você tem que recomeçar sua vida. Outro amor surgirá. Talvez da próxima vez não cometa os mesmos erros.

– Não sei se poderei amar novamente ou entregar-me da mesma maneira. Sinto-me um derrotado.

– Que é isso, amigo? É ainda muito jovem! Além do mais, tem outra vantagem.

– Que vantagem?

– Tem apenas vinte e nove anos. É bonito, tem uma boa situação financeira, está solteiro. Poderá ter a mulher que quiser, e sem culpa.

– Você me conhece muito bem, sabe que tenho dificuldades para me aproximar das pessoas, principalmente das mulheres. Não sei o que vai acontecer. Sabe, a atitude de Ellen faz-me lembrar de minha mãe.

– Sua mãe? Por quê?

– Ela também sempre me pareceu muito triste. Por muitas vezes quis conversar com ela, saber qual era o motivo daquela tristeza, por que às vezes ela chorava... mas nunca obtive resposta. Será que também se sentia como Ellen? Embora tenha sido uma ótima mãe, sempre a achei um pouco reservada. Nunca quis falar muito sobre a família ou os amigos que deixou no Brasil. Sempre que perguntava, ela respondia:

– Não tenho família alguma lá. Quando meus pais morreram eu era ainda muito jovem. Conheci seu pai, nos apaixonamos, nos casamos, você nasceu e viemos para cá.

O telefone tocou. Ele atendeu:

– Alô? Oi, mamãe, como está?

– Estou bem, liguei apenas para saber como foi lá no fórum.

– Foi tudo muito frio e rápido. Parecíamos dois inimigos. Mal nos olhamos. O amigo dela estava lá, mas por incrível que pareça, não senti nada.

– Foi melhor assim. Agora você tem que recomeçar sua vida. Filho, preciso que venha até aqui. Não estou bem, e antes de morrer preciso contar-lhe algumas coisas...

– Morrer? Que é isso? Ainda vai viver muito!

– Não adianta querer enganar-me ou a si mesmo. Sabe tanto quanto eu que minha doença não tem cura e que a qualquer momento vou para junto de Deus, prestar minhas contas.

– Que contas teria para prestar? Você uma mulher perfeita! Maravilhosa!

– Não sou maravilhosa nem perfeita. Filho, o assunto é realmente muito sério.

– Está bem, vou tomar um banho, trocar de roupa e irei até aí. Steven está aqui. Posso levá-lo também?

– Sabe o quanto gosto de Steven, mas o que tenho para conversar é muito sério. Gostaria que viesse sozinho.

– Está bem. Vou comer aquela comida que só a senhora sabe fazer.

– Venha, meu filho. Estarei esperando.

Walther colocou o telefone no gancho. Sentiu um aperto no coração, sabia que ela dizia a verdade. O tratamento indicado pelo médico não apresentava resultado. Sabia também que realmente nada mais poderia fazer. Disse:

– Steven, sabe que mamãe não está bem. Ela quer que eu vá até lá. Disse que tem um assunto muito sério para conversar comigo. Por isso pediu que eu fosse só. Você entende?

Steven levantou do sofá, respondendo:

– Claro que entendo. Sabe o quanto gosto de sua mãe. Tenho alguma dificuldade para entender o que ela fala, mas sempre consegui me comunicar.

– Você sempre foi muito esperto. Aprendeu até algumas palavras em português.

– Não foi difícil. Eu era criança e criança aprende fácil. Vá falar com sua mãe, não se preocupe comigo, mesmo porque também não poderia ir. Tenho uma linda mulher me esperando para o jantar. Não quero cometer os mesmos erros que você cometeu...

Disse isso com um olhar zombeteiro. Walther, rindo, atirou uma almofada nele. Steven abraçou-o, dizendo:

– Meu amigo, fique calmo. Pense só em sua mãe, que agora está precisando muito do seu carinho.

– Estou pensando e sentindo muito por não poder fazer mais nada para ajudá-la.

– Sabe que se precisar basta telefonar. Virei em seguida.

– Sei disso. Você é um grande amigo.

– O melhor de todos!

Walther acompanhou-o até a porta.

Assim que Steven saiu, preparou-se para sair. Sabia que a mãe tinha pouco tempo de vida, por isso ficava o mais que podia a seu lado. Trocou de roupa e foi para a casa dela.

Quando chegou, ela já o esperava. Abriu a porta, sorridente:

– Ainda bem que chegou. Estava morrendo de saudades!

– Dona Geni... Dona Geni... quem a ouve falar assim vai pensar que nunca venho visitá-la. Estive aqui no domingo e hoje ainda é quarta-feira!

– Sei disso, você é um filho adorável. Vamos jantar, depois temos muito para conversar!

– Sempre conversamos muito!

– Mas hoje o assunto será diferente...

– Que assunto poderia ser esse? Estou ficando curioso!

– Por enquanto vamos jantar e falar só de coisas boas.

Entraram, a mesa já estava posta. Sentaram-se. Marita estava ao lado esperando a ordem para servir. Walther cumprimentou-a:

– Tudo bem, Marita?

Com uma mistura de português com espanhol, ela respondeu:

– Está tudo bem, sua mãe estava ansiosa por sua chegada.

– Cheguei e estou com muita fome. O jantar está pronto?

– Sim, fiz tudo o que você gosta!

Mãe e filho sentaram-se. Comeram conversando sobre amenidades. Depois do jantar foram para a sala de estar. Walther estava preocupado com o ar de fraqueza de sua mãe, mas o médico já lhe havia dito que seria assim. O único que poderia fazer era dar a ela toda a atenção merecida.

Ela segurou suas mãos, olhando bem em seus olhos. Disse:

– Quando me perguntava, sempre lhe dizia que no Brasil não havia ninguém da minha família, que todos estavam mortos, mas existe alguém. Se um dia quiser, poderá procurá-lo. É meu irmão, seu nome é Paulo.

Walther, surpreso, disse:

– Que está dizendo? Tem um irmão no Brasil? Por que nunca me falou dele?

– Tenho sim. Na realidade não é meu irmão, mas é como se fosse. É um grande amigo. Nunca falei a respeito dele porque não havia necessidade. Quando se é jovem, pensamos que nunca envelheceremos, muito menos que podemos morrer. Durante todos esses anos tenho me correspondido com ele sem que seu pai soubesse.

– Por que meu pai não poderia saber?

– Foi uma promessa que fiz. Eu o amava muito. Quando decidi acompanhá-lo, ele me fez prometer que romperia todos os laços que me prendiam ao Brasil, incluindo Paulo. Como o amava, aceitei. Mais tarde, por muitas vezes me arrependi, pois sentia muita falta do Brasil. No fundo sempre guardei a esperança de um dia voltar. Por isso fiz questão que você aprendesse a falar, ler e escrever em português. O Brasil é sua terra, foi o lugar onde nasceu. Se um dia precisar, ou quiser conhecer seu país, basta procurar por Paulo. Ele o receberá de braços abertos.

Walther estranhou aquela confissão. Por que antes ela nunca lhe falara nada a respeito daquele tal Paulo?

Ela se levantou, foi até o quarto e trouxe uma pequena caixa, que entregou ao filho.

Curioso, ele a abriu. Dentro havia vários cartões de Natal. Notou que todos os anos Paulo mandava um cartão para sua mãe. Leu alguns, mas todos continham apenas aquelas palavras já impressas, e no final ele escrevia de próprio punho, "Desejo sincero de Paulo".

Todos eram iguais. Depois de devolvê-los à caixa, perguntou:

– Por que nunca me falou sobre ele?

– Porque não era importante, nunca pensei que morreria tão cedo. Seu pai nunca soube desses cartões.

Walther não entendeu o porquê de tudo aquilo, mas não discutiu. Ela devia ter seus motivos. Sua única preocupação naquele momento era com sua saúde. Ela estava muito fraca, sua voz saía baixa e dificultosa. Não quis perguntar nada, percebeu que ela não queria continuar com aquela conversa. Quis devolver-lhe a caixa, mas ela não a aceitou, dizendo:

– Leve-a com você, talvez um dia precise dela. Preciso fazer-lhe mais um pedido. Sabemos que tenho pouco tempo de vida. Por mais que tenhamos tentado, não conseguimos combater o câncer que me atacou, por isso quero que, quando eu falecer, escreva para o endereço que está aqui. É o endereço de Paulo. Quero que comunique meu falecimento.

– Que é isso, mamãe? Não vai morrer!

– Vou, e você sabe! É importante que comunique a Paulo! Prometa que fará isso!

Ele estranhou aquelas palavras, mas não argumentou. Pegou a caixa e beijou a mãe, dizendo:

– Farei, claro que farei, só que a senhora não vai morrer! Vai continuar seu tratamento e logo ficará bem!

Despediu-se dela e de Marita, que acompanhava toda a conversa. Marita era boliviana, estava já há muito tempo com eles. Era mais uma dama de companhia. Pela proximidade dos idiomas, as duas se entendiam. Ela já tinha uma certa idade, por isso não fazia o serviço pesado da casa, que era feito por uma empregada negra.

Durante todo o caminho de volta Walther foi pensando em tudo o que a mãe lhe contara:

Que história estranha foi aquela? Não entendi nada.

Ao entrar em casa, já na sala, foi até o bar e preparou novamente um drinque. Sentou-se num sofá. De onde estava, via um quadro na parede – Ellen vestida de noiva. Ficou olhando e pensando:

Ela é realmente linda. Tem um lindo sorriso, mas hoje tenho certeza que não era a mulher da minha vida. Preciso trocar os móveis da casa e tirar esse quadro da parede. Tudo aqui foi escolhido por ela. Não posso negar que tem bom gosto, a casa está muito bonita.

Lembro-me agora de como ela ficava feliz com cada objeto que comprava. Por que será que nosso casamento não deu certo? Será que a culpa foi minha por não ter dado a atenção que ela queria? Ou será que foi dela por não entender que eu queria apenas o melhor pra nós? Não sei... realmente não sei...

Levantou, foi até a parede, retirou o quadro e colocou-o sobre a mesa. Definitivamente tinha que esquecer. Sabia que o casamento estava desfeito e que não haveria volta. Era uma página virada. Foi até o quarto, deitou-se sobre a cama e continuou pensando.

Steven tem razão. Sou jovem, tenho uma vida toda pela frente. Talvez encontre a mulher certa, aquela que vai entender meu modo de viver.

Steven, ah... Steven. Como pode ser da maneira que é? Como aceita tudo sem reclamar? Está sempre bem, faz piada de tudo. Quem o ouve falar e não conhece sua vida pensa que não tem problema algum. Ele é um bom amigo. Não sei o que teria feito sem ele. Durante todo o período do divórcio esteve a meu lado. Aliás, esteve a meu lado a vida toda.

Levantou-se e foi até o banheiro. Olhou-se no espelho. Não estava bem, sentia um vazio que não sabia explicar.

Que será isso que sinto? Por que essa sensação de impotência, esse desânimo? Não sei o que vai acontecer. Ainda mais agora, sabendo que vou perder também minha mãe. Não tenho mais ninguém no mundo. Estou só, completamente só...

Já preparado para dormir, deitou-se novamente. Acomodou-se na cama, fechou os olhos, mas sua cabeça fervilhava.

Embora tivesse muitas perguntas em mente, estava também com sono. O dia fora desgastante. Logo adormeceu.

Conhecendo Paulo

– Senhores passageiros, dentro de alguns minutos estaremos pousando no Aeroporto Internacional do Rio de Janeiro. Queiram por favor colocar suas poltronas na posição vertical, apertem os cintos e respeitem os avisos de não fumar. Assim que desembarcarmos, permaneçam com seus documentos em mãos para que possam ser apresentados às autoridades locais. Não esqueçam sua bagagem de mão.

Enquanto o comandante do avião dizia as palavras de praxe, Walther olhava pela janela, distraído. Via muito verde e os cortes das plantações das fazendas. Do alto, pareciam desenhadas. Suas formas eram como figuras geométricas perfeitas. Estava encantado com a beleza que do alto podia ver.

Tirou seus passaportes do bolso do paletó. Um com a capa verde, brasileiro, outro com a capa azul, americano. Guardou o americano de volta ao bolso. Abriu o brasileiro. Lá constava um nome – Walther Soares Brown, de nacionalidade brasileira. Ficou olhando para sua fotografia, pensando:

Nasci neste país, mas não conheço nada ou quase nada a seu respeito e muito menos me considero brasileiro. Sei de algumas coisas que mamãe me contava, nada além disso. Sei também que é um país do terceiro mundo. Não imagino o que poderei encontrar, mas enquanto estiver aqui, terei que me comportar como um nativo da terra. O que na realidade sou, embora tenha duas cidadanias. Brasileiro por nascimento e americano por filiação.

Esteve pensando nisso o tempo todo, desde que recebera aquela carta de Paulo.

Prezado Walther

Sei que não me conhece, não sei se sua mãe lhe contou algo a meu respeito. Quando recebi sua carta comunicando-me o falecimento dela, e por eu próprio estar muito doente, senti vontade de que viesse me visitar e assim também conhecer este país, que além de maravilhoso, é seu. Tenho uma longa história para lhe contar e isso precisa ser feito antes que eu morra. Por favor, atenda ao meu pedido.

Alguém que muito o estima
Paulo

Walther recebera aquela carta havia alguns dias. Estava com sua vida caminhando sem muita emoção. Muito triste, pois além do divórcio, sua mãe falecera. Estava muito só. Quando terminara de ler, começara a pensar:

Estranho receber um convite como esse. Não conheço esse meu tio Paulo. Só tomei conhecimento dele pouco tempo antes da morte de minha mãe. Quando ela morreu, cumpri o que lhe prometera. Enviei uma carta a ele contando o acontecido. Não pensei que me respondesse, muito menos que me fizesse esse convite. Não sei se devo aceitar. Não sei se posso deixar a empresa, tirar alguns dias de folga, mas bem que estou precisando.

Afora as perdas que tive, tudo vai bem em minha vida. Exerço já há muito tempo um cargo expressivo na empresa. Estou muito bem profissionalmente, entretanto meu lado sentimental não anda muito bem, aliás, como sempre.

Quando me casei com Ellen pensei que seria para sempre, mas não durou muito. Na realidade, nunca encontrei aquela mulher com a qual acreditei que seria feliz, minha companheira até o fim da vida. Tive vários relacionamentos – um deles durou seis meses, mas como os outros, também terminou. Estou agora com vinte e nove anos. Sinto necessidade de ter filhos, mas me recuso, pois tenho medo de não poder acompanhar o crescimento deles, caso o casamento termine. Como já aconteceu.

Olhou novamente pela janela do avião. Agora já podia ver com clareza as casas, ruas e carros se movimentando. Eram muito pequenos, mais pareciam brinquedos de criança. A cidade vista do alto parecia ser grande. Ficou olhando, pensando:

Estou agora voltando para esta terra que me serviu de berço, mas pela qual não sinto nada e da qual nada sei. O pouco que sei é o que minha mãe me contava: Que meu pai era americano, fora trabalhar num hotel no Brasil. O hotel pertencia a sua família. Foi como gerente para poder supervisionar tudo.

Minha mãe era muito jovem, nascera no Ceará. Seus pais morreram quando ela era ainda muito pequena. Não tinha família, fora criada por uma senhora amiga de sua mãe. Quando mamãe ia completar dezesseis anos, ela também morreu. Ficara sozinha no mundo e, como outras pessoas, para fugir da seca foi morar em Goiás.

Como todos, chegou ali sem lugar fixo para ficar. Uma de suas amigas estava indo em busca de um primo de seu pai, que se mudara alguns anos antes.

Viajaram de caminhão, que era chamado "Pau-de-arara". Moraram algum tempo na casa desse primo. Sua amiga, através do primo, logo conseguiu emprego num hotel como arrumadeira. Para uma moça como mamãe, sem instrução, era muito difícil encontrar trabalho, mas através dessa amiga conseguiu também trabalhar como arrumadeira no hotel.

– Você não precisa se preocupar, vou ensinar-lhe todo o trabalho – disse minha amiga – Em poucos dias será a melhor arrumadeira que já existiu!

Eu estava um pouco assustada. Muito humilde, não abria a boca para dizer nada, pois tinha medo de falar errado. Realmente, logo aprendi o serviço. Cuidava dos quartos com todo o carinho. Qualquer cliente se sentiria bem dentro deles.

Quando entrei no primeiro quarto, fiquei encantada com o que vi. Nunca em minha vida vira tanta beleza. Sempre morei em casa simples. Nossa casa, além de pequena, não tinha nada de luxuoso. Um quarto daquele tamanho, e com cortinas, era algo maravilhoso. Aprendi a arrumar as camas, dando aos lençóis uma dobra que os deixava muito bonitos.

Numa manhã, minha supervisora me chamou:

– Precisa verificar o quarto principal para ver se está tudo em ordem. Um americano vai chegar e ficará aqui por algum tempo. Ele vem observar se está tudo bem. Não sei, mas parece que é filho do dono.

Pela primeira vez fui até o quarto principal para ver se estava em ordem. Assim que abri a porta, fiquei encantada. Aquilo parecia um céu. Achara os outros quartos bonitos, mas aquele era muito mais.

Entrei devagar, parecia que minha presença ali perturbava o ambiente. Olhei e arrumei tudo. Coloquei flores e fiquei imaginando como seria o americano que chegaria.

Walther sorriu ao lembrar do rosto de sua mãe contando essa história. Em sua mente surgiu a imagem dela. Continuou pensando:

Ela era tão bonita... não precisava ter morrido tão cedo. Como eu a amava e como era amado por ela... lembro-me do dia em que, já doente, ela me disse:
— Sei que estou muito doente e que não viverei muito. Você não conseguiu formar uma família. Gostaria muito que fosse conhecer o Brasil. É um país maravilhoso. Lá não temos neve, maremoto, terremotos ou furacões. Lá existe muito verde, o Sol brilha e é quente durante o ano todo, até mesmo no inverno.

Walther lembrava-se das palavras da mãe. Sempre que a ouvia falar sobre isso, dizia:

— Mamãe, sei que nasci no Brasil, mas não me sinto brasileiro. Sou americano, vivo aqui desde que me conheço por gente. Mas prometo, assim que houver uma oportunidade, irei até lá para conhecer toda essa maravilha!
— Vá, meu filho, sei que não se arrependerá.
Para agradá-la eu dizia que faria isso, mas na realidade nunca senti vontade de vir para o Brasil. Não existe nada que me identifique com esta terra ou este povo. Sou americano. Pretendo continuar sendo. Ficarei aqui o menor tempo possível, por isso já comprei a passagem com dia certo para voltar.

Enquanto pensava, olhava pela janela. Via ao longe o Cristo Redentor e o Pão de Açúcar. Já vira várias fotos em jornais. Uma cantora brasileira, Carmem Miranda, fazia muito sucesso nos Estados Unidos. Encantou-se com o mar visto do alto. Pensava:

Como mamãe dizia, a natureza foi realmente pródiga neste país. O Rio de Janeiro, visto aqui do alto, é muito bonito mesmo!

— Senhores passageiros, acabamos de pousar, queiram por favor permanecer sentados até a parada total do avião. Agradecemos sua companhia e esperamos tê-los a bordo novamente.
Era o comandante falando. Walther permaneceu sentado pensando em sua mãe:

Foi uma pena que ela tenha morrido tão cedo... como gostaria que estivesse aqui ao meu lado, voltando para a terra que tanto amava.

O avião finalmente parou. Todos os passageiros começaram a se levantar e pegar suas bagagens de mão. Walther fez o mesmo. Pegou a única maleta que trouxera, pois pretendia ficar apenas alguns dias, visitar o tal tio Paulo e logo após voltar. Havia muito trabalho a ser feito. Pedira alguns dias de férias na empresa, mas não poderia ficar muito tempo ausente.

Desceu do avião, seguiu os passageiros. Sabia falar, ler e escrever em português, pois sua mãe lhe ensinara. Embora ela tivesse vivido nos Estados Unidos por muito tempo, nunca quis aprender o inglês, pois intimamente tinha a esperança de um dia voltar para o Brasil, sua terra. Por esse motivo sempre conversavam em português. Contava das belezas naturais que havia em seu país.

Infelizmente, ela não conseguiu realizar seu sonho. Morreu antes disso...

Walther não conhecia seu tio, nem por fotografia. Estava ali naquele momento por ter feito aquela promessa à mãe antes que ela morresse. Estava ali só por obrigação, não porque sentisse realmente algo pelo tio ou pelo Brasil.

Dirigindo-se à saída, notou que havia no saguão muitas pessoas esperando por aqueles que chegavam. Formava-se uma espécie de cordão, e as pessoas que passavam eram recebidas por seus familiares com abraços e beijos.

Ele olhava para todos os lados querendo reconhecer seu tio, mas por mais que tentasse, sabia que não conseguiria. Pouco a pouco os passageiros foram saindo e indo embora. Ele ficou ali parado, sem saber o que fazer. Possuía o endereço do tio, só lhe restava pegar um táxi, que o levaria ao tal endereço.

Pensava em fazer isso quando um homem vestido de preto se aproximou:

– O senhor é Walther?

– Sim. O senhor é meu tio Paulo?

– Não! Meu nome é Isaias, sou motorista e amigo de seu tio. Ele me pediu que viesse buscá-lo aqui no aeroporto e o levasse até ele. Não conheço esta cidade, por isso demorei. Fiquei um pouco perdido. Onde está sua bagagem?

— Não trouxe muita bagagem, apenas esta maleta com um pouco de roupa. Não posso nem pretendo ficar muito tempo.

— Está bem. Vamos, então?

— Vamos. Confesso que estou um pouco cansado. Saí de um frio intenso e agora encontro aqui este Sol maravilhoso. Como dizia minha mãe, esta terra é realmente muito bonita!

— É, sim! Ainda mais em dezembro, em pleno verão! Por mais que sua mãe lhe tenha descrito o Brasil, não deve ter conseguido passar-lhe tudo. Isto aqui é mesmo uma maravilha! O senhor vai ver!

Walther, sorrindo, acompanhou Isaias até o estacionamento. Enquanto fazia isso, pensava:

Realmente aqui é diferente. Deixei Nova York com frio e muita neve. Encontro aqui este Sol e um calor maravilhoso.

Isaias parou em frente a um carro muito bonito. Pegou a maleta de Walther e colocou-a no porta-malas. Abriu a porta de trás para que ele entrasse. Walther disse:

— Por favor, não. Prefiro ir no banco da frente para apreciar a paisagem.

— O senhor é quem manda. A paisagem é bonita mesmo. Seu tio não mora aqui no Rio de Janeiro. Mora em São Paulo, numa região serrana, precisamente em Campos de Jordão. Teremos ainda uma longa viagem...

— Não tem importância. Estou cansado, mas muito curioso. Nunca pensei que um dia viria ao Brasil, mas já que estou aqui, vou aproveitar o máximo! Quero ver tudo!

— Ficará encantado, posso até apostar.

Entraram no carro. Walther instalou-se no banco ao lado do motorista. Isaias teve algum problema para sair da cidade e chegar à estrada que os levaria até Campos de Jordão.

Walther conseguiu ver rapidamente o mar, admirou a cidade, viu o Cristo Redentor e o Pão de Açúcar, só que agora de baixo para cima. Extasiou-se com tanta beleza. Notou e comentou com Isaias sobre os barracos que pareciam despencar dos morros. Isaias não respondeu, deixou que ele admirasse tudo. Teriam muito tempo para comentar sobre aquilo que ele via.

Finalmente conseguiram chegar à estrada. Enquanto o carro corria, Isaias disse:

— Tenho certeza que o senhor vai gostar, aqui tudo é muito bonito e as pessoas são atenciosas, principalmente com estrangeiros.

— Não sou estrangeiro. Nasci aqui! Sou brasileiro!

— Por isso fala tão bem o português?

— Sim, mas devo confessar que, embora seja brasileiro, não me sinto como tal. Cresci aprendendo uma língua e uma cultura diferentes. Meus amigos são todos americanos. Não acredito que poderia viver para sempre num país como este. Passar alguns dias, sim, mas viver, não creio.

— Nada é impossível. Não sabemos nada sobre o nosso futuro... ele a Deus pertence...

— Deus? Vivo num mundo onde a tecnologia está muito desenvolvida. As pessoas estão mais preocupadas em estudar, ganhar muito dinheiro e usufruir de tudo o que ele pode comprar.

— Isso é muito bom, mas o senhor não pode deixar de admitir que existe algo mais do que o dinheiro... algo mais além desta vida tão curta...

— Sabe que nunca pensei a esse respeito? Nunca tive tempo. Sempre estudei muito para conseguir um diploma, ter um bom emprego e ganhar muito dinheiro.

— Conseguiu o que queria?

— Consegui. Hoje tenho tudo o que sonhei. Tenho um bom emprego e ganho o suficiente para viver muito bem. Moro numa boa casa, tenho um bom carro e posso viajar para onde quiser... isto é, quando me sobra tempo.

— O senhor tem mulher e filhos?

Walther ficou em silêncio antes de responder. Depois de alguns segundos, disse:

— Não... não tenho mulher e filhos, mas isso não me faz falta. Posso ter a mulher que desejar quando quiser. Só que ainda não encontrei aquela que me fizesse acreditar que poderia viver a seu lado para sempre.

— Entendo, mas ela deve estar em algum lugar. Todos temos a outra metade da nossa laranja.

Walther sorriu, dizendo:

— Se ela existe, não a encontrei ainda...

— Talvez ela esteja aqui no Brasil!

— Não creio. Minha mãe dizia que as mulheres brasileiras são tímidas. Eu também sou, por isso será quase impossível eu me aproximar de uma. Além do mais, ficarei muito pouco tempo aqui, não terei oportunidade para me envolver com mulher alguma. Mas, diga uma coisa. Como é o meu tio? O senhor deve conhecê-lo muito bem, não?

— Sim, conheço-o, já estou com ele há muito tempo. É um homem solitário, viveu um grande drama e sofre muito por isso. Está muito bem de vida. Teve sorte quando trabalhou como garimpeiro numa mina. Encontrou várias pedras, entre elas uma enorme, que lhe rendeu muito dinheiro. Com esse dinheiro transformou-se em comprador e vendedor de pedras preciosas. Ganhou muito mais dinheiro. Comprava pedras de garimpeiros e as revendia por um preço bem maior que o pago.
Já faz um bom tempo que parou com tudo. Está muito doente. Estou a seu lado desde o início. Não o considero meu patrão, mas sim um grande amigo.

— Sendo assim, deve saber o que aconteceu. Minha mãe nunca me falou sobre ele, dizia que não tinha pais ou irmãos. Tomei conhecimento desse tio há muito pouco tempo, para ser preciso, só um pouco antes da morte dela. Disse que, embora não fosse seu irmão de sangue, considerava Paulo seu único parente. Nunca soube do motivo.

— Muito tempo se passou desde que tudo aconteceu, só que não posso adiantar-lhe nada. Mas tenho certeza de que ele o chamou exatamente para contar-lhe tudo.

— Espero que sim. Durante toda minha vida, desde que comecei a tomar conhecimento das coisas, isso sempre me incomodou muito. Via meus amigos acompanhados de primos, tios e avós. Eu não tinha ninguém. Quando perguntava a minha mãe sobre sua vida aqui no Brasil, se tinha parentes, ela ficava com o olhar distante e dizia não possuir ninguém. Desconversava, mudava de assunto.

— Talvez tivesse suas razões. Acredita que ela era feliz?

— Não sei... sempre me pareceu muito bem. Tenho certeza que me amava muito. Já com papai, embora o amasse também, parecia que havia alguma coisa, não sei se um segredo, mas havia algo. Enquanto criança não percebi. Só com o passar do tempo fui notando que, muitas vezes, quando eu chegava, interrompiam o que conversavam ou mudavam de assunto.

Walther dizia aquilo com o pensamento longe, voltado para sua infância e adolescência. Isaias percebeu que ele de repente ficou distante. Não disse mais nada. Ele próprio voltava seu pensamento para o passado, para tudo o que acontecera e ele presenciara.

Esse moço terá grandes surpresas. Finalmente chegou o dia em que as coisas serão colocadas em seus lugares. Deus ajude que aceite tudo sem revolta. Parece ser um bom rapaz...

O carro continuava correndo. Depois de várias horas, Isaias saiu daquela estrada e entrou em outra menor. Walther não notou por quanto tempo rodaram até que Isaias parou o carro junto a uma estação de trem. Estranhou:

– Vamos tomar um trem?

– Sim, o carro ficará aqui até a nossa volta.

Walther pegou sua maleta. Entraram no trem, que começou a mover-se vagarosamente. Começaram a subir uma serra alta, também muito colorida. Havia em toda sua extensão flores coloridas com matizes diferentes. Enquanto o trem subia, Walther observava tudo e se encantava com toda aquela beleza natural que se lhe apresentava. Olhou para Isaias, dizendo:

– Este lugar é realmente muito bonito! Não posso negar que a natureza aqui não poupou esforços para se mostrar. O clima daqui também deve ser muito bom!

– É, sim. Aqui existem muitas clínicas para tratamento de tuberculose. O senhor deve saber como essa doença está se alastrando por todo o mundo.

– Sim, é uma doença muito cruel, mas com certeza será encontrada a cura. A Ciência está evoluindo muito rapidamente.

– Espero que a cura seja encontrada logo. Muitos amigos meus não resistiram...

– Será encontrada, certamente.

Enquanto o trem subia, Walther ia notando que as poucas casas que existiam na serra eram feitas de madeira, ao estilo da cidade onde morava.

– Sabe, seu Isaias, parece que ainda estou nos Estados Unidos. As construções aqui são tão parecidas com as de lá!

– Nesta cidade o clima é frio, por isso existe esse tipo de arquitetura. Perceba que em quase todas as casas existem chaminés. Todas elas possuem lareiras. No inverno, as pessoas ficam ao pé delas tomando vinho quente.

Walther ouvia, mas não conseguia desviar o olhar da deslumbrante paisagem.

Finalmente o trem parou na estação. Desceram, Isaias chamou um taxi e deu um endereço ao motorista. Depois de alguns minutos, o taxi parou em frente a uma casa muito grande. Isaias desceu e abriu a porta para que Walther descesse também:

– Chegamos. É aqui que seu tio mora.

Walther estranhou o tamanho da casa. Era enorme.

– Por que ele mora numa casa tão grande?

– Isto não é uma casa, mas uma clínica. Seu tio está com tuberculose, num estado muito avançado.

– Por que não me contou em sua carta?

– Deve ter tido suas razões. Agora que chegamos, ele lhe contará tudo.

Walther ficou parado, olhando para aquela clínica. Isaias disse:

– Vamos entrar? Ele está ansioso para vê-lo.

Subiram alguns degraus e entraram numa sala muito bem decorada. Havia um balcão, de onde uma moça sorriu ao vê-los entrar:

– Ainda bem que estão aqui. Ele está ligando a cada cinco minutos para saber se chegaram! Está realmente muito ansioso!

– Tudo bem, Irene? Viemos o mais rápido possível. Este é o senhor Walther. Também deve estar ansioso para conhecer o tio. Podemos ir até o quarto?

– Claro que sim, mas por favor respeitem as regras. Ele não pode se emocionar, está muito fraco.

– Pode ficar tranqüila. Conheço todas as regras e não deixarei que se emocione.

Entraram por uma porta que dava para um corredor com várias outras portas. Isaias dirigiu-se a uma delas, abriu-a e entrou. Walther seguiu-o por todo o caminho. Assim que entraram no quarto, viu sentado numa cadeira de balanço um senhor muito magro, mas com boa aparência. Cabelos e bigodes brancos. Deveria ter mais ou menos cinqüenta anos. Ao vê-los entrar, levantou-se com dificuldades e foi ao encontro deles. De repente parou, como se lembrasse de algo:

– Seja bem-vindo, Walther. Sinto muito, mas não posso abraçá-lo, minha doença é contagiosa. Mas estou muito feliz por ter aceitado meu convite. Deixe-me vê-lo. Vejo que se tornou um belo rapaz!

Walther apenas sorriu, sem saber o que dizer. Ficou olhando para aquele homem ali a sua frente. Era um seu parente, mas ao mesmo tempo um estranho. Para ele tudo era estranho, o tio, o lugar e até o país. Disse:

— Estou feliz por ter aceito seu convite e por conhecê-lo. Sinto muito por sua saúde, mas tenho certeza que logo vai se recuperar.

— Não vou, não, meu filho. Sei que em breve voltarei para o meu verdadeiro lar. Isso não me preocupa, pois este velho corpo já cumpriu sua missão. Só não poderia partir sem que você conhecesse toda a verdade. Seu pai, como está?

— Meu pai faleceu há dois anos. Sofreu um derrame, teve todo o atendimento médico necessário, mas numa manhã, quando o enfermeiro entrou no quarto, percebeu que ele havia falecido. Feitos os exames, constatou-se que sofrera um enfarte fulminante.

— Sinto muito, era um bom homem! Mas esse é o destino de todos nós. Mais cedo ou mais tarde, todos retornaremos para junto do Pai...

— Também senti muito, mas ele já estava distante desta vida havia muito tempo, desde que sofrera o derrame. Estou curioso, que verdade é essa que preciso conhecer?

— Saberá de tudo, mas não agora. Deve estar cansado da viagem. Isaias vai levá-lo até o hotel onde há um quarto reservado em seu nome. Descanse hoje, visite a cidade e veja como ela é bonita, e amanhã bem cedo volte. Então contarei tudo.

— Não posso simplesmente ir embora e esperar até amanhã. Preciso saber de tudo logo. Estou intrigado! Nunca imaginei que houvesse uma história em minha vida! Não sabia nem que tinha um parente aqui no Brasil! O senhor vem agora pedir-me para esperar até amanhã?

— Isso mesmo. A história que tenho para lhe contar é muito longa. Você tem que estar bem para poder ouvi-la até o fim. Sei que está cansado da viagem, por isso faça o que eu disse. Vá, descanse e volte amanhã bem cedo. Teremos o dia todo para conversar.

Walther percebeu que não adiantava argumentar, seu tio estava disposto a adiar aquela conversa. Muito a contragosto, despediu-se e acompanhou Isaias rumo ao hotel.

Assim que saiu, os olhos de Paulo encheram-se de lágrimas. Falou em voz baixa:

— Marta, minha querida, finalmente vou poder reparar todo o mal que fiz a você e a esse rapaz. Só assim poderei morrer em paz. Sei que neste momento é também esse o seu desejo. Espero que com esse ato possa ser perdoado, se é que tenho direito a esse perdão...

Fechou os olhos e sentiu uma suave brisa envolvendo-o. Por um minuto ficou ali sentado, sentindo aquele bem-estar. Em seguida, apertou uma campainha. Num instante um enfermeiro entrou no quarto:

– O senhor chamou? Está precisando de ajuda?

– Sim, quero deitar, por favor ajude-me. Estou muito cansado e sem forças para chegar até a cama.

– Não deveria ter ficado tanto tempo sentado. Sabe que tem que seguir o tratamento e que precisa repousar.

– Sei disso, mas não podia permitir que ele me encontrasse no fundo de uma cama. Amanhã estarei livre para partir. Tudo será revelado...

– O senhor sabe que não pode fazer muito esforço, nem se cansar. Não pode falar muito.

– Não se preocupe, sei que meu fim aqui nesta Terra está próximo, estou preparado. Só preciso terminar tudo e partir. Vou encontrar meus entes queridos que foram na minha frente. Será como uma viagem. Sei que terei que prestar contas, mas isso não há meios de evitar... por isso, enquanto estou aqui, vou tentar reparar um dos muitos erros que cometi...

O enfermeiro ajeitou seu travesseiro, dizendo:

– Nunca vi alguém com tanta certeza de que existe algo mais além da morte! Que não tenha medo dela!

Paulo, já acomodado na cama, disse:

– Medo da morte? Por quê? Você acredita nas mesmas coisas que eu, sabe que ela é um alívio, uma amiga para um corpo cansado e doente como o meu. Quanto a existir algo além, deve existir. Deus não nos criaria para vivermos apenas alguns poucos anos. Deve ter outros planos para a humanidade. De qualquer maneira, se não existir nada, não tenho com o que me preocupar... não é mesmo?

O enfermeiro sorriu:

– O senhor sempre tem razão. Também acredito que haja o outro lado. Se houver alguém nos esperando será muito bom, mas se não houver, não saberemos... não teremos para quem reclamar. Não é mesmo?

– Isso mesmo!

Paulo fechou os olhos, estava realmente cansado. Sua doença surgira havia um ano. Quando fora detectada, já estava num estado muito adiantado. Sabia que não havia mais nada a ser feito. Internara-se naquela clínica para esperar a morte chegar. Quando soube da morte da mãe de Walther, sentiu-se livre do juramento que fizera, poderia finalmente contar tudo. Faltavam poucas horas, tudo seria esclarecido e ele poderia morrer em paz.

O enfermeiro percebeu que ele queria ficar só. Disse:

– Vou deixá-lo sozinho. Se precisar de alguma coisa, basta tocar a campainha que virei em seguida.

– Sei disso... pode ir. Fique tranqüilo, ainda não vou morrer... não antes de contar tudo o que tenho guardado dentro do meu coração durante todos esses anos. Esperei muito por esse dia.

O enfermeiro olhou-o, sorriu e saiu.

Enquanto isso, Walther chegava ao hotel acompanhado por Isaias. Pegou sua maleta que estava no porta-malas do carro e entrou. O hotel tinha uma bela aparência, segundo Isaias era o melhor da cidade. Já dentro do saguão, percebeu que realmente era luxuoso. Dirigiram-se até a recepção. Após algumas palavras de Isaias, o gerente deu a ele duas chaves. Isaias entregou uma para Walther e os dois subiram juntos para o terceiro andar, onde ficavam os quartos.

Assim que entrou, Walther jogou a maleta em cima de um sofá e atirou-se sobre a cama.

Estou realmente cansado, praticamente não durmo há dois dias. Mas não perdôo meu tio por ter adiado a conversa que parecia ser tão importante.

Ficou ali deitado, tentando adivinhar o que de tão importante havia acontecido. Cansado de pensar a respeito, levantou-se, foi ao banheiro e tomou um banho. Saiu do banheiro, vestiu uma roupa e desceu para encontrar-se com Isaias. Almoçaram no restaurante do hotel. Depois do almoço voltou para o quarto, deitou-se, não resistiu e adormeceu.

Acordou sem saber dizer por quanto tempo dormira. Olhou para o relógio, eram seis horas da tarde. Só então percebeu que estava com fome. Resolveu sair para comer alguma coisa. Quando saía do quarto, a porta do quarto ao lado abriu-se. Era Isaias, que ia justamente chamá-lo para o jantar. Ao ver Walther, disse:

– Estava indo a seu quarto. Creio que já é hora de comermos algo. Não está com fome?

– Sim, estava saindo justamente para isso. Onde poderemos ir?

— No almoço, sabia que estava cansado, por isso almoçamos aqui no hotel, mas agora, se quiser sair e ir a qualquer outro restaurante da cidade, basta dizer.

— Não quero ir a lugar algum. Ainda estou exausto. A viagem foi muito cansativa. Além do mais, não estou com cabeça para passear. Se não se importar, prefiro comer aqui mesmo. Amanhã, depois de conversar com meu tio, visitarei a cidade. Hoje é quinta-feira. Minha passagem de volta está marcada para segunda-feira. Terei muito tempo para visitar a cidade. Ela não me parece ser muito grande.

— Tem razão. Posso fazer-lhe uma confissão? Só o convidei por educação, também estou cansado. Já não sou mais um jovem. Amanhã vou levá-lo a muitos lugares.

Dirigiram-se ao restaurante. Walther pegou o cardápio, fez seu pedido e Isaias fez o mesmo. Enquanto esperavam pela comida, Walther disse:

— O senhor conhece a história que meu tio tem para me contar?

— Sim. Trabalhávamos juntos no garimpo. Vivi a seu lado durante o drama todo.

— Drama? Drama? Então algo muito grave deve ter acontecido! Eu faço parte desse drama?

— Faz sim, mas não posso adiantar-lhe nada, não tenho esse direito. Ele quer contar-lhe tudo pessoalmente, e é o que fará. Só posso pedir-lhe que não faça um julgamento precipitado. Talvez seja difícil aceitar o que aconteceu. Lembre-se, porém, que aquele era um outro tempo. Por enquanto, vamos comer e descansar. Amanhã será outro dia.

— Dizendo isso, faz com que minha curiosidade fique cada vez mais aguçada!

— Não era essa a minha intenção. Por hoje, vamos descansar, amanhã o Sol vai raiar novamente, e com a ajuda de Deus, saberá de tudo. Amanhã será um novo dia.

A História de Paulo

Walther percebeu que não conseguiria saber nada através de Isaias. Mas aquelas últimas palavras fizeram com que ficasse ainda mais preocupado. Pensou:

Por que minha mãe teve que esconder de meu pai que se correspondia com Paulo? Será que existiu algo entre eles? Será que foram mais que amigos? Se assim foi, e eu? Que papel faço nessa história?

Estava atordoado. Lembrava-se agora de algumas cenas de sua infância:

Muitas vezes vi minha mãe chorando pelos cantos. Lembro-me de uma vez, quando tive pneumonia. Estava com muita febre, e ela, pensando que eu estivesse dormindo, disse, chorando:
— Meu Deus do céu! Não permita que meu filho morra! Ele é tudo que tenho nesta vida. Não o castigue por meu pecado.

O garçom trouxe a comida. Sua presença fez com que Walther voltasse de seus pensamentos. Disse:
— Estou admirado com a quantidade de comida! Nunca vi isso em outro restaurante qualquer!
Isaias apenas sorriu. Começaram a comer. Walther não se cansava de elogiar a comida. Assim que terminaram o jantar, foram para seus quartos.
Walther, deitado em sua cama, começou a relembrar sua vida:

O que de tão importante pode ter acontecido? Fui uma criança normal, minha família era ou parecia normal, como todas as outras. Pensando bem, mamãe sempre me pareceu muito calada, principalmente na frente de papai. Só agora percebo. Por que não tive irmãos? Sempre que perguntava isso, mamãe desviava o assunto ou dizia que só eu lhe bastava, que não queria ter outros filhos. Bem, não adianta querer adivinhar, vou tentar dormir. Amanhã saberei de tudo.

Acomodou-se melhor na cama e, sem perceber, adormeceu. Sonhou que estava numa casa muito grande, corria pelos corredores procurando alguém. Via ao longe um vulto de mulher que lhe sorria e fugia. Ele ia atrás, mas não conseguia alcançá-la.

Sobressaltado, acordou. Sentou-se na cama enquanto relembrava nitidamente o sonho e a mulher, mas não o seu rosto. Apenas sabia que ela fugia dele. Ficou intrigado com aquele sonho, mas logo o cansaço o dominou. Tornou a deitar-se e adormeceu.

Paulo, em seu quarto na clínica, também dormia. Em seu rosto havia uma expressão ríspida. Também sonhava. Só que seu sono não era tranqüilo. Sonhava que corria, corria, também tentava encontrar alguém. Acordou suando frio. Sentou-se na cama, e em seu pensamento surgiu aquele rosto de mulher que chorava muito. Essa cena o acompanhava havia muito tempo:

Amanhã vou contar tudo e livrar-me desse pesadelo.

Aquela noite passou como todas as outras.

Walther abriu os olhos e olhou para o relógio. Não eram ainda seis horas. Um novo dia surgia. Levantou-se, foi até a janela, afastou a cortina e abriu a vidraça. Viu o Sol que começava a nascer e o dia clarear. Viu ao longe a montanha verde e colorida por flores de diversos matizes. De onde estava, vendo tudo aquilo, não se conteve; disse em voz alta:

– Este país é realmente muito bonito! Aqui, vendo essas montanhas, parece que faço parte da natureza!

Foi para o banheiro e tomou um banho. Vestiu a primeira roupa que pegou na maleta. Voltou para a cama, precisava esperar que Isaias o chamasse, pois haviam combinado que tomariam café juntos antes de irem para a clínica. Estava ansioso para finalmente tomar conhecimento daquela história que tanto o intrigava.

Permaneceu deitado tentando dormir novamente, mas foi em vão. Não percebeu quanto tempo passou até ouvir uma batida na porta.

Abriu a porta para Isaias, que sorrindo, disse:

– Bom dia! Dormiu bem?

– Bom dia, dormi muito bem, mas estou ansioso para conversar com meu tio.

– Entendo, mas vamos primeiro tomar café, depois iremos. Ele também deve estar ansioso nos esperando.

Realmente Paulo já acordara. Chamou o enfermeiro, pediu que o ajudasse a tomar um banho e lhe fizesse a barba. Depois disso tudo, pediu que o sentasse na cadeira.

– O senhor não deve ficar muito tempo sentado. Sabe que está muito fraco. Sabe também que hoje se emocionará muito. Não seria melhor ficar deitado? Ficaria mais confortável.

– Não se preocupe, estou bem. Esperei muito tempo por este dia. Enquanto estiver conversando com Walther quero olhar em seus olhos. Quero ver sua reação a tudo que tenho para lhe contar. Se eu estiver deitado, isso será muito difícil.

– Está bem, mas ficarei atento lá fora. Qualquer problema, basta chamar. Estou muito preocupado com o senhor.

– Você é um verdadeiro amigo. Não se preocupe, ficarei bem.

Sentado em sua cadeira, Paulo ficou com os olhos presos à porta. Esperava ansioso por Isaias e Walther. Pensava:

Assim que chegarem, vou falar com a maior calma que conseguir. Para isso preciso de ajuda espiritual. Senhor, permita que eu consiga contar tudo sem omitir fato algum.

A porta se abriu e por ela entraram Walther e Isaias.
Paulo sorriu:

– Bom dia, finalmente chegaram!

– Você está muito ansioso, ainda não são nem oito horas!

– Acordei muito cedo. Hoje é um dia importante. E você, Walther, como está? Dormiu bem?

– Estou bem, embora um pouco nervoso. Mas mesmo assim dormi muito bem.

– Não precisa ficar nervoso. Sente-se aqui a minha frente. Isaias, sente-se também. Quero que permaneça a meu lado.

Os dois obedeceram. Walther puxou uma cadeira e sentou-se bem em frente a ele. Isaias fez o mesmo.

Por alguns segundos Paulo ficou calado, olhando para o rosto de Walther. Finalmente disse:

– Meu filho, o que vai ouvir hoje talvez transforme sua vida. Preciso que me responda algo. O que sua mãe lhe contou a respeito de sua família aqui no Brasil?

– Não sei nada, minha mãe nunca quis falar a esse respeito. Só sei que nasceu no Ceará, aqui no Brasil, e que não tinha uma família. Só soube que ela tinha um amigo que considerava como irmão – o senhor – um pouco antes dela morrer.

Paulo voltou ao passado e, olhando bem dentro dos olhos de Walther, começou a falar:

Meu pai e meu tio, seu irmão, herdaram de meu avô uma quantidade expressiva de terra no sertão do Piauí. Eles próprios foram nascidos e criados ali. Tanto meu pai quanto meu tio possuíam muitos filhos. Para o sertanejo, ter muitos filhos era importante, pois teriam muitos braços para a lavoura. Eu tinha quatro primos e duas primas. Três irmãos e quatro irmãs. Ao todo, éramos catorze crianças. Morávamos todos juntos numa mesma casa. Meu pai e meu tio, por essas coisas do destino, casaram-se com duas irmãs. Eles as conheceram numa festa, das muitas que havia na vila.

A casa onde morávamos, embora simples, era grande e aconchegante. Tinha muitos quartos e janelas, que se abriam todas as manhãs para receber os raios do Sol. Vivíamos em perfeita harmonia. As crianças eram todas mais ou menos da mesma idade. Nas terras tínhamos plantação de feijão, milho, mandioca e muitas hortaliças. Tínhamos também algumas cabeças de gado que nos forneciam leite, manteiga e queijo.

Sua mãe, aos quinze anos, tornou-se uma mocinha linda, com seus cabelos negros e compridos.

– Minha mãe? Mas ela sempre disse que não tinha família! Que nascera no Ceará!

– Tenha calma, logo entenderá tudo.

Fomos todos crescendo juntos. Todos nos considerávamos irmãos. À medida que íamos tomando corpo, já ajudávamos na lavoura ou cuidávamos do gado.

Paulo falava sem parar, mas seus olhos estavam distantes. Parecia contar a história para si mesmo. De repente voltou a olhar para Walther, lembrou-se que ele estava ali. Prosseguiu:

Numa manhã, colhíamos mandioca para transformá-la em farinha, uma parte para nosso alimento e o restante para vender na vila. Sua mãe tentava tirar uma mandioca, mas a raiz era muito grande, e estava bem enterrada. Por mais força que fizesse, ela não conseguia tirá-la. Chamou um dos primos:

— Venha me ajudar! Esta mandioca é muito grande e não consigo tirar.

O primo atendeu prontamente, e os dois começaram a tirar com as mãos a terra que envolvia a mandioca. De repente, as mãos se tocaram, ambos sentiram como um arrepio passando por seus corpos. Um olhou nos olhos do outro, não entendiam o que estava acontecendo, mas notaram que aquilo que sentiram era estranho. Ficaram olhando-se por alguns segundos. Sua mãe levantou-se e saiu correndo em direção à casa. O primo, ainda espantado, acompanhou-a com os olhos. Ela entrou em casa correndo. Estava vermelha. Minha mãe, ao vê-la daquela maneira, perguntou:

— O que aconteceu?

Ela voltou a si, respondendo:

— Não foi nada, só fiquei com vontade de voltar para casa, estou com dor de cabeça. Vou para o quarto me deitar um pouco, logo estarei bem.

— Deve ser o Sol, está muito quente. Vá deitar-se, vou fazer-lhe um chá e levarei em seguida.

Ela foi para o quarto sem dizer nada, deitou-se e começou a relembrar o acontecido. "Que foi aquilo? Que significa tudo isso? Que vontade foi aquela que senti de me atirar nos braços dele e beijá-lo? Isso não pode ser! É meu primo! É como se fosse meu irmão..."

Ficou ali deitada pensando no que vivera.

O primo também não conseguia esquecer. "Isso não pode estar acontecendo! Ela é minha prima, nunca poderemos nos casar, nossos pais não permitirão. Temos o mesmo sangue! Mas o que senti não tem explicação. Eu a desejo, sinto que meu corpo quer o dela! Meu Deus! O que vou fazer?"

Ao meio-dia todos voltaram para o almoço. Sua mãe continuava no quarto. Minha mãe lhe levara o chá, que ela tomou sem reclamar.

O primo entrou em casa e procurou-a. Não a encontrando, perguntou para minha mãe:

— Onde está a prima?

— Está no quarto, por quê? Aconteceu alguma coisa?

— Não! Nada! Ela saiu da lavoura correndo, fiquei preocupado.

– Disse que está com dor de cabeça. Já lhe dei um chá, deve estar melhor. Vou ver se ela quer comer algo.

Sua mãe continuava deitada, não sabia o que fazer ou como encarar o primo. Sentia que não poderia mais olhar aqueles olhos: "Estou com medo de encará-lo, não sei qual será minha reação. E a dele? Mas não posso ficar aqui, tenho que almoçar com os outros".

Esperou mais um pouco, levantou-se, olhou para o espelho e pela primeira vez sentiu vontade de se arrumar. Penteou os cabelos e prendeu-os com uma fita. Foi para a sala, onde todos já estavam sentados. Entrou evitando olhar para o primo. Ele, ao contrário, olhava-a com admiração. Ela almoçou junto com os outros, como se nada houvesse acontecido.

À tarde, voltou para a lavoura, evitando olhar para seu primo, mas não conseguia; seus olhos o procuravam. Ele também tentava evitá-la, mas como ela não conseguia, era impossível. De vez em quando, os olhos se cruzavam. Imediatamente eles os desviavam.

Isso durou muito tempo. Os dois procuravam se distanciar, pois ambos sabiam que se chegassem perto, não conseguiriam suportar e um se atiraria nos braços do outro.

Paulo interrompeu a narrativa; precisou tossir. Prosseguiu em seguida:

Por mais que tentassem, não conseguiram. Numa tarde, quando ela voltava mais cedo da lavoura, encontrou seu primo tocando as vacas de volta ao curral. Quando se encontraram, olharam-se firmemente. Sem perceber, foram se aproximando e logo estavam um nos braços do outro. Ali, naquele mesmo lugar, tendo o gado como testemunha, entregaram-se ao amor.

O amor entre os dois foi mais forte. Sempre que podiam, escapavam e se encontravam. Sabiam que o casamento nunca seria abençoado por seus pais, mas nada importava. Eles se amavam, e muito. Esses encontros duraram por mais ou menos três meses.

Paulo parou de falar. Pediu a Isaias que lhe desse um pouco de água. Assim que terminou de beber, prosseguiu:

Não chovia havia dois anos. A seca assolava nossas terras. A lavoura foi secando. Começávamos a passar por dificuldades. A família era muito grande, o alimento começou a rarear. Precisávamos fazer algo para mudar aquela situação, ou melhor, para sobreviver.

Meu irmão dois anos mais velho que eu, Luiz, chegou da vila com uma novidade:

– Estive conversando com Dinei. Ele disse que veio um homem lá de Goiás procurando homens de qualquer idade para trabalhar num garimpo. Estive pensando que nós, os mais velhos da família, poderíamos ir. Parece que há chance de se ganhar muito dinheiro.

Minha mãe e minha tia levantaram-se e, quase juntas, disseram:

– Está louco? Não queremos separar nossa família! Sempre estivemos juntos e pretendemos continuar assim!

Meu irmão, sem perder a calma, disse:

– Esperem um pouco, não vamos nos separar para sempre. Iremos na frente, arrumaremos uma casa e em breve todos irão. O que não podemos é continuar aqui sem saber se teremos o que comer amanhã!

Minha tia olhou para minha mãe; disse:

– Não sei, mas ao mesmo tempo que não quero que nos separemos, sinto que ele tem razão...

– É o que estou dizendo. Não sabemos se vai chover, se teremos novamente nossa lavoura bonita como antes. Já que surgiu essa chance, creio que deveríamos tentar. Não sei o que os outros pensam, mas eu estou pronto para ir.

Todos se entreolharam. Os rapazes se entusiasmaram. Sua mãe olhou para o primo, que também a fitava. Ele não sabia o que fazer. Ela temia que ele aceitasse aquela idéia.

Finalmente, após algumas discussões, resolveram que os rapazes mais velhos iriam na frente. Assim que conseguissem uma casa, o resto da família os seguiria. Desde que não chovesse. Se a chuva voltasse, teriam que retornar.

Sua mãe e o primo ficaram desesperados, não queriam se separar. Conseguiram conversar sem que os outros percebessem. Ele disse:

– Tenho que ir, preciso seguir os outros. Não terei desculpa para não ir, mas não se preocupe. Assim que conseguirmos a casa, todos irão. O que não podemos é ficar aqui correndo o risco de morrer de fome. Se existe essa chance, temos que tentar.

– Sei que você tem razão, mas tenho muito medo que me esqueça...

– Nunca vou esquecê-la! Eu a amo! Tem que acreditar nisso! Trabalharei feito um louco para conseguir uma boa casa! Fique tranqüila, estará em meus pensamentos todos os minutos da minha vida.

Ela sabia que não havia outro meio, então só lhe restou concordar.

Numa manhã, despedimo-nos da família e partimos rumo à vila. Lá, junto com outros rapazes, tomaríamos um caminhão que nos levaria até o garimpo. Fomos todos amontoados uns sobre os outros. A viagem foi demorada e sofrida, mas em cada coração havia a esperança de dia melhores para todos.

Após alguns dias de viagem, finalmente chegamos à pequena cidade. Ficamos um dia lá, tomamos banho, comemos alguma coisa e dormimos no próprio caminhão. No dia seguinte partimos para o garimpo.

Quando chegamos, ficamos espantados com a quantidade de homens com pás e picaretas cortando a montanha. Fomos apresentados a um feitor, que nos deu uma pá e uma picareta, ensinou-nos o trabalho e mostrou o lugar onde deveríamos começar.

O trabalho era pesado. Durante o dia todo íamos cortando a montanha. Quando encontrávamos qualquer coisa que brilhasse, tínhamos que separar com as mãos e colocar num saco. À tarde deveríamos lavar e passar na peneira aqueles torrões de terra. Separar tudo que poderia ser precioso. Esse material era entregue a um americano, que pesava e pagava aos garimpeiros. À noite, dormíamos em barracas.

Uma vez por semana íamos até a vila. Lá existia um pequeno hotel. Numa casa lá perto, havia moças para servir sexualmente aos garimpeiros. Com elas, eles gastavam quase todo o dinheiro que recebiam do americano, que também era o dono do hotel.

Enquanto Paulo falava, Walther pensava:

Essa história não tem nada a ver com aquela que mamãe contava...

Paulo, com os olhos perdidos no passado, prosseguia:

A vida no garimpo não era fácil, o Sol era sempre muito quente, o calor insuportável. Trabalhávamos muito, mas raras vezes encontrávamos algo que valesse algum dinheiro.

Estávamos já havia quatro meses no garimpo, mas até então não havíamos conseguido dinheiro suficiente para alugar uma casa e trazer o resto da família, que estava no Piauí.

Num sábado, ao voltarmos para a vila, recebemos uma carta que chegara durante a semana. A carta foi entregue a um dos meus primos, o único que sabia ler. Todos nós o rodeamos para ver o que ela dizia. Ele leu o remetente, viu que vinha de casa. Abriu rapidamente, estávamos todos ansiosos por notícias. A carta fora escrita por uma de nossas vizinhas, pois em casa ninguém sabia ler ou escrever.

Queridos filhos e sobrinhos

Pedi a seu José da barbearia que deixasse a mulher dele escrever esta carta para dizer que graças ao nosso bom Deus, a chuva chegou. Ela veio forte e hoje o rio e o açude estão cheios. Já estamos plantando, mas precisamos de vocês para nos ajudar. Podem voltar, pois tudo voltará ao normal. Poderemos viver novamente como antes, em plena felicidade.

Do pai e do tio de vocês, que muito os ama
Josildo

A alegria que nos invadiu não sei como explicar. Abraçamo-nos, dançamos e rimos. Durante todo o tempo estivemos sempre trabalhando muito, mas a nossa maior preocupação era com aqueles que ficaram naquela terra seca e triste. Sabíamos agora que eles estavam bem novamente. Todos sentimos muita felicidade.

Assim que terminou de ler a carta e toda aquela nossa euforia passou, meu primo disse:

— Não sei o que vocês farão, mas eu estou arrumando minhas coisas e voltando para nossa casa. Esse foi o trato que fizemos com nossos pais. Cada um faça o que quiser.

Todos seguiram o exemplo dele e foram arrumar suas coisas. Acertaram as contas com o americano. Alguns tinham dinheiro para receber, outros estavam devendo. Todo o dinheiro que havia foi dividido, as contas foram pagas, por isso estavam livres para voltar. Eu também participei com minha cota. Quando todos estavam prontos para ir, eu disse:

— Não vou com vocês. Pretendo ficar aqui, pois tenho certeza que encontrarei uma pedra grande, que vai nos dar todo o dinheiro que precisamos para mudar nossa vida e não ficarmos mais dependendo do Sol e da chuva.

Olharam-me sem acreditar no que ouviam. Luiz, meu irmão, disse:

— Você está bem certo dessa decisão?

— Estou. Vou ficar aqui e encontrar a pedra.

— Sabe muito bem que isso é quase impossível. Mesmo que encontre essa pedra, o americano não vai pagar o valor certo. Lá em casa, todos juntos e agora com água, poderemos viver com mais segurança.

— Até quando? Que faremos quando a seca voltar? Será que teremos outra chance de voltar para cá?

Todos me olhavam, pois no fundo sabiam que eu estava com a razão. Sabiam que dependiam da natureza, do Sol e da chuva. Ninguém podia ter certeza se no próximo ano choveria novamente ou não. Aquela região onde morávamos era assim. Todos sabiam. Mas resolveram partir e tentar novamente. Ao menos estariam ao lado da família.

Abracei e fui abraçado por cada um deles. Entenderam meu pensamento e deixaram bem claro que eu poderia voltar a qualquer momento, pois me receberiam com muito carinho. Eu sabia disso. Amava aquela família.

Eles foram embora e eu pela primeira vez fiquei sozinho. Senti alguma insegurança, mas tinha certeza que encontraria aquela pedra enorme que nos daria a liberdade financeira; sabia que com ela poderia dar toda a felicidade que minha família merecia.

Entreguei-me ao trabalho com afinco. Usava toda minha energia de jovem e ia loucamente cortando aquela montanha, pois eu sabia que em algum lugar aquela pedra esperava que eu a encontrasse.

– Isaias, lembra-se desse tempo?

– Claro que sim! Foi naquele tempo que nos conhecemos. Com a partida dos seus, você ficou só. Depois de algum tempo, tornamo-nos amigos. Preciso confessar-lhe, meu amigo. Sempre senti muito orgulho de sua amizade...

Paulo sorriu sem nada dizer.

Walther ouvia tudo com muita atenção. Ficava cada vez mais intrigado, pois aquele homem falava de sua família com muito amor, carinho e saudade. Ao contrário de sua mãe, que dizia não ter família.

Paulo tentou recomeçar, mas uma tosse muito intensa atacou-o. Levou o lenço à boca, e uma mancha vermelha apareceu. Isaias assustou-se, apertou a campainha e logo o enfermeiro entrou, dizendo:

– Avisei ao senhor que não podia falar e ficar muito tempo sentado. Veja no que resultou sua teimosia. Agora vai voltar para a cama, vou aplicar-lhe uma injeção. Por hoje não vai falar mais nada, vai ficar quieto. Suas visitas entenderão.

Walther frustou-se, pois estava interessado no resto da história. Não entendia o motivo pelo qual sua mãe lhe ocultara tudo aquilo, mas teve que concordar com o enfermeiro. Seu tio realmente estava tendo uma crise e merecia cuidados.

Atendendo a um sinal do enfermeiro, os dois se despediram de Paulo e saíram. O enfermeiro acomodou Paulo na cama e, sob seu protesto, aplicou-lhe uma injeção.

Logo em seguida a tosse passou e ele adormeceu. A seu lado, um vulto de mulher estendia as mãos sobre todo o seu corpo, em especial pela região do pulmão. De suas mãos saíam pequenas luzes, que o envolviam por inteiro. Ele, adormecido, começou a sonhar. Estava naquele lugar novamente. Buscava alguém, mas não encontrava. Corria por corredores, mas de nada adiantava. Não encontrava. Seu coração começou a bater muito rápido, o enfermeiro assustou-se e chamou o médico.

O médico entrou correndo, fez tudo para que Paulo acordasse, mas foi em vão. Depois de muito tentar, finalmente disse:

– Não adianta fazer mais nada, ele se foi. Preparem tudo e avisem a família.

O enfermeiro, embora acostumado com cenas como aquela, não conseguiu evitar duas lágrimas que insistiam em cair. Acostumara-se com aquele paciente, que aos poucos fora se tornando seu amigo. Sabia que Walther e Isaias chegariam logo pela manhã. Sabia também que teria que cumprir a missão que Paulo lhe havia deixado.

Mudança de Planos

Walther acordou cedo. Estava ansioso para voltar ao hospital e ouvir o resto da história. Estava confuso com o que ouvira até ali. Enquanto se preparava para sair, pensava:

Estranho, tudo que meu tio contou até agora está muito distante daquilo que eu sabia. Por que minha mãe mentiu a respeito de sua família? Que mistério existe por trás de tudo isso?

Levantou-se e tomou um banho. Terminava de se vestir quando ouviu uma batida na porta. Abriu, era Isaias já pronto:

– Bom dia! Espero que tenha dormido bem, apesar do calor insuportável dessa noite!

Walther sorriu, respondendo:

– Bom dia. Se morasse num país frio igual ao meu, com certeza não reclamaria de um calor maravilhoso como este.

– Talvez tenha razão. Já está pronto? Paulo deve estar ansioso nos esperando.

– Estou pronto para ir e também ansioso.

– Então vamos.

Saíram em direção ao restaurante do hotel. Depois de tomar um café rápido, pegaram um táxi. Rumaram para a clínica. Assim que entraram, a recepcionista saiu de trás do balcão e veio em direção aos dois:

– Senhor Isaias, antes de entrar no quarto preciso conversar com os senhores. Acompanhem-me, por favor.

Os dois, intrigados, entreolharam-se. Ela abriu uma porta e os fez sentar. Tentando disfarçar o nervosismo, começou a falar:

– Infelizmente, o senhor Paulo teve uma crise muito forte e não resistiu...

Os dois levantaram-se ao mesmo tempo. Walther quase gritou:

– Como não resistiu? O que aconteceu?

– Por favor, senhor, acalme-se. Sabíamos que a situação dele não era boa. Estávamos esperando que a qualquer momento isso acontecesse.

Walther não se conformava:

– Não podia ser agora! Ele tinha muito para me contar! Estou cheio de dúvidas! Ele não podia ter feito isso comigo! Isaias, o que vou fazer agora? Como saberei o resto da história?

Isaias, com lágrimas nos olhos, respondeu:

– Deus sempre sabe o que faz... precisamos acreditar nessa sabedoria.

– Que sabedoria? Eu estava tranqüilo vivendo minha vida! Não tinha preocupação alguma com respeito a minha infância! Hoje estou cheio de dúvidas! Ele não podia ter feito isso comigo! Não podia!

Isaias abraçou-o, dizendo:

– Você tem razão de estar revoltado, mas volto a dizer, Deus é quem sabe de tudo. Se você está aqui neste momento, algum motivo deve existir. Não sabemos ainda qual é, mas saberemos. O que precisamos agora é fazer uma oração para que a alma de Paulo seja encaminhada para um bom lugar e cuidar para que seu corpo seja enterrado dignamente.

Walther, embora um pouco irritado, foi obrigado a concordar. Nada mais poderia ser feito além disso. Não disse nada, mas pensou:

Vou enterrá-lo, depois voltarei para o meu país e continuarei minha vida, fazendo de conta que nada disso aconteceu. Tudo o que ouvi não me acrescentou nada, a não ser uma série de dúvidas sobre aquilo que sabia até agora. Deveria ter continuado assim. Mas não vou me deixar envolver por isso. Tenho um trabalho me esperando. Tudo será como era antes. Só sinto não ter tido mais tempo para conversar com ele. Pareceu-me ser uma boa pessoa.

Isaias e Walther, acompanhados pela recepcionista, foram até o quarto onde o corpo de Paulo ainda permanecia. Assim que entraram, encontraram o enfermeiro junto ao corpo, de olhos fechados, rezando. Isaias entrou na frente e tocou no ombro dele, que ao vê-los levantou-se e afastou-se.

Os dois se aproximaram. Walther, embora conhecesse Paulo havia tão pouco tempo, sentiu uma enorme tristeza. Isaias colocou a mão sobre a cabeça do amigo, dizendo:

– Vá, meu amigo, siga seu caminho. Não se preocupe com mais nada, daqui para a frente só precisa encontrar a luz. Que Deus o ajude e ilumine para que chegue logo a seu lugar.

Walther ouvia aquelas palavras, não entendia a profundidade delas. Fora criado num país capitalista, onde o dinheiro e a posição tinham uma grande importância. Nunca teve educação religiosa. Seu pai sempre fora preocupado com o trabalho, viajava muito, quase não o via. Sua mãe, embora se dissesse católica, nunca ensinou-lhe nada sobre religião. Algumas vezes ia com ela à igreja, assistiam à missa, nada além disso. Por isso não entendia nada daquilo, nem reconhecia essa sabedoria de Deus que Isaias lhe falara.

Depois de falar com Paulo, Isaias voltou-se para Walther:

– O melhor que tem a fazer é voltar para o hotel, ou se preferir pode dar um passeio, conhecer a cidade. Pode deixar que eu cuido de tudo por aqui. Ele era meu amigo, quase um irmão.

Walther, embora ainda um pouco atordoado, concordou com a cabeça. Queria sair dali o mais rápido possível. Quando estava saindo, sentiu uma espécie de vertigem; se o enfermeiro não o amparasse teria caído.

– O senhor não está bem, é melhor que me acompanhe.

Walther olhou para ele e sentiu uma profunda confiança naquele desconhecido. Acompanhou-o sem relutar. Foi conduzido até uma lanchonete que havia ali. O enfermeiro pediu ao garçom um suco de laranja, dizendo a Walther:

– O senhor deve ter tido uma queda de pressão. O suco vai lhe fazer bem.

– Pode ter sido isso mesmo. Não estou acostumado com ambiente de hospital, muito menos com mortos. Nunca antes vira um sem maquiagem e fora de um caixão enfeitado com flores. Aquela palidez de seu rosto me impressionou muito.

– Entendo, mas procure esquecer aquela cena. Ali só estava o corpo. Seu espírito, se Deus quiser, já deve estar sendo encaminhado.

– Encaminhado? Não entendendo o que está dizendo!

– Quando morremos, deixamos tudo aqui na Terra, inclusive nosso corpo. Nosso espírito empreende um vôo de volta a nossa verdadeira pátria.

– Verdadeira pátria? Agora entendendo menos ainda!

– Não se preocupe com isso. Entendendo ou não, um dia todos retornaremos. Queira Deus que vitoriosos.

Walther não entendia, mas também não estava interessado naquela conversa. Estava ali conversando com um homem estranho, um enfermeiro que acabara de conhecer, mas que deveria saber muito a seu respeito, já que era amigo de seu tio. Disse:

– A única coisa que quero neste momento é voltar para minha terra e recomeçar de onde parei. Esta viagem foi inútil.

– Nada que acontece em nossa vida é inútil. Não pode negar que conheceu esta bela cidade e o país onde nasceu.

– Nisso o senhor tem razão, mas sinto que não poderia viver aqui para sempre.

– O senhor não teve ainda tempo de conhecer este país. Aqui existem muitos lugares bonitos. As pessoas são calorosas e afetuosas.

Walther sorriu:

– Sabe que estou gostando muito de falar com o senhor! Estamos aqui conversando há tanto tempo e ainda não sabemos o nome um do outro. Meu nome é Walther, e o seu?

O enfermeiro também sorriu:

– Muito prazer, senhor Walther, mas eu já conhecia seu nome. O senhor Paulo falava muito a seu respeito. Estava ansioso por sua visita. Meu nome é Olavo, ao seu dispor!

– Agora ficou melhor! Já que disse que o povo aqui é afetuoso, vamos deixar essa de senhor pra lá. Chame-me apenas de Walther.

Olavo sorriu, dizendo:

– Isso mesmo, vamos terminar com essa cerimônia. Conheci muito bem seu tio. Ele conversava comigo sobre várias coisas, inclusive muito a seu respeito.

– A meu respeito? O que dizia?

– Que não podia morrer sem contar-lhe toda a verdade. Por isso ficou tão feliz quando soube que chegaria. Parecia esperar sua chegada para entregar-se à morte.

– Se ele tivesse esse poder, não teria morrido antes de contar-me tudo!

47

– Talvez seu poder não fosse tanto. Creio que, na realidade, ele queria apenas conhecê-lo.

– Por que isso? Por que queria tanto me conhecer?

– Isso não sei. Só sei que quando falava a seu respeito, era sempre com muita dor. Cada vez que falava sobre você e sua mãe, seu rosto se crispava.

– Isso é o que me intriga. O pouco que me contou não esclareceu nada, apenas levantou dúvidas. A história que me contou é totalmente diferente da que minha mãe contava. Um dos dois está mentindo. Não sei qual dos dois, ou por quê.

– Tiveram, com certeza, seus motivos. E também, o que lhe dá a certeza de que estavam mentindo? Talvez ambos estivessem dizendo a verdade...

– Não sei... Só sei que preciso voltar para o meu país e o meu trabalho. Vou tentar esquecer tudo que aconteceu aqui.

– O seu país é este aqui!

– Talvez seja, por um motivo qualquer nasci aqui, mas não me sinto brasileiro. Fui criado nos Estados Unidos. Minha casa, trabalho e amigos estão todos lá. Não sei se conseguiria viver aqui...

– O futuro a Deus pertence, tudo será como tiver que ser...

– Você fala muito em Deus. Eu, ao contrário, acredito em planejamento. Eu planejei minha vida até aqui e assim será sempre. Deus nunca teve e não tem nada a ver com isso.

– Você se engana, meu filho, não planejamos nada. Tudo acontece como tem que ser. Nossas vidas são planejadas sim, mas por uma força maior, que nos leva exatamente para onde devemos ir. Não é por acaso que veio para cá, algum motivo deve existir, e logo conhecerá esse motivo ...

Walther não conseguia acompanhar o raciocínio de Olavo. Sua educação fora diferente de tudo aquilo. Por isso, cada palavra dita era novidade. Seus pensamentos estavam confusos. Sua vida toda parecia, naquele momento, um mistério.

Terminaram de tomar o suco. Olavo levantou-se e bateu de leve com a mão sobre o ombro de Walther, dizendo:

– Meu amigo, preciso voltar ao meu trabalho. O melhor que tem a fazer agora é voltar para o hotel ou dar umas voltas pela cidade. Assim que tudo estiver pronto, o senhor Isaias o avisará.

– Tem razão, farei isso. Espero que tudo se resolva hoje; viajo na segunda-feira, meu vôo já está marcado.

– Vai viajar mesmo?

– Claro que sim! Tenho que voltar ao meu trabalho!

– Faça o que achar melhor. Até logo...

Walther saiu da clínica. Seus pensamentos estavam conturbados, não entendia o porquê de tudo aquilo. O dia estava lindo, o Sol alto brilhava de uma forma diferente da que sempre conhecera. A cidade não era muito grande, o hotel ficava a algumas quadras dali. Resolveu não pegar um táxi, preferiu ir caminhando.

Enquanto caminhava, olhava para as construções. Notou em todos os jardins muitas flores com cores diferentes, que enchiam seu coração de muita paz. Ficou admirando tudo o que via. Seu pensamento voava.

Resolveu parar num determinado lugar de onde podia ver algumas casas que ficavam numa espécie de vale. Ficou parado, olhando e pensando:

Como tudo aqui é bonito! Em meu país devem existir lugares bonitos como este, só que nunca tive tempo para conhecê-los. Sempre estudei e trabalhei muito. A única coisa que meus pais queriam era que eu estudasse e me formasse. Queriam que eu me tornasse um homem independente financeiramente, mas mamãe sempre me falava das belezas da natureza às quais eu deveria prestar atenção.

Continuou andando em direção ao hotel:

Sinto que ainda terei muitas surpresas aqui. Meu tio não poderia ter morrido depois de ter levantado expectativas diferentes sobre minha vida. Por que será que mamãe mentiu?

Estava com fome. Seu tio morrera, mas na realidade não sentia nada. Para ele esse tio era como um estranho, só sentia que com sua morte repentina deixara de contar algo que talvez lhe interessasse. Mas isso também não o preocupava mais. Restava só uma esperança:

Talvez agora Isaias me conte o resto da história. Engraçado. Parece que meu tio não temia a morte. Mamãe, assim que tomou conhecimento de sua doença, ficou com muito medo, mas logo começou se voltar para a religião. Foi a vários lugares. Por muitas vezes a vi ajoelhada e rezando. Lembro-me quando, um dia, chamou-me a sua casa:

– Sabemos que minha doença não tem cura. Procurei em várias religiões um modo de me curar, não queria morrer. Sou ainda muito jovem, queria voltar ao Brasil, rever toda aquela beleza da natureza que Deus nos presenteou. Procurei, mas percebi que apesar de toda a minha fé e o tratamento, estava ficando cada vez pior. Uma de minhas amigas emprestou-me um livro.

– Que encontrou nesse livro que a deixou tão animada? Por acaso a cura de sua doença?

– Não! Ao contrário, ensinou-me que a morte não existe! Que apenas morremos aqui e nascemos ali. Mudamos de dimensão, assim como se fizéssemos uma viagem. E um dia todos nos reencontraremos!

Ao ouvi-la dizer aquilo, senti que estava sendo sincera. Notei um brilho estranho em seus olhos, não mais de medo, mas de esperança. Não acreditei numa palavra do que disse, mas percebi que ela estava muito bem. Resolvi concordar:

– Que bom, mamãe, que esteja tão confiante! Que livro é esse?

– O Evangelho.

– Mas esse é o livro mais antigo do mundo! Quantas vezes já o leu?

– Muitas, mas desta vez o entendi diferente. É explicado de uma outra maneira. Quem o explica é um francês Alan Kardec. Por isso sei que quando morrer, não estarei só, nem o deixarei só. Farei apenas uma viagem, nada além disso!

Ela estava muito diferente, parecia não mais se preocupar com a morte. Eu não quis mudar aquele estado de coisas. Coloquei meus braços sobre seus ombros, beijei seu rosto e disse:

– Que bom que pense assim. Mas, não se preocupe, não vai morrer. Ainda encontrarão uma cura para sua doença.

– Isso não me preocupa mais. Agora sei que a morte não existe. Quero e preciso acreditar nisso!

– Tudo bem, mamãe, se a faz feliz, desejo que continue lendo esse livro. E se quiser, lhe darei outros que tratem do mesmo assunto.

– Se fizer isso ficarei muito contente. Você também poderia ler alguns deles. Sei que mudará totalmente o modo de ver a vida.

Pobre mamãe, acreditou em tudo que leu naqueles livros. Morreu tranqüilamente e até o fim me dizia:

– Meu filho, estou indo embora, mas não esqueça nunca que é apenas uma viagem, logo nos encontraremos. Apenas estou indo na frente!

Não soube o que dizer, ela me parecia tão serena e confiante! Partiu com um sorriso nos lábios dizendo que sua mãe estava ali, que viera buscá-la.

Não sei, por que será que neste momento estou me lembrando de tudo isso? Talvez seja por ter me deparado com a morte novamente. Por estar me sentindo só. Se ao menos Steven estivesse aqui. Estranho, o que acontecerá conosco após a morte? Será que mamãe tinha razão? Será que ela realmente está em outra dimensão?

Finalmente chegou ao hotel. Entrou, foi direto ao restaurante e pediu o almoço. Estava almoçando quando Isaias chegou e sentou-se a seu lado:

— Parece estar gostando da comida.

— Olá, senhor Isaias! Estou sim, é uma comida muito boa. Faz-me lembrar a que minha mãe fazia.

— É muito bom nos lembrarmos daqueles que se foram, mas sempre dos bons momentos que passamos juntos. De onde ela estiver, deve estar contente por ter se lembrado dela neste momento, sem dor nem sofrimento.

— Está me dizendo que ela deve estar em algum lugar e me ouvindo?

— Claro que sim! A morte não existe, apenas mudamos de dimensão, mas continuamos os mesmos. Com as mesmas qualidades e defeitos.

— Ouvi minha mãe dizer essas mesmas palavras, mas nunca dei muita atenção. Isso tudo parece história da carochinha. Confesso que, para ela, acreditar em tudo isso foi muito bom, mas eu não penso da mesma maneira. A única coisa que sei é que nunca mais voltarei a vê-la. Ela sempre me dizia que faria apenas uma viagem, nada mais. Que logo nos encontraríamos. Nunca tive coragem de dizer-lhe que não era uma simples viagem, pois quando viajamos, temos endereço, telefone e podemos nos comunicar a qualquer momento. Com a morte não, isso não é possível. Nunca mais teremos notícias um do outro. Só resta em nosso coração essa imensa saudade.

— Acredita mesmo nisso que está dizendo? Acredita que tudo termina com a morte?

— Claro que sim. Assim como meu pai, minha mãe e meu tio Paulo foram embora. Um dia irei também. Nada mais. Esta é a lei da vida...

— Acredita em Deus?

— Claro que sim!

— Pois bem, se acredita em Deus não o julga um tolo, não é?

– Claro que não! Aprendi desde cedo que ele era o criador de tudo.
– Nesse tudo inclui-se o ser humano, não é?
– Isso é lógico!
– Pois bem. Acredita que esse Deus colocaria o ser humano para viver na Terra por alguns poucos anos? Nada mais?
– Não sei...
– O que acontece com o ser humano quando morre?
– Vai para o céu, ou para o inferno...
– Na sua opinião, sua mãe está no céu ou no inferno?
– Espero que no céu! Ela foi sempre uma pessoa muito boa. Dedicou-nos sua vida. Eu e meu pai sempre nos sentimos protegidos e amados por ela.
– Dizendo isso, você está afirmando que existe algo após a morte!
Walther ficou calado por alguns segundos.
– Pode ser, nunca havia pensado nesses termos.
– Se existe algo após a morte, sua mãe deve estar agora em algum lugar. Acredita que ela, nesse lugar onde está, esqueceu-se de vocês?
– Não! Se ela estiver em algum lugar, com certeza estará pensando em nós.
– Igual a você, que neste momento está pensando nela! Esse é o intercâmbio, a comunicação que existe entre os dois mundos.
– Está me dizendo que ela pode estar aqui? Agora? Neste momento? Ouvindo tudo isso que estamos conversando?
– Por que não?
– Isso seria maravilhoso! Difícil de acreditar, mas maravilhoso.
– Existem muitas coisas maravilhosas que não conhecemos. Mas tudo tem seu tempo certo. Na hora certa tomaremos conhecimento de todas as coisas.
– Não sei se terei tempo para aprender mais a respeito disso. Tenho já uma vida toda formada sem nunca ter precisado de religião.
– Não esteja tão certo disso. A vida nos reserva surpresas nunca esperadas. Além do mais, não estou falando de religião.
– Em minha vida nunca houve nem haverá surpresas. Vou voltar para minha terra, meu trabalho e minha vida. Tudo normal como sempre foi.
– Talvez seus planos tenham que ser mudados...
– Por que me diz isso? Não posso mudar meus planos! Tenho responsabilidades com meu trabalho!

– Estou aqui para comunicar que hoje à tarde Paulo será enterrado. Já tomei todas as providências necessárias.

– Será enterrado aqui?

– Estou atendendo seu desejo. Pediu que seu corpo ficasse aqui, junto a esta serra da qual tanto gostava.

– E o resto da família? Não vai avisar?

– Não, ele me proibiu. Não queria que o vissem dessa maneira, fraco e doente.

– Mas... eles pensarão da mesma maneira? Disse que eram muitos! Deveriam saber de sua real situação!

– Queria que se lembrassem dele como era, cheio de vigor e vitalidade. Aliás, nem eu deveria estar aqui; vim apenas por sua chegada. As instruções que eu tinha, se essa fatalidade não houvesse acontecido, era que depois da conversa que teria com você e de acordo com sua reação, eu o levasse de volta até o aeroporto ou a um hotel, até o dia de sua viagem. Depois fosse para minha casa e não voltasse mais.

– Não entendo o porquê disso.

– Ele acreditava que assim que partisse, aqui só restaria seu corpo. Sabia que estava doente, mas que seu espírito estava cheio de saúde. Bonito como antes.

– Não entendo nada disso, mas deve fazer parte da cultura deste país, tenho que respeitar. Tudo bem, que seja como ele queria. Depois do enterro estarei livre e poderei ir embora.

– Sinto muito, mas não poderá ir.

– Por que não? Não tenho mais nada para fazer aqui!

– Se tivesse conversado com ele, poderia partir ou não, mas como ele morreu, terá que ficar aqui por mais algum tempo.

– Como, terei que ficar? Não posso! Tenho meus compromissos.

– Paulo era um homem muito rico. Quando soube que possuía uma doença de difícil cura, resolveu fazer um testamento. Fui sua testemunha. Tudo foi feito dentro da lei. Você terá que ficar aqui até que o testamento seja aberto.

– Testamento? Que tenho a ver com esse testamento? Ele tem família! Não me conhecia e nem eu a ele!

– Só sei que sem sua presença o testamento não será aberto.

– E se eu não estivesse aqui?

– Teria que ser avisado onde estivesse. Como vê, não há outra saída. Vai ter que mudar seus planos. Não lhe disse que a vida nos reserva sempre surpresas inesperadas?

– Quanto tempo vai demorar? Preciso avisar à empresa o motivo do meu atraso.

– Depois do enterro conversarei com o advogado e tentarei fazer com que tudo fique pronto o mais rápido possível.

Walther ficou nervoso. Nunca deixara de cumprir seus compromissos. Sabia que sua presença na empresa era importante, mas viu-se sem saída. Teria mesmo que avisar e aguardar os acontecimentos.

O enterro, como todos, transcorreu em ordem. Havia poucas pessoas. Walther, acompanhado por Isaias e Olavo, cumpriu todas as formalidades. Embora Paulo não fosse na realidade seu parente, já que sua mãe o considerava como irmão, naquele momento era o mais próximo disso. Notou que Isaias permanecera muito tempo ao lado da urna. Parecia conversar com o amigo. Realmente, fazia isso:

– Meu amigo, não se preocupe com nada. Siga seu caminho, farei com que tudo volte ao seu lugar. Em tempo aprendeu que a bondade de Deus é eterna. Que sua caminhada seja acompanhada de muita luz.

Walther o observava, não via a hora de tudo aquilo terminar. Para ele, velório com corpo presente era uma agressão ao parentes do morto. Em seu país era diferente. O morto ficava exposto apenas por algumas horas. Os parentes e amigos ficavam reunidos em casa, comendo, bebendo, conversando e lembrando do amigo que partira.

Finalmente a urna foi fechada e o corpo enterrado. Embora não conhecesse o tio, naquele momento sentiu um aperto no coração.

Depois de tudo terminado, Isaias aproximou-se:

– Bem, cumprimos nossa parte. Agora está tudo terminado. Podemos voltar para o hotel. Tenho uma notícia que não deve deixá-lo muito feliz.

– Que notícia pode ser essa?

– Conversei com o advogado, seu escritório fica em São Paulo e teremos que ir até lá.

– Tudo bem! Iremos!

– Só que estamos em pleno fim de semana. Na segunda-feira nos atenderá na parte da manhã. À tarde ele precisa ir ao fórum.

– Quer dizer que só poderei ir embora depois de segunda-feira?

– Não sei, depende do que o advogado nos disser.

– Não posso esperar muito tempo! Tenho meus compromissos!

– Infelizmente terá que esperar, mas garanto-lhe que não se arrependerá!

– Sei que o senhor sabe todo o resto da história que meu tio começou a contar e não conseguiu terminar.

– Sei de tudo, estive ao lado dele todo esse tempo, mas não poderia deixar essa coisa de senhor pra lá?

– Se é assim que deseja, não tenho nada contra.

– Fui amigo de Paulo, gostaria de ser seu também. Entre amigos não existem essas formalidades,

– Está bem. Mas já que é meu amigo, por que não me conta o que aconteceu na vida do meu tio que influenciou a minha? Confesso que estou atordoado com tudo o que ouvi!

– Não posso contar-lhe nada, mas tenho certeza que tudo vai se esclarecer. Tenha calma.

– Estou calmo! Só muito confuso. Ouvi duas histórias, uma diferente da outra. Não sei quem disse a verdade!

– Tudo tem sua hora, mais ainda, tudo sempre acontece com a vontade de Deus e para qualquer coisa sempre existe um motivo.

– Quero aceitar o que está me dizendo, mas não consigo! O que Deus tem a ver com todas essas mentiras?

– A resposta para suas perguntas virão.

– Espero que tenha razão. Quero deixar de pensar em tudo isso, mas por mais que tente, não consigo. Não pensei, ao receber aquela carta de meu tio convidando-me para visitá-lo, que tudo isso pudesse acontecer.

– Você agora tem que descansar. Vamos para o hotel, amanhã iremos para São Paulo. Lá conhecerá uma metrópole que não deve nada a Nova York.

– Tem certeza do que está dizendo?

– Claro que tenho, ou você pensa que vai encontrar cobras atravessando a rua?

Walther começou a rir.

– Nunca pensei isso, mas creio que está exagerando. Nova York é uma mega metrópole. Lá é o centro financeiro do mundo!

– Talvez eu tenha exagerado, mas São Paulo é o centro financeiro do Brasil!

Voltaram para o hotel, onde cada um foi para seu quarto. Walther entrou, estava cansado. O fuso horário, toda a expectativa pela qual passara, a frustração ao descobrir que fora enganado a vida inteira e finalmente a morte precipitada do tio antes de contar o resto da história...

Foi para o banheiro. Era cedo, ainda. Resolveu tomar um banho e dormir até a hora do jantar.

Fez isso. Deitou, fechou os olhos, mas não conseguia dormir, embora sentisse seu corpo cansado. De seu pensamento não saíam os últimos acontecimentos.

Tudo está acontecendo tão rápido. Até poucos dias atrás eu não tinha problema algum, a não ser a morte de minha mãe e o meu divórcio. Sofri muito com essas perdas, mas já estava me recuperando, graças ao meu trabalho que toma quase todo o meu tempo. De repente estou aqui, deitado numa cama de hotel, num país diferente de tudo que conheci na vida. Tomei conhecimento de uma história diferente da que conhecia. Descobri que minha mãe sempre mentiu – ou será que meu tio estava mentindo? Mas por que ele faria isso?

Olhou para a janela, as cortinas estavam abertas e por elas o Sol entrava. Ele não estava acostumado a dormir durante o dia, muito menos no claro. Levantou-se e fechou as cortinas. O quarto ficou na penumbra. Voltou a deitar-se. Fechou os olhos, tentando dormir. Mas seus pensamentos não permitiram.

De repente, abriu os olhos, pois percebeu que uma luz intensa invadia o quarto. A princípio ficou com medo. Pensou estar dormindo e sonhando, beliscou seu braço para ver se estava acordado.

A luz foi ficando cada vez mais intensa. Sentou-se na cama e ficou olhando sem saber o que fazer. Sentia vontade de gritar ou sair correndo, mas não conseguia. Ficou como que paralisado, sem conseguir tirar os olhos daquela luz.

Ali, parado, notou que a luz tomava forma. Mais assustado ainda, não teve como desviar os olhos. A forma foi se modificando, diante dele surgiu uma linda mulher, que lhe sorria. Ela estendeu os braços em sua direção.

Sem saber como, sentiu o medo passar e também sorriu. Ele a conhecia, não sabia de onde, mas tinha certeza que a conhecia. Com voz suave, ela disse:

— Não fique com medo, estou aqui para mostrar-lhe que a vida não termina com a morte, e para dizer-lhe que aceite tudo o que vai acontecer. Sua vida mudará totalmente, mas tudo será para o bem. Sempre estive e estarei a seu lado. Que Jesus o abençoe.

Walther, ali parado, quis dizer algo, perguntar quem era ela, mas não conseguiu. A luz foi se apagando. Novamente a penumbra voltou ao quarto. Só então conseguiu levantar-se. Estava tremendo e suando muito. Foi até o banheiro, abriu a torneira e molhou o rosto. Sabia que tudo aquilo acontecera, só não entendia.

Sem saber o que fazer, voltou para a cama. Não conseguia esquecer aquela mulher. Ela era loura, com os cabelos longos e os olhos azuis e muito brilhantes. Era de uma beleza ímpar.

Deitado novamente, sentiu um cansaço imenso. Sem perceber, adormeceu. Seu sono foi tranqüilo. Sonhou que corria por um corredor, numa casa muito grande, atrás da mulher com a qual sonhara antes, não a mesma que vira havia pouco. Não era loura, mas morena. Embora não conseguisse ver seu rosto, deduziu isso ao ver seus cabelos pretos e longos.

Ela sorria, escondia-se e aparecia. Ele, sorrindo, a perseguia. Os dois riam muito, estavam felizes. Queriam encontrar-se para se abraçar, mas não conseguiam. Cada vez que um chegava perto do outro ao ponto de se tocarem, uma força que não sabiam de onde vinha e os separava novamente. Mas, mesmo assim, continuavam sorrindo e felizes.

Walther acordou. Olhou em volta e percebeu que estava no quarto do hotel. Lembrou-se nitidamente do sonho. Sentiu que aquela mulher existia e que o esperava em algum lugar. Mas onde?

Sempre ouvi dizer que todos sonhamos, mas eu quase nunca me lembro de ter sonhado. Mas este sonho foi diferente. Lembro-me de detalhes, do lugar, a casa com muitas janelas e principalmente daquela mulher. Estranho, nunca senti nada parecido com o que sinto neste momento. Talvez seja tudo o que estou descobrindo desde que o avião pousou nesta terra. Descobri coisas nunca antes imaginadas. Meu inconsciente deve estar se revelando. Talvez seja este lugar, toda essa natureza...

Ainda matutando, olhou para o relógio. Dormira muito, já estava escuro. Alguém bateu à porta. Abriu, era Olavo, o enfermeiro de seu tio.

– Olá, Walther, estava dormindo?

– Olá, Olavo! Entre, por favor. Estranho, não costumo dormir durante o dia. Hoje, sem perceber, adormeci e acabei de acordar.

– Não pode se esquecer de que está no Sul. Fora de seu fuso. Aqui o calor realmente nos dá muito sono.

Olavo entrou, como sempre sorrindo. Trazia em suas mãos uma caixa envolta num papel azul. Walther mostrou-lhe um sofá e ele se sentou. Olhou para a caixa, dizendo:

— Estou curioso em saber o porquê de sua visita.

— Hoje, por causa da morte do senhor Paulo, que era meu amigo particular, tirei o dia livre para poder acompanhar seu enterro. Eu o conheci como um paciente, mas aos poucos fomos nos tornando amigos. Ele sempre falava muito sobre você e sua mãe. Numa dessas conversas, entregou-me esta caixa, dizendo:

— Sei que não viverei muito. Farei o possível para que Walther venha para cá e eu possa contar-lhe tudo, mas se não for possível, peço que entregue esta caixa a ele. Ela contém muito do que eu queria falar pessoalmente.

— Por isso estou aqui. Esta caixa lhe pertence. Estou cumprindo a promessa que fiz ao meu amigo. Não sei o que contém, nunca a abri. Cabe a você fazer isso à hora que sentir vontade. Presumo que a hora seja agora. Deve estar curioso!

Walther pegou a caixa. Olavo tinha razão, ele estava mesmo muito curioso. Ficou com a caixa nas mãos examinando-a. Olhou para Olavo sem saber o que fazer ou dizer. Olavo, percebendo seu estado, disse:

— Vou embora para que possa fazer o que quiser. Não sei o que há dentro dessa caixa, mas só lhe peço uma coisa. Não julgue nem condene. Nesta vida todos somos passíveis de erros e acertos. Perante Deus, todos somos culpados e inocentes. A vida se encarrega de colocar tudo em seu lugar.

— Obrigado, meu amigo, por me entregar esta caixa. Sinto que nela encontrarei muitas respostas para minhas dúvidas.

— Espero que isso seja verdade. Não há o que agradecer, estou apenas cumprindo uma promessa feita a um amigo muito querido, que neste momento deve estar encontrando sua verdade. Só peço a Deus que seja protegido...

Walther não entendia muito bem o que Olavo dizia. Só queria abrir e ver o que havia na caixa.

— Não entendo o que está dizendo a respeito de Deus e de todas essas outras coisas. Neste momento só quero abrir esta caixa.

— Está bem, entendi a mensagem, já estou indo embora...

— Não entendeu nada! Quero realmente abrir a caixa, mas gostaria que ficasse a meu lado. Conheceu meu tio mais do que eu. Sinto que poderá me ajudar. Preciso que fique ao meu lado. Pode ser? Tem tempo para isso?

– Claro que tenho tempo e quero ficar. Para ser sincero, desde que seu tio me entregou essa caixa, por muitas vezes senti curiosidade em saber o que havia nela!

– Pois, então, saberemos agora mesmo.

Walther começou com cuidado a tirar o papel que envolvia a caixa. Quando estava quase terminando, ouviram uma batida na porta. Entreolharam-se. Walther parou o que estava fazendo, perguntando:

– Olavo, o que vamos fazer? Quem será?

– O que deve fazer é abrir a porta e ver quem é!

Walther, a contragosto, foi até a porta, abriu e deparou-se com Isaias, que foi falando:

– Já é tarde e como não desceu para o jantar, fiquei preocupado e vim ver se está sentindo alguma coisa. Olá, Olavo! Como está?

– Estou muito bem, e o senhor?

– Na medida do possível, estou bem, mas parece que estou interrompendo algo. Desculpem!

Walther, um pouco sem graça, ficou sem saber se o mandava entrar ou pedia que fosse embora. Olavo, ao notar sua indecisão, interferiu:

– Estou aqui cumprindo uma missão. O senhor Paulo encarregou-me de entregar esta caixa a Walther caso não tivesse tempo de conversar com ele. Estávamos agora abrindo a caixa para ver o que há nela. Como não acredito em coincidências, creio que deva entrar para juntos tomarmos conhecimento do seu conteúdo. Que acha?

Isaias olhou para a caixa, que estava em cima da cama.

– Se Walther permitir, ficarei, mas posso lhes adiantar que sei o que há nela.

Os dois, admirados, entreolharam-se. Walther, muito nervoso, disse:

– Sabe? O que é?

– A história de uma vida. A história de uma consciência culpada...

Walther não suportou mais:

– Sendo assim, já que sabe do que se trata, o melhor que tem a fazer é entrar logo e vamos abrir essa caixa!

Isaias entrou. Walther pegou novamente a caixa, só que dessa vez rasgou o papel com fúria. Tirou a tampa e, espantado, arregalou os olhos. Dentro da caixa havia apenas fotografias. Foi tirando uma a uma. As fotos eram suas mesmo.

Olhou a primeira. Nela era ainda bebê. Atrás estava escrito com a letra de sua mãe: "Aqui ele está com dois anos. Não está lindo!"

Leu o que estava escrito. Olhou para os amigos e para a caixa. Foi tirando as fotos e colocando-as em cima da cama, uma ao lado das outra.

Logo a cama ficou quase toda tomada pelas fotos. Ele ficou em pé, olhando. Ali estava toda sua vida, desde que começara a andar, a primeira escola, sua primeira professora, o ginásio, nadando, jogando basquete, recebendo medalha, a faculdade e até uma foto de seu casamento.

A partir de um certo momento, começou a se lembrar dos dias em que as fotos foram tiradas. Atrás de cada uma sua mãe dizia de quando era. Ficou ali, olhando. Sua vida passara e ele nem notara. Quantos momentos felizes passara junto com seus pais!

Viu-se novamente criança e crescendo. Seu corpo foi mudando, transformou-se naquele homem que era hoje. Foi pegando uma por uma e lendo o que diziam. Sua mãe, através daquelas fotos, contava praticamente toda sua vida. Não havia cartas, apenas fotos.

Olhou para Isaias e perguntou:

– O que significa isso? Por que minha mãe mandava essas fotos para meu tio sem nunca ter mandado uma carta? Por que não há fotos dela, ou de meu pai? Por que o interesse dele só por mim?

Isaias respondeu:

– Aí está faltando uma foto, deve estar dentro da caixa!

Walther abaixou-se para pegar a caixa que deixara cair enquanto colocava as fotos em ordem sobre a cama. Olhou dentro dela, realmente havia uma carta e uma foto dentro das dobras. Desdobrou rapidamente e olhou para a foto. Era uma foto dele junto com sua mãe, na realidade a última que tiraram juntos. Lembrou-se imediatamente do dia em que fora tirada. Sentiu muita saudade e vontade de contar como havia sido tirada.

Eu estava trabalhando, o telefone tocou. Atendi, era minha mãe, com a voz muito enfraquecida pela doença. Isso aconteceu alguns meses antes dela morrer. Queria que eu fosse até sua casa. Fiquei preocupado, pois ela não costumava ligar para o meu trabalho. Era eu quem ligava todas as noites.

À noite fui até lá. Ela estava na sala, sentada num sofá. Estava sorrindo, bem penteada, maquiada. Fiquei encantado ao vê-la daquela maneira. Assim que cheguei, ela disse:

– Sei que tenho pouco tempo de vida, mas isso não me preocupa porque acredito ter cumprido minha missão aqui nesta Terra. Mas como estou muito bem, gostaria que você guardasse em sua lembrança este momento. E nunca, aconteça o que acontecer, nunca duvide que você foi a coisa mais importante que aconteceu em minha vida.

A princípio estranhei o que dizia, mas sabendo da situação em que se encontrava, não me preocupei muito. Mas hoje, estou preocupado. O que será que ela escondia por trás daquelas palavras? Naquele dia, eu simplesmente disse:

– Sendo assim, é para já. Vamos tirar essa foto! Marita já estava com a máquina fotográfica na mão. Sentei-me ao lado de minha mãe e abracei-a. Marita tirou a foto... é esta aqui.

Seus olhos voltaram-se com carinho para o rosto de sua mãe. Não conseguiu evitar duas lágrimas que insistiam em cair. Em seguida, pegou a carta que estava junto com a foto e leu:

Paulo

Mando-lhe esta foto, talvez a última que vá receber. Por ela pode ver que estou muito doente. Pode ver, também, que ele se transformou num belo homem. Além de bonito, tem muitas qualidades. É bom filho, honesto e muito trabalhador. Tem sua vida sob controle. Vive muito bem. Sinto que, embora tenha dado a ele todo o amor e carinho que possuía, roubei-lhe algo muito importante. Esse sentimento de culpa tem me acompanhado durante a vida toda, principalmente agora, quando sinto que terei que prestar contas dos meus atos. Ele não precisa de nada. Tem aqui tudo o que necessita para viver e ser feliz. Antes de morrer, vou contar-lhe de sua existência. Talvez ele queira conhecê-lo ou você a ele. Que Deus nos abençoe e perdoe.

Geni

Walther, a cada momento, entendia menos a correlação entre os fatos que começava a conhecer. Ao terminar de ler, olhou para os amigos, que o fitavam também:

– Um de vocês pode me dizer o que significa isto? Os dois conheceram muito bem meu tio! Os dois dizem que foram amigos dele! Os dois dizem que lhes confidenciava seus problemas! Por isso sei que sabem o que significam essas palavras! Sabem no que fui roubado? Devem saber o que aconteceu em minha vida que tanto afligiu minha mãe.

Olavo, também confuso com o que escutara, disse:

– Como você, também estou intrigado. Ele sempre falou com muito carinho a seu respeito, mas nunca disse nada de roubo ou qualquer coisa parecida...

Isaias, mais calmo, demonstrando que sabia de tudo, disse:

– Walther, fique tranqüilo, nada de ruim foi feito contra você. Como já lhe disse, estive ao lado dele todo o tempo, até o fim. Não deve se preocupar com nada. Na segunda-feira falaremos com o advogado e então ficará sabendo de tudo. Não posso revelar nada agora. Prometi que nunca faria, e não o farei. Vamos agora jantar e dar um passeio pela cidade.

– Como não me preocupar? Depois de ter lido isso? Em que fui roubado? Que sentimento de culpa acompanhou minha mãe por toda sua vida? Por que pediu perdão a Deus? O que meu tio tem a ver com tudo isso? Por que meu pai nunca soube que ela mandava essas fotografias ou se correspondia com ele? Por favor, conte-me tudo! Acredita mesmo que poderei jantar ou passear pela cidade?

– Você está nervoso e com muitas perguntas, mas não posso adiantar nada. Até agora você não sabia de nada, pode esperar mais um pouco. A hora certa chegará. Está perto de saber tudo.

– Eu não sabia nada e devia ter continuado assim! Nunca devia ter vindo para cá! Vivia uma vida certa e tranqüila! Sempre me considerei uma pessoa normal, como todas as outras! Agora vejo que durante toda minha vida fui enganado, que nada estava bem! Que existe uma história! Que desconheço tudo sobre minha vida!

– Tudo está bem em sua vida. Você mesmo diz que sempre teve uma vida normal como todas as outras. Agora está passando por um momento que pode considerar difícil, mas como tudo na vida, também passará. Nada fica escondido para sempre. Você está agora prestes a conhecer algumas coisas com respeito a sua vida, mas não precisa ficar nervoso, pois não é nada que não possa compreender e aceitar. Lembre-se apenas de uma coisa: ninguém é perfeito. Muitas vezes erramos tentando acertar.

Volto a dizer, a melhor coisa que temos a fazer no momento é jantar e sair andando pela cidade. Amanhã cedo iremos para São Paulo, conhecerá a nossa mega metrópole. Na segunda-feira, depois de conversar com o advogado, tomará conhecimento de tudo. Ao saber o que ele tem a dizer, poderá decidir o que fazer. Voltar ou ficar aqui para sempre.

– Ficar aqui para sempre? Está louco? Quero voltar o mais rápido possível para meu país, para minha casa!

– Você é um homem livre. Pode fazer de sua vida o que quiser, mas por enquanto precisa ter paciência e esperar.

Walther voltou os olhos para a cama e para as fotos que lhe contavam sua vida. Ao menos a que ele conhecia. Sua cabeça estava cheia de dúvidas. Não conseguia entender o que acontecera. Queria e precisava voltar para sua casa e seu trabalho. Ao mesmo tempo, precisava descobrir que segredo era aquele que existia entre sua mãe e seu tio. Isaias, notando seu desespero, disse:

– Posso entender o que está sentindo, mas não adianta ficar assim. Tudo está perto de ser resolvido. Dentro de alguns dias tomará conhecimento de tudo e poderá resolver que rumo dará a sua vida.

Walther sentiu-se impotente. Sabia que Isaias dizia a verdade, ele não poderia fazer nada até descobrir tudo. Não poderia simplesmente voltar para seu país e fazer de conta que nada daquilo acontecera.

– Está bem, vamos fazer como você está dizendo. Já que as coisas chegaram a esse ponto, não me resta mais nada a fazer além de esperar e descobrir tudo. Só assim poderei voltar e retomar minha vida. Vamos jantar.

Olavo, que até então ouvia tudo calado, disse:

– Creio que essa seja mesmo a melhor solução, mas infelizmente não poderei jantar com vocês. Minha esposa me espera, preciso ir para casa. Estou certo de que no final tudo vai acabar bem, pois temos um Deus que tudo sabe.

Isaias concordou com a cabeça e saíram os três do quarto. Olavo despediu-se dando um abraço caloroso em Walther:

– Talvez nunca mais nos encontremos, mas gostei muito de conhecê-lo. Sei que está confuso, mas pode ficar tranqüilo, pois tudo sempre está certo.

– Tem razão, não vamos mais nos encontrar, pois estarei indo para São Paulo amanhã, e na terça-feira à noite estarei voltando para minha terra, espero que com todo esse mistério resolvido.

— Desejo sinceramente que seja assim, que fique tudo esclarecido. Mas nunca se esqueça de que sua terra é esta aqui!

Walther sorriu.

Olavo foi embora e os dois entraram no restaurante do hotel. Walther estava cansado, queria que as horas passassem depressa para ficar livre de toda aquela confusão. Jantaram em silêncio.

Walther sabia que não conseguiria saber nada através de Isaias. Mesmo que quisesse, não poderia contar-lhe nada. Sabia que ele não tinha esse direito.

Após o jantar, despediram-se. Cada um foi para seu quarto. Isaias, ao entrar, deitou-se na cama com roupa e tudo, pensando:

Que grandes surpresas estão reservadas para esse rapaz. Espero que entenda e perdoe.

Walther, em seu quarto, percebeu que as fotos estavam ainda sobre a cama. Esquecera-se de guardá-las. Pegou a caixa e foi guardando uma a uma, lembrando-se de quando haviam sido tiradas. Tornou a ver a foto com sua mãe, tornou a ler a carta:

Por que ela escondeu isso? Foi sempre uma mãe tão dedicada, devia ter confiado em mim e me contado tudo. Por pior que possa ter sido esse erro que a martirizou a vida toda, eu saberia compreender, ela deveria saber disso!

Guardou tudo na caixa, mas não conseguiu embrulhá-la no papel azul, pois o rasgara. Tomou um banho, deitou-se. Virou de um lado para outro, sem conseguir dormir. As fotos, a carta de sua mãe, a história que Paulo começara a contar e não terminara e que era bem diferente daquela que sua mãe lhe contara — tudo aquilo passava por sua cabeça. Depois de muito tempo, conseguiu adormecer. Várias vezes acordou e adormeceu novamente. Seu sono foi agitado.

Por ter dormido tarde e mal, não acordou cedo. Dormia profundamente quando ouviu uma batida na porta. Acordou assustado. Não sabia bem onde estava. Sentou-se na cama e olhou a sua volta. Lembrou-se que estava no quarto do hotel. Novamente alguém bateu, dessa vez com um pouco mais de força. Levantou-se e abriu a porta. Era Isaias:

— Bom dia! Perdeu a hora? Estamos atrasados. Temos mais de três horas de viagem até chegarmos em casa! Pretendo almoçar lá!

– Bom dia! Desculpe, mas não dormi bem, acho que só peguei no sono de manhã. Estarei pronto num minuto!

– Não precisa se apressar. Estou brincando, não estamos tão atrasados assim. Temos muito tempo. O trem só sai às dez horas. Enquanto se apronta vou para o restaurante tomar o café. Estarei esperando lá.

Isaias saiu. Walther foi para o banheiro e tomou um banho rápido. Arrumou suas roupas na maleta. Pegou a caixa e foi encontrar-se com Isaias, que já estava tomando seu café. Sentou-se a seu lado. Calados, tomaram o café. Isaias já pagara o hotel.

Pegaram um táxi que estava parado em frente ao hotel. Às dez horas estavam dentro do trem. Entraram e iniciaram a viagem.

O Preconceito

Novamente aquela serra maravilhosa. Walther olhava tudo. Sentia que jamais esqueceria aquela paisagem. O céu de um azul profundo, com algumas nuvens brancas que contrastavam com o verde da montanha. As cores das flores iam do tom mais escuro até o mais claro, formando um belo degradê. Estava extasiado com tudo o que via.

Os dois seguiam calados. Isaias percebeu que Walther prestava atenção à paisagem. Sabia que ele teria pela frente uma longa jornada. Lembrou-se de como tudo acontecera. Durante muitos anos esteve ao lado de Paulo, presenciou todo seu sofrimento e sua busca. Agora, ali, naquela estrada, tendo ao seu lado Walther, pensava:

Por que será que Paulo foi morrer, logo agora que estava tão perto de se libertar do sofrimento? Esteve doente por tanto tempo poderia ter ficado mais um dia. A minha fé me faz crer que tudo está certo, mas confesso que às vezes isso é difícil de aceitar. Sei que para tudo há um motivo, uma razão, mas qual será esse motivo? Qual será essa razão?

Em determinado momento, Walther disse:

– Sabe, Isaias, estou desapontado por não ter conhecido o resto da história, mas apesar de tudo que está acontecendo desde que aqui cheguei, estou gostando muito de conhecer este país. Esta serra toda florida jamais poderei esquecer. Sinto não ter trazido uma máquina fotográfica para registrar o que estou vendo. Vou contar ao meu amigo Steven o que vi aqui, mas sinto que não conseguirei fazer com que ele sequer imagine.

— Realmente é tudo muito bonito. Quanto a tirar fotos, não faltará oportunidade, poderá voltar outras vezes para cá.

— Talvez um dia eu volte. Só que vai demorar, pois não sei quando poderei tirar outras férias.

— O que você tem lá, além do trabalho?

Walther ficou pensando. Lembrou de sua casa, de Ellen, de alguns amigos, inclusive de Steven, que esteve todo o tempo a seu lado, quando sua mãe morreu:

— Tenho uma vida toda. Amigos, casa e uma ex-esposa.

— Tem muitos amigos lá, enquanto aqui não tem ninguém, a não ser eu, que me considero seu amigo.

— Claro que é meu amigo. Um pouco urso, mas meu amigo.

Os dois riram. Isaias retrucou:

— Verá que não sou um amigo urso! Só não posso contar um segredo que não é meu. Paulo foi um grande amigo. Não posso traí-lo, agora que não está mais entre nós. Ainda mais sabendo que logo tudo será esclarecido. Você terá que esperar só mais alguns dias.

Walther não argumentou, sabia que seria inútil. Isaias não lhe contaria nada. Estava com muitas dúvidas a respeito de sua mãe. Pensou:

O que terá acontecido entre ela e Paulo? Será que ela traiu meu pai? Será que quando foi para os Estados Unidos deixou Paulo aqui, seu amor? Que tenho a ver com toda essa história?

As perguntas eram muitas, as respostas poucas, mas já que Isaias dizia que logo saberia de tudo, resolveu não mais se torturar. Só teria que esperar. Continuou olhando a paisagem.

Finalmente terminaram de descer a serra. Saíram do trem e pegaram o carro de Isaias que ficara ali estacionado.

Já na estrada reta, Walther voltou o olhar mais uma vez para a serra. Não queria que aquela imagem saísse de sua mente.

No carro conversaram sobre vários assuntos. Isaias queria saber como eram os Estados Unidos. Walther ia lhe contando:

— É um país maravilhoso, seu clima é bem-definido. Na primavera, as flores nascem, as árvores enchem-se de folhas e tudo fica muito verde. No verão o calor é imenso, às vezes é difícil até de respirar. No outono, ah! O outono. As folhas das árvores antes de cair mudam de cor. Ficam vermelhas, cor-de-vinho e amarelas. Todas misturadas numa mesma árvore. É um espetáculo deslumbrante. Mas o inverno, esse sim é violento. Faz um frio incrível. Acredito que você não possa imaginar quanto. Todas as folhas das árvores caem, os galhos ficam secos. Mas, por outro lado, há a neve. Branca, linda e fria! Muito fria. Adoro o inverno, pois é quando tiro alguns dias de folga no trabalho para poder esquiar, meu esporte preferido.

– Não tem medo de esquiar?

– Não, aprendi quando era ainda uma criança. É maravilhoso.

– Parece que teve uma boa vida.

– Tive sim. Nunca me queixei, até agora.

– Por que acredita que agora tenha motivo para se queixar?

– Não sei... sinto que minha vida foi toda uma mentira. Estou pensando que meus pais talvez não se amassem da maneira que eu imaginava.

– Não faça julgamentos precipitados. Seus pais se amavam sim, e muito!

– Você os conheceu também?

– Sim, já não lhe disse que acompanhei tudo?

– Tudo o quê?

– Tenha só um pouco mais de paciência.

Novamente, Walther percebeu que sua tentativa de descobrir o que acontecera seria inútil. Voltou os olhos para a paisagem.

Isaias notou que ele estava deprimido. Resolveu continuar conversando para distraí-lo:

– Disse que tem amigos, mas falou num que parece ser especial. O nome dele é Steven?

Walther não estava com vontade de conversar, mas percebeu que Isaias queria que ele ficasse bem. Respondeu:

– Sim, seu nome é Steven. Crescemos juntos. Ele é dois meses mais velho que eu.

– Parece que gosta dele!

– Gosto muito, ele esteve sempre a meu lado nos piores momentos e sempre que precisei.

– E nos melhores momentos? Esteve também?

– Sempre, somos inseparáveis. Quando vim para cá, foi ele quem me levou até o aeroporto.

– Como ele é?

Walther ficou por alguns segundos pensando em Steven. Seu rosto surgiu em sua memória. Deu um leve sorriso enquanto respondia:

– Posso dizer que é um palhaço, está sempre rindo e faz piada de tudo. Está sempre de bem com a vida.

– E sua aparência?

– É um homem bonito. Bem mais alto que eu, louro, olhos azuis. É americano mesmo, não misturado como eu. Sua família está nos Estados Unidos desde a época da colonização. Os primeiros eram ingleses. Steven, apesar de seu problema, sempre fez um grande sucesso com as mulheres.

– Que problema?

– Nasceu com um problema na perna direita. Quando criança, teve que fazer várias cirurgias. Não ficou perfeito, usa um aparelho e manca um pouco.

– Não se revolta?

– Não, ao contrário, faz piada. Um dia, quando eu estava com gripe, ele veio até minha casa. Ao me ver deitado, ficou bravo:

– Que está fazendo nessa cama?

– Estou com febre e com dor de garganta.

– Isso é motivo para ficar na cama? Pode levantar!

Não teve jeito. Enquanto não me levantei, ele não sossegou. Minha mãe havia feito um lanche. Estávamos na cozinha tomando o lanche quando, não sei por que, perguntei:

– Não se revolta por causa de sua perna?

Olhou-me... olhou-me e disse:

– Não, sabe por quê?

Com a cabeça respondi que não. Ele prosseguiu:

– Eu nasci com esse defeito, mas o resto do meu corpo é perfeito. Já pensou se eu ficar aqui me lastimando e não viver? Quando eu chegar lá do outro lado e Deus me perguntar: "Por que não fez nada na vida? Por que ficou o tempo todo só se lastimando e revoltado?". Se eu lhe responder que foi por causa da minha perna, e Ele disser:

– O que fez com o resto do seu corpo, que era perfeito?

Isaias arregalou os olhos:

– Ele disse isso?

– Sim, é uma pessoa maravilhosa. Ajuda a todos e está sempre disposto a ouvir. Trabalha na igreja como voluntário, dando assistência aos necessitados. Não conheço outra pessoa melhor que ele.

– Qual é a profissão dele?

— Depois que o descrevi, pode deduzir que só poderia ser professor. É professor de História, adora ensinar.

— Disse que ele o levou até o aeroporto. Se tem problema na perna, como consegue dirigir?

— Lembre-se que moro no primeiro mundo. Lá existem muitas pessoas com problemas sérios, principalmente por causa das guerras. Por isso existem muitos utensílios para facilitar a vida dessas pessoas. Entre esses utensílios, há um carro automático totalmente comandado com as mãos.

— É mesmo? Que maravilha!

— Também acho. Por isso sempre digo que adoro morar lá e que nunca poderei morar aqui.

— Isso é outra história. Vamos esperar e ver o que acontece.

— Conversamos, conversamos e voltamos ao ponto inicial. Não vai mesmo me contar o que aconteceu?

— Já lhe disse que não posso.

Walther tentou mais uma vez, mas como das outras, percebeu que era inútil. Ficou calado, olhando a paisagem.

Depois de algumas horas de viagem, finalmente entraram em São Paulo. Antes mesmo de entrar, Walther notou que a cidade era grande. De longe via edifícios altos. Já no centro da cidade, olhava tudo admirado:

— Realmente você tem razão, esta é uma grande cidade! Nunca imaginei que tivesse tantos edifícios e tão altos!

Isaias, sorrindo, disse:

— Confesse! Pensou que o Brasil fosse uma floresta e que as cobras andassem pelas ruas!

Walther também sorriu:

— Quer realmente saber a verdade?

— Claro que sim!

— Minha mãe falava muito sobre a natureza, as florestas, o mar. Eu realmente pensava que aqui não existia outra coisa. Ao contrário, vejo que existe uma cidade quase tão grande como Nova York!

— São Paulo é a maior cidade do Brasil. Aqui são feitos os maiores negócios. O Rio de Janeiro você deveria conhecer melhor. Além de ser a capital do país, é também uma das mais belas cidades que pode existir neste mundo. Lá sim a natureza é pródiga!

— Talvez um dia eu volte com mais tempo para poder ver todas essas maravilhas.

Seguiram de carro por mais uns quarenta minutos. Entraram numa rua toda arborizada e com casas sem muros e portões. Isaias entrou com o carro numa delas. Era uma casa grande, cercada por um lindo jardim com muitas flores.

Isaias parou o carro numa garagem que ficava nos fundos, ao lado da casa. Desceram do carro. Walther perguntou:

— É aqui que você mora?

— É, sim. Eu, minha família e Paulo.

Entraram em casa. Uma senhora veio recebê-los. Estendeu a mão para Walther, que correspondeu:

— Meu nome e Ismenia, sou esposa de Isaias. Estou muito feliz por recebê-lo em nossa casa!

— Já deve saber que meu nome é Walther. Também estou muito feliz por conhecê-la. Espero que minha breve estada não lhe cause muitos transtornos.

— Trabalho? Qual nada! Esta casa já teve muita gente! Agora, com a partida do patrão, ficou muito vazia. Entre.

Enquanto Walther entrava, Isaias dizia:

— Não ligue para o que ela diz. Sente falta dos filhos, temos dois. Estão casados e graças a Deus muito bem. Paulo fez questão que eles estudassem. Um é medico, o outro é advogado. Trabalham no que gostam. Estão muito bem. Ismenia não entende que agora eles têm a própria vida e não podem mais vir nos visitar todos os dias. Mas sempre que possível estão aqui.

— Ele parece que não gosta dos filhos!

— Adoro meus filhos, mas sempre soube que um dia eles nos deixariam, como um dia deixamos nossos pais. Walther, não acredita que eu esteja certo?

Ele ia responder quando entrou correndo um menino de uns oito anos mais ou menos. Ao ver Walther, parou. Isaias pegou-o no colo e abraçou-o com muito carinho, enquanto dizia:

— Walther, este é Léo, nosso filho! Léo, cumprimente nosso amigo!

O menino desceu do colo de Isaias e estendeu a mão para Walther, dizendo:

— Como vai, senhor?

Walther ficou olhando para aquele menino que lhe estendia a mão. Ficou sem saber o que dizer ou fazer. Olhou para Isaias e para Ismenia, que sorriam. Estendeu a mão, respondendo:

— Estou muito bem, obrigado.

O menino largou sua mão e entrou correndo para dentro de casa. Isaias, percebendo o espanto de Walther, disse:

— Percebeu que, na realidade, ele não é nosso filho. Mas é como se fosse. Nasceu nesta casa. Leva o meu nome. Mais tarde lhe contarei a história toda.

Walther esfregava a mão, querendo limpá-la. Disse:

— Será que posso usar o banheiro?

— Claro que sim, fica na segunda porta desse corredor.

Walther entrou no banheiro, abriu a torneira e com muito sabonete esfregou as mãos, pensando:

Como fui pegar na mão de um negro? Se um dos meus amigos soubesse disso, com certeza faria galhofas! Como vou tratar esse menino? Ainda bem que vou logo embora! Que país é este onde os negros são aceitos por famílias brancas, como se fossem iguais?

Saiu do banheiro um pouco encabulado. Ismênia, ao vê-lo, disse:

— O almoço já está na mesa. Deve estar com fome depois dessa viagem.

— Estou sim. Aliás, estou adorando toda a comida que tenho saboreado desde que cheguei. Espero que a sua seja boa também!

— Disso pode ter certeza. Desculpe a falta de modéstia, mas sou uma ótima cozinheira! Vamos para a sala?

Walther acompanhou-a. Sentia ainda que sua mão estava suja, mas tentou disfarçar, esfregando-a. Mais assustado ficou quando chegou à sala e viu, sentado e conversando alegremente com Isaias, aquele menino. Encabulado, mas acima de tudo educado, sentou-se.

Começou a comer, mas não conseguia falar. Seus olhos, mesmo que não quisesse, faziam questão de olhar para o menino que comia, falava e ria muito. Isaias, embora conversasse com o filho, prestava atenção aos movimentos de Walther.

Terminaram de almoçar. Foram para a sala de visitas. Ismenia em seguida trouxe café e serviu aos dois. Walther estranhou o café, que para ele era pouco e forte. Estava acostumado com muito café e fraco, quase água. Não conseguiu tomá-lo todo, embora fosse pouco. Isaias estranhou. Perguntou:

— Não gosta de café?

— Gosto, mas este está muito forte. Em meu país é diferente!

— Parece que muitas coisas são diferentes em seu país!

— Por que está dizendo isso? Fiz alguma coisa para que pensasse dessa maneira?

— Embora eu não saiba quase nada sobre seu país, pois as notícias demoram muito para chegar, Paulo sempre teve muita curiosidade. Por isso acompanhava tudo que se passava lá. Desse modo, conversando com ele, também aprendi muito. Sei que lá existe muito racismo. Sei que os negros vivem em lugares separados dos brancos. Que eles têm suas escolas, igrejas e comércio separados. Que não podem andar nas mesmas calçadas que os brancos. Que só entram nas casas dos brancos pela porta dos fundos e para trabalhar como domésticos. Por isso notei que, embora tenha tentado disfarçar, mudou assim que viu Léo sendo amado como nosso filho e sentado a nossa mesa.

Walther ficou encabulado. Gostava de Isaias e não queria de forma alguma perder essa amizade tão recente, mas já tão profunda. Olhou para ele e não soube o que dizer. Isaias prosseguiu:

— Não pense que o estou julgando ou condenando. Sei que foi criado assim, com todo esse preconceito, e por isso teve essa reação. Mas nisso este país é diferente. Não vou dizer que não exista racismo. Aqui também existe, talvez um pouco mais velado, mas infelizmente existe. Só que não existe segregação. Vivemos juntos, misturados. Qualquer um pode ir a qualquer escola, igreja e entramos nas mesmas lojas e mercearias. A escravidão terminou e, junto com ela, outras coisas mais. Sei que ainda falta muito para chegarmos à perfeição, talvez até nunca cheguemos, mas estamos caminhando.

Walther ouviu calado. Sentia vergonha, mas realmente fora criado dessa maneira. Nunca teve proximidade alguma com negros. Em sua casa eles só entravam para servir, nunca para conviver. Seu pai não permitiria.

— Isaias, por favor, perdoe-me se o ofendi, não foi essa minha intenção...

— Sei disso, não precisa ficar preocupado. Paulo gostava muito de Léo, assim como todos nós. Sei que se deixar de lado o preconceito, gostará dele também. É um menino especial, muito amoroso, carinhoso e esperto. Já que estamos nesse assunto, devo dizer-lhe que não o escolhi para ser meu filho. Ele me foi mandado por Deus para ser nosso companheiro, nossa felicidade.

— Peço desculpas novamente. Mas, se não o escolheu, como foi que ele chegou até você?

É uma longa história, mas contarei:

Uma tarde, eu e Paulo estávamos voltando do trabalho. Assim que virei o carro para entrar, vimos uma moça sentada na calçada, chorando muito. Paulo me fez parar e falar com ela. Aproximei-me, toquei em seu ombro e perguntei:

— Você está sentindo alguma coisa? Está doente?

Ela levantou-se rapidamente. Olhou para o carro e viu Paulo que também a olhava. Assustou-se:

— Desculpe senhor, é que estou andando o dia todo atrás de trabalho e não consegui nada. Estou com muita fome. Mas já estou indo embora.

Assim que se levantou, percebemos que, além de estar com as roupas sujas, estava grávida. Paulo fez um sinal. Eu entendi e segurei-a pelo braço. Disse:

— Espere! Não precisa ir embora. Se está com fome, em nossa casa deve haver algo que possa comer. Entre por este corredor. Vou entrar com o carro e a levarei para falar com minha esposa. Ela fará algo para que coma.

A moça olhou-me, depois a Paulo, que com um sorriso concordou com a cabeça. Ela pegou uma pequena sacola que estava no chão e foi caminhando pelo corredor. Eu entrei no carro e parei na garagem. Descemos, Paulo foi para seu quarto trocar de roupa para esperar o jantar.

Fui até a moça e fiz com que ela me acompanhasse. Entrei na cozinha. Ismenia estranhou a presença daquela moça. Notando sua surpresa, disse:

— Esta é...como é o seu nome?

— Meu nome é Lorena!

— Pois bem, Ismenia, esta é Lorena. Lorena, esta é Ismenia, minha querida esposa.

— Muito prazer, senhora...

Ismenia olhava-me sem entender nada. Vendo aquela situação, eu disse:

— Ismenia, tem algo para comer? Lorena está com fome.

— O jantar ainda não está pronto, vai demorar um pouco!

— Dona! A senhora não precisa se preocupar! Pode ser somente um pedaço de pão...

Ismenia olhou para a barriga dela, que já estava bem grande, e disse:

— Estou vendo que você está mesmo com fome. Vou fritar um ovo e você come, assim engana o estômago até o jantar ficar pronto. Tem alguma roupa nessa sacola?

— Sim, senhora. Por quê?

— Enquanto eu preparo o lanche, você vai pegar essa sacola, entrar naquela porta e tomar um bom banho. Vejo que está precisando! Se não tiver

uma toalha, há muitas no armário, pode pegar. Quando sair, seu lanche estará pronto. Está bem assim?

– Está muito bem! Estou mesmo precisando de um banho! Muito obrigada, senhora!

Ismenia não respondeu, apenas sorriu. Lorena, com sua sacola, entrou no banheiro. Enquanto fritava o ovo, Ismenia me perguntou onde encontrara a moça. Contei a ela, dizendo que fora Paulo o responsável pela acolhida.

Lorena não demorou muito no banho, parecia querer incomodar o menos possível. Saiu com a roupa limpa e os cabelos molhados. Olhou-nos com vergonha pela situação.

Ismenia fritou o ovo, colocou-o num prato, pegou pão e um copo de leite. Mostrou uma cadeira para que ela se sentasse. Lorena sentou-se e começou a comer. Ela comia com tanta vontade, parecia que aquele pão com ovo e o leite eram o manjar dos deuses.

Paulo, depois de ter trocado de roupa, veio até a cozinha. Chegou quando ela pegava um pedaço de pão e limpava o prato. Ele ficou encostado na parede olhando, sem nada dizer.

Quando ela terminou de tomar o último gole do leite, olhou para nós, que a olhávamos com muita dor no coração por vê-la com tanta fome, triste e abandonada.

Ao ver Paulo, ela se levantou, e de seus olhos caíam lágrimas:

– Muito obrigada, senhor! Que Deus o abençoe! Que abençoe a todos.

– Não precisa agradecer. Venha conosco até a sala enquanto Ismenia termina de preparar o jantar. Vamos conversar um pouco.

– O senhor é quem sabe...

Paulo fitou-me e, juntos, fomos até a sala. Lá ele mostrou a ela um sofá para que se sentasse. Ela sentou-se e ficou com a cabeça baixa. Depois de alguns segundos, Paulo disse:

– Pode levantar a cabeça, está no meio de amigos. Queremos ajudá-la, mas precisamos saber como. Por que está nessa situação? O que aconteceu? Você é ainda muito nova! Quantos anos tem?

Fitou-nos. De seus olhos lágrimas caíam.

– Preciso de ajuda! Embora tenha errado, minha criança precisa nascer, e com saúde! A única coisa que preciso é de um trabalho. Os senhores foram muito bons. Sem me conhecer, deram-me o que comer. Nunca me esquecerei disso. Como gratidão, contarei minha história.

Ela estava nervosa, tremia muito. Paulo, sorrindo, disse:

– Fique calma. Não precisa tremer. Se julgar importante, conte sua história. Confesso que estou curioso.

Ela, ao ver o sorriso dele, acalmou-se um pouco e começou a contar sua história:

Minha história é como tantas outras que existem e com certeza continuarão a existir. Tenho dezenove anos. Morava no interior. Minha família estava passando por necessidades, por isso vim para a capital morar na casa de uma tia. Assim poderia trabalhar e mandar algum dinheiro para meus pais.

Quando cheguei, fui trabalhar numa casa de família. Dormia lá e só voltava para casa da minha tia nos fins de semana. A casa era grande, eu trabalhava como arrumadeira e ajudante de cozinheira. Meus patrões eram jovens, recém-casados e só estudavam. Saíam quase todas as noites para teatros e cinemas. Os pais dos dois eram muito ricos e pagavam todas as despesas.

Eu dormia num quarto que ficava nos fundos da casa. Por mais que tentasse, não me acostumava a ficar fora de casa, longe da minha família. Sentia-me muito sozinha.

Numa manhã, fui até o açougue. O açougueiro que sempre me atendia não estava lá. Um rapaz muito bonito me atendeu. Pedi a carne. Ele sorriu. Fiquei admirando-o enquanto ele cortava a carne. Era negro como eu, alto e tinha um lindo sorriso. Quando me entregou o pacote, fez questão de tocar em minha mão. Aquele toque mexeu comigo. Senti um calor intenso por todo o meu corpo. Fiquei sem saber o que fazer. Ele sorriu, dizendo:

— Volte outra vez. Prometo que vou escolher sempre as melhores carnes.

Saí dali tremendo. Nunca sentira algo parecido com aquilo. Entreguei a carne para Luzia, a cozinheira. Ela percebeu que havia acontecido alguma coisa e perguntou:

— O que aconteceu? Você está vermelha e tremendo!

— Não aconteceu nada, devo ter vindo muito depressa.

Daquele dia em diante, não consegui mais esquecer aqueles olhos e seu sorriso. Ficava ansiosa para que Luzia me mandasse ao açougue, pois assim eu poderia vê-lo. Sempre que eu ia até lá, meu coração batia mais forte. Ele sempre me recebia com aquele sorriso maravilhoso. Sempre que me entregava o pacote, segurava minha mão por alguns segundos.

Isso durou algum tempo. Um dia, ao entregar-me o pacote, segurou minha mão com mais força, dizendo:

— Não suporto mais ficar só segurando em sua mão. Preciso ficar mais tempo com você. Estou apaixonado, não a esqueço por um minuto sequer!

Aquelas palavras, fizeram com que meu coração batesse mais forte ainda. Fiquei calada olhando para ele e sentindo que também queria estar ao seu lado para sempre. Respondi:

— Não sei como isso poderia acontecer! Trabalho e durmo no meu emprego, não sei como fazer para encontrá-lo!

— Trabalha nos fins de semana?

— Não, mas tenho que ir para a casa da minha tia. Se não for, ela vai desconfiar e contar aos meus pais.

— Diga a ela que no sábado haverá uma festa na casa de sua patroa e que ela pediu para você ajudar. Se der certo, poderemos nos encontrar por alguns minutos.

— Vou tentar, mas não sei se vai dar certo.

— Tem que dar, preciso ficar com você.

Saí dali com o coração batendo e o corpo todo tremendo. Durante o caminho fui imaginando como faria para mentir para minha tia. Eu não estava acostumada a mentir. Não sabia se conseguiria, mas a vontade de ficar junto dele conversando e sentindo aquela mão me dava toda a força que precisava.

Cheguei em casa, entreguei a carne para Luzia e fui para dentro da casa arrumar tudo. Enquanto arrumava, pensava o que dizer para minha tia. Depois de muito pensar, resolvi: ela não tinha telefone, mas eu precisava falar com ela.

Terminei logo o meu trabalho, deixei tudo em ordem, fui até a cozinha e falei com Luzia:

— Luzia, não sei por que, mas estou com um pressentimento ruim. Sonhei com minha tia, o sonho não foi muito bom. Será que eu poderia dar um pulo até lá para ver como ela está? Se tudo estiver bem, vou e volto bem depressa!

— Não sei... você tem muito trabalho.

— Já está tudo pronto. Vou e volto a tempo de ajudá-la no jantar.

— Está bem. Vá, mas volte logo.

Saí correndo. Minha tia morava muito longe, era preciso tomar um ônibus e ainda andar um bom pedaço a pé. Mas nada daquilo me importava. Fiquei no ponto de ônibus esperando e ele nunca demorou tanto para chegar. Finalmente chegou. Após uns quarenta minutos, estava no ponto no qual deveria descer. Teria que andar mais uns dez minutos para chegar até a casa de minha tia. Estava correndo atrás da minha felicidade.

Finalmente cheguei em frente à casa. Entrei correndo, minha tia levou um susto ao me ver ali àquela hora:

— Tia, sou eu, Lorena!

— Lorena? Por que está aqui? Que aconteceu? Foi despedida do trabalho?

— Nada disso. Não aconteceu nada de grave. É que minha patroa vai dar uma festa no sábado, pediu que eu ficasse para ajudar. Disse a ela que só poderia ficar se a senhora concordasse. Ela permitiu que eu viesse aqui falar com a senhora.

– Ainda bem! Pensei que tivesse perdido o trabalho! Se vai ficar trabalhando, ficarei sossegada. Fez bem em vir me avisar. Vai ficar aqui hoje?

– Não, tenho que voltar rápido para ajudar Luzia a fazer o jantar. Estou indo agora mesmo.

– Está bem, minha filha, vá com Deus.

Precisava voltar o mais rápido possível, não podia despertar nenhuma suspeita em Luzia. Com tudo resolvido, fui correndo para o ponto de ônibus. Pareceu que ele não demorou muito e que a caminhada também não era tão longa.

Quando desci do ônibus, antes de ir para casa, fui até o açougue. Ele estava lá, lindo como sempre. Ao ver-me, seus olhos brilharam. Emocionada, disse:

– Está tudo certo, não precisarei voltar para casa no fim de semana. Posso encontrar-me com você.

Ele abriu um grande sorriso, dizendo:

– Isso é ótimo! Vamos fazer o seguinte: Pego você na casa de sua patroa e podemos tomar um sorvete ou ir ao cinema!

– Não! Você não pode aparecer na casa dos meus patrões. Vamos nos encontrar na praça. Será melhor.

– Está bem, farei tudo o que quiser. Você é quem manda.

Saí dali sorrindo e correndo. Precisava chegar logo. Luzia, ao ver-me chegar, perguntou:

– Como está sua tia? Aconteceu alguma coisa?

– Não. Foi bobagem minha. Ela está muito bem, mas foi bom eu ter ido lá e visto com meus próprios olhos que ela está bem. Eu estava realmente muito preocupada.

– Bem, já que está tudo bem, vamos fazer o jantar. Logo os patrões chegarão. Você sabe que depois de ter estudado o dia inteiro, eles chegam com muita fome.

Começamos a preparar o jantar. Eu estava muito feliz. Era quinta-feira, o sábado estava chegando, finalmente eu poderia encontrar o meu amor. Mas, antes disso, precisava falar com minha patroa e pedir permissão para ficar ali no fim de semana. Depois do jantar, quando fui levar o café, parei diante dos dois, que conversavam:

– Com licença. Dona Eliana, preciso falar com a senhora.

Os dois olharam-me espantados, eu não costumava interromper quando estavam conversando. Mas ela, muito educada, disse:

– Pois não! O que houve?

– Minha tia vai fazer uma viagem, e eu não gostaria de ficar no fim de semana sozinha na casa dela. A senhora sabe, ela mora num lugar muito afastado. Queria pedir permissão para ficar aqui.

– Ah! É isso? Pensei que estava querendo pedir demissão.

– Nem pensar! Adoro trabalhar aqui!

– Você quer dormir aqui? Não há problema algum. Pode ficar este e quantos fins de semana quiser. Só que vai ficar sozinha. Luzia, como sabe, vai todos os dias para casa. Além disso, vamos viajar. Sairemos na sexta-feira à noite! Ficará sozinha do mesmo modo.

– Aqui não me importo de ficar sozinha. A casa tem muita segurança.

– Sendo assim, pode ficar. Eu mesma ficarei mais tranqüila sabendo que a casa não ficará vazia.

Pedi licença e saí vibrando por dentro. Tudo estava dando certo. Finalmente poderia encontrá-lo. Fiquei contando os dias e os minutos que faltavam.

Finalmente o sábado chegou. Arrumei-me da melhor maneira que consegui. Não tinha muitas roupas, mas mesmo assim, achei que estava bonita.

Na hora marcada eu estava na praça sentada num banco. Em seguida o vi chegando. Ele também estava bem arrumado e ainda mais bonito. Chegou, pegou minha mão, levantou-me e deu-me um abraço bem apertado. Senti todo o seu corpo junto ao meu. Comecei a tremer. Ele percebeu:

– Não precisa ficar nervosa. Gosto muito de você e não quero fazer-lhe nenhum mal.

– Sei disso. Não estou com medo, apenas emocionada.

– Também estou emocionado. Mas antes vamos nos apresentar. Meu nome é Nelson! E o seu?

– Lorena, meu nome é Lorena...

– Igual a você, seu nome também é muito bonito. Que quer fazer? Ir ao cinema? Está passando um filme muito bom.

Na realidade, eu nunca havia ido a um cinema, nem sabia como era. Na cidade onde morava não havia nenhum, era muito pequena. Não quis dizer isso a ele, por isso concordei.

Ao entrar no cinema, fiquei encantada, nunca vira uma sala tão grande como aquela. Todas aquelas cadeiras e a cortina vermelha. Ele foi me conduzindo. Entramos numa fileira e sentamo-nos bem no meio. A sala estava iluminada, ouvi uma música suave. De repente a sala escureceu. Assustei-me, pois não estava esperando. A cortina abriu-se e a tela iluminou-se, imagens começaram a aparecer. Lembrando agora, parece brincadeira, mas realmente me emocionei.

Quando o filme começou, eu não conseguia tirar os olhos da tela. Nelson passou o braço por trás de mim e colocou-o sobre meus ombros. Começou a fazer carinho em meu rosto. Aquilo me fazia muito bem. Aos poucos, foi encostando sua cabeça na minha. Eu parecia estar em outro mundo, era só felicidade. Delicado, com as mãos virou meu rosto para o dele e beijou-me com paixão.

A princípio fiquei com medo, mas me entreguei. Beijou-me várias vezes e cada vez eu gostava mais. A sala voltou a se iluminar. O filme havia terminado. Nós nem notamos. Seguindo as outras pessoas, saímos abraçados. Na praça, ele disse:

– Estou apaixonado por você, sinto que não poderei mais viver sem sua companhia. Quero ficar com você para sempre.

Era exatamente o que eu sentia e queria ouvir. Apenas sorri, não sabia o que dizer. Ele perguntou:

– Como conseguiu arrumar uma maneira de me encontrar?

Contei a ele tudo o que havia feito, o que havia dito a minha tia e a minha patroa. Quando terminei, ele disse:

– Você é mesmo muito esperta! Quer dizer que não há ninguém em sua casa? Seus patrões estão viajando?

– Estão, voltarão só amanhã à noite.

– Então podemos ir até lá e ficar conversando em seu quarto?

– Não! Não podemos fazer isso!

– Por que não? Estamos apaixonados, isso você não pode negar. Por que não ficarmos juntos? Não vai acontecer nada de mal. Vamos apenas conversar e trocar alguns carinhos.

Fiquei pensando. Era tudo o que eu queria. Não vi mal algum e aceitei. Entramos pelo portão e dirigimo-nos ao meu quarto. Já lá dentro, ele me pegou por trás, começou a beijar meu pescoço e meu ombro. Tentei resistir, mas não consegui. Em poucos minutos estávamos deitados em minha cama. Ele encheu-me de carinhos e beijos e aos poucos fui me entregando.

Sabia que o que estava fazendo não era certo, mas sentia-me muito bem. Ficamos ali por muito tempo.

Quando estava quase amanhecendo, ele se levantou e foi embora. Fiquei ali sonhando e relembrando tudo o que havia acontecido. Estava muito feliz.

No domingo não nos encontramos. Fiquei em casa o dia todo relembrando a noite maravilhosa que tivera.

Na segunda-feira tudo voltou ao normal. Luzia chegou cedo, antes dos patrões acordarem. Quando ela chegou eu já estava com o café coado e arrumando a mesa, pois eles todos os dias tomavam café e saíam correndo para a escola. Ela fazia Odontologia. Ia à faculdade pela manhã e à tarde fazia estágio num consultório. Ele estudava o dia inteiro para ser engenheiro. Voltavam para o almoço e depois só à noite.

Terminamos de arrumar a mesa para o café. Os dois desceram e, como sempre, tomaram o café rapidamente e saíram voando. Luzia percebeu que eu estava feliz e perguntou:

– O que houve? Está com um brilho diferente nos olhos.

Quis contar-lhe o que havia acontecido, mas não tive coragem. No fundo, embora estivesse feliz, sabia que havia feito algo de errado. Primeiro, ter deixado um estranho entrar na casa dos patrões. Segundo, ter me entregado com tamanha facilidade. Respondi:

– Não aconteceu nada. Só estou me sentindo bem.

– Não entendo. Ficou o fim de semana aqui em casa sozinha e me diz que está bem?

– Pois fique sabendo que fiquei muito bem. Ouvi música no rádio. Fiquei em paz.

– Ainda bem, pois eu tive uma porção de problemas. Como sempre, meu marido voltou a beber e fez outro escândalo. Por isso, só fico bem enquanto estou trabalhando. Queria ser como você, sozinha e sem compromisso algum.

– Sou mesmo muito feliz. Mas agora tenho que trabalhar. Os patrões foram viajar, com certeza trouxeram muita roupa para ser lavada. Vou arrumar lá em cima, depois ajudo com o almoço.

Subi as escadas correndo. Não queria continuar aquela conversa. Sentia medo de me trair e deixar escapar qualquer coisa. Queria ver Nelson, mas não podia sair de casa sem que Luzia me pedisse.

Walther prestava atenção em tudo o que Isaias contava. Léo entrou na sala, dizendo:

– Papai, o Sol está quente. Não podíamos ir até a piscina?

Isaias olhou para Walther, perguntando:

– Gostaria de ir até a piscina? Como disse Léo, o Sol está quente.

Walther olhou para Léo já de uma maneira diferente. Não que não sentisse ainda preconceito. Para ele o menino continuava sendo um negro, portanto diferente dele, mas estava interessado em saber o resto daquela história e como ele se tornara filho de Isaias. Voltou seus olhos para Isaias, dizendo:

– Se não se incomodar, gostaria de continuar ouvindo essa história que está me contando. Embora já esteja adivinhando o final, estou curioso para saber o que aconteceu.

Isaias olhou para seu filho e disse:

– Estou tendo uma conversa muito séria com a nossa visita. O Sol está quente hoje e amanhã continuará também quente. Se prometer ficar no lado raso e se sua mãe ficar olhando, pode ir para a piscina. Prometo que amanhã iremos todos juntos. Está bem?

Ismenia, que entrara com o menino, sabia que Isaias estava contando a Walther a história do filho. Disse:

– Léo! Venha comigo! Você pode nadar todo o tempo que quiser. O papai vai continuar conversando com o senhor Walther.

O menino correu para a mãe, abraçou-se a ela e, juntos, saíram.

Isaias voltou-se novamente para Walther:

– Já que está gostando da história, vou continuar.

Durante o dia todo Lorena ficou ansiosa esperando que Luzia a mandasse à rua fazer alguma compra. Ela queria ver Nelson. Parecendo adivinhar seu desejo, Luzia a chamou:

– Vi na geladeira que está faltando tomate e cebola. Vá até a quitanda e compre, senão não terei como preparar a salada.

Lorena quase não conseguiu esconder sua felicidade. Antes de sair, penteou os cabelos. Luzia estranhou, pois ela não costumava fazer isso:

– Menina! Por que isso?

– Isso o quê?

– Arrumar-se para ir até a quitanda.

– O que tem a ver? Não preciso andar por aí toda desarrumada! Já estou indo!

Saiu correndo. A quitanda ficava ao lado do açougue. Entrou. Ao vê-la, Nelson sorriu, dizendo:

– Ainda bem que você veio! Não agüentava mais de saudades! Quando vou poder encontrá-la novamente?

– Não sei, mas vou dar um jeito!

– Vou ficar esperando, mas por favor, não demore muito. Estou morrendo de saudades.

– Eu também. Pode deixar que vou encontrar um meio.

Saiu dali sorrindo. Seu coração estava cheio de alegria. Entrou na quitanda, comprou o tomate e a cebola e voltou feliz para casa. Passou o resto do dia pensando num meio de ficar outra vez com Nelson. Não podia mentir novamente para sua tia e sua patroa. Teria que inventar outra maneira. Estava descascando batatas quando Luzia falou:

– Será que eles virão jantar hoje?

– Por que está dizendo isso?

– É que a dona Eliana não ligou até agora. Sabe que às vezes eles jantam fora.

– Mas ela sempre avisa. Se não avisou é porque virão jantar.

– Pode ser, mas com certeza sairão à noite. Não sei como eles conseguem sair quase todas as noites e levantar cedo todos os dias.

– São jovens e se amam.

– O que você entende de amor?

– Nada, mas basta ver como eles se tratam.

Luzia ficou calada. Lorena começou a pensar:

Realmente, eles quase todas as noites vão a algum lugar. Voltam sempre muito tarde. Vou combinar com Nelson. Assim que eles saírem, deixarei a luz da garagem acesa. Ele poderá vir sem se preocupar. Pode ficar um pouco aqui comigo e ir embora antes que eles voltem.

Estava tudo certo, só faltava uma oportunidade para contar a Nelson. No dia seguinte acordou entusiasmada. Assim que terminaram de tirar a mesa do café e os patrões já haviam ido embora, Luzia disse:

– Preciso que vá até o açougue. Quero que traga uma carne boa para ser assada. Traga um pedaço sem muita gordura.

Era tudo o que Lorena queria ouvir. Ali estava a oportunidade para contar seu plano a Nelson. Dessa vez, para não chamar a atenção de Luzia, saiu rápido sem se arrumar. Foi correndo. Seu coração batia só em pensar que encontraria novamente seu amor.

Assim que entrou no açougue, teve que se conter. Nelson estava atendendo uma cliente. Ele a viu e sorriu. Ela esperou. Assim que a cliente saiu, ela disse:

– Consegui encontrar um modo de nos encontrarmos.

– Isso é ótimo! Como será?

– Meus patrões saem quase todas as noites. Gostam de ir ao teatro, cinema ou dançar.

– Que está querendo dizer?

– Que poderemos nos encontrar sempre que eles saírem. Sempre que vir a luz da garagem acesa você poderá tocar a campainha. Eu abrirei o portão e poderemos ficar juntos.

– Você é mesmo inteligente. Como teve essa idéia?

– De uma conversa que ouvi de Luzia. Nos encontraremos durante a semana. Nos fins de semana vou para a casa da minha tia e ninguém descobrirá nada.

– Isso não vai durar muito tempo. Assim que acertar minha vida, encontrarei uma casa e nos casaremos. Sabe o quanto a amo. Quero ficar com você para sempre.

O plano de Lorena deu certo e eles começaram a se encontrar sempre. Até que um dia Lorena percebeu que estava grávida. Contou a Nelson:

– Estou grávida. Não sei como vai ser. Quando minha tia descobrir não vai aceitar e contará tudo aos meus pais. Talvez eu perca o meu emprego.

Nelson pareceu feliz. Disse:

– Não estava pensando em filho, mas não se preocupe, tudo vai ficar bem. Antes que alguém descubra, encontrarei uma solução.

Lorena estava radiante, pois além de ter encontrado o homem de sua vida, estava também esperando um filho, que seria sua felicidade total.

Continuaram se encontrando por mais algum tempo. Todas as noites, ele passava pela frente da casa e sempre que via a luz da garagem acesa, sabia que o terreno estava livre. Com o tempo, Lorena entregou a ele uma chave do portão. Ele agora entrava sem tocar a campainha.

Numa noite, ao passar, notou a luz acesa e, como sempre fazia, entrou. Lorena também como sempre recebeu-o com toda a felicidade. Sua barriga já começava a aparecer, mas ela usava roupas largas e até o momento ninguém notara.

Amavam-se descontraídos quando alguém bateu à porta. Assustaram-se, o quarto era pequeno, não havia como Nelson se esconder. A voz do patrão se fez ouvir:

– Lorena! Acorde, por favor! Eliana não está passando bem. Preciso que faça um chá para ela!

Lorena tremia. Ela e Nelson estavam despidos. Ficou sem saber o que fazer. O patrão, pensando que ela não o escutara, mexeu na maçaneta da porta. Lorena não costumava trancar com a chave. Ele abriu e viu os dois ali, daquela maneira:

– Que está acontecendo aqui? Lorena! Quem é esse homem?

Ela, sem saber o que dizer e com muita vergonha, começou a chorar. O patrão, nervoso, continuou:

– Não quero explicação alguma! Vistam suas roupas e, agora mesmo, quero os dois na rua!

Ela ainda tentou argumentar:

– Por favor, não faça isso, não tenho para onde ir...

– Mas deixou que um estranho entrasse em minha casa! Vá com ele! Ele que encontre um lugar para você ficar! Não a quero aqui nem mais um minuto! Saiam!

– Por favor, senhor. Sei que errei, mas prometo que isso não vai mais se repetir, por favor...

– Não vai mesmo! Você vai sair daqui imediatamente!

Lorena, vendo que não havia como comover aquele homem e sabendo que ele tinha razão, vestiu-se, pegou suas coisas, colocou numa sacola e saiu acompanhada por Nelson. Já na rua, chorando, olhou para ele, perguntando:

— Nelson. Que vamos fazer? Para onde iremos a essa hora da noite?

Ele estava muito sem graça, sentia que teria de contar a verdade. Só não sabia como começar. Finalmente tomou coragem:

— Não sei o que fazer. Nunca lhe disse, mas sou casado e tenho dois filhos, e não pretendo abandoná-los.

— Casado!?! Esteve me enganando esse tempo todo?

— Não a enganei, gosto mesmo de você. Mas nunca pensei em ter um filho. Continuaria com você e com minha esposa, nada além disso.

— Este filho que carrego é seu também!

— Sinto muito, mas não posso fazer nada. Esqueça-me. Amanhã não voltarei para o açougue. Não posso me arriscar a perder minha família. O melhor que tem a fazer é voltar para a casa de sua tia ou para sua casa.

— Não vou poder esconder essa barriga por muito tempo. Minha tia tem uma mentalidade muito antiga e o meu pai é pior ainda. Eles não vão aceitar! Que farei?

Ele foi se afastando vagarosamente. Ela tentou segurá-lo, mas foi inútil. Ele foi embora e ela ficou ali sozinha no meio da noite, sem ter para onde ir.

Chorando, dirigiu-se à praça. Sentou-se num banco. Fazia muito frio. Encolheu as pernas por baixo do vestido e ficou ali chorando sem esperanças.

Quando acordou o Sol já raiara. Ao abrir os olhos relembrou tudo o que acontecera e avaliou a situação na qual se encontrava: "Meu Deus! O que vou fazer? Não posso voltar para minha casa, meu pai nunca vai aceitar esta criança. Vai me julgar uma perdida. Que vou fazer?"

Foi andando até a casa de sua tia, que ao vê-la admirou-se, pois estavam no meio da semana:

— Que está fazendo aqui? Por que não está trabalhando?

Lorena, chorando, respondeu:

— Fui mandada embora. Estou sem emprego...

— Mandada embora? Por quê? Que você fez?

Lorena já ia contar quando a tia a olhou mais atentamente e percebeu sua barriga. Com a pressa, ao sair, esquecera de usar a cinta e o vestido largo que a escondia:

— O que significa essa barriga? O que você fez, menina?

Lorena desabou a chorar. Não sabia como explicar, não conseguia acreditar que havia sido enganada por Nelson. A tia nervosa, gritando, prosseguiu:

— Não precisa contar nada! Já sei como isso aconteceu! Andou se metendo com um homem! Quem é ele? Onde está?

— Não sei. Ele foi embora. Não sei onde mora!

— Sinto muito, mas você não pode ficar aqui em minha casa! Esta é uma casa de família! Volte para junto de seus pais, eles é que saberão o que fazer. Eu não sei!

— Tia! A senhora sabe que meu pai não vai me aceitar! Ele vai dizer que estou perdida! A cidade que moro é muito pequena, ninguém vai me aceitar! Todos vão comentar!

— Você deveria ter pensado nisso antes de fazer essa bobagem! Sinto muito, mas aqui também não pode ficar! Pode voltar pelo mesmo caminho que veio!

— Não tenho para onde ir...

— Não posso fazer nada! Vá para a casa do seu pai! Aqui não pode ficar!

Lorena pegou sua trouxa e saiu, desesperada. Já na rua, olhava para todos os lados sem saber que direção tomar. Enxugava os olhos para poder enxergar, mas as lágrimas não paravam de sair. De seu peito saíam soluços profundos. Estava em total desespero. Ficou andando sem rumo.

Anoiteceu. Estava com fome, não tinha onde dormir. Chegou novamente à praça, dormiu no mesmo banco. Acordou, saiu andando procurando uma casa onde pudesse trabalhar, mas as pessoas, quando viam sua barriga, não a aceitavam. Em algumas casas conseguiu comer alguma coisa, nada além disso. Sabia que não adiantava voltar para a casa de seus pais.

Ficou vários dias perambulando atrás de um emprego, até que, naquela tarde, cansada de tanto andar, sentou-se em frente a nossa casa para descansar.

Walther ouvia, e por seu pensamento as imagens iam acompanhando a história. Assim que Isaias terminou de falar, perguntou:

— Por que meu tio permitiu que uma negra entrasse em sua casa?

— Porque ele não viu a negra, mas sim sua barriga.

— Não estou entendendo! O que tem a ver uma coisa com outra?

— Isso é algo que só ele poderia responder, não sei. Só sei que assim que ela terminou de contar a história, Paulo levantou-se e ficou andando pela sala sem nada dizer. Depois de andar por um tempo, parou em frente a ela, perguntando:

— O que pensa fazer agora?

— Não sei... só quero que meu filho possa nascer e ser mais feliz que eu...

— Depois que ele nascer, vai fazer o quê?

– Não sei o que vai acontecer, mas a única coisa que quero é nunca me separar dele... sinto que mesmo sem que eu quisesse, Deus me mandou esta criança. Ela vai nascer e eu vou amá-la muito. Se Ele me deu esse presente, certamente vai me ajudar para que eu o tenha e possa ficar com ele.

– Deseja mesmo tê-lo e cuidá-lo?

– Farei tudo o que estiver ao meu alcance. Já amo muito essa criança.

– Sendo assim, a partir de agora está sob minha proteção; você e seu filho.

– Não estou entendendo...

– Se Deus lhe deu esse presente, e se você veio parar em frente a minha casa, é porque Ele quer que eu também receba esse presente. Se quiser, pode ficar aqui até sua criança nascer. Depois disso, você decide o que fazer. Que me responde?

Ela começou a chorar. Levantou-se, pegou a mão de Paulo e tentou beijá-la, dizendo:

– Muito obrigada! O senhor é um santo! Não sei como agradecer! Vou ficar aqui em sua casa, mas vou trabalhar, posso fazer qualquer trabalho.

Paulo, antes que ela conseguisse beijar-lhe a mão, retirou-a, dizendo:

– Não precisa me agradecer. Não sou nenhum santo. Aprendi que, como quase todas as pessoas, sou só um grande devedor. Tenho minhas contas para acertar. Fique aqui, trabalhe ajudando Ismenia enquanto conseguir. Assim que a criança nascer, veremos o que será feito. Por enquanto, Isaias, leve essa moça até Ismenia e peça a ela para lhe preparar um quarto. Lorena, se quiser pode ajudar Ismenia com o jantar.

Ela levantou-se e, sorrindo, saiu correndo, dizendo:

– Obrigada, senhor! Vou agora mesmo ajudar dona Ismenia!

Daquele dia em diante, Lorena passou a morar aqui. Era uma moça alegre e expansiva. Ismenia deu-se muito bem com ela. Paulo deu todo o dinheiro necessário para comprar o enxoval e tudo o que a criança precisaria. Lorena ajudava no serviço da casa.

Aos poucos foi nos conquistando. Todos nos considerávamos pais daquela criança. Numa tarde, três meses depois, estávamos no escritório. O telefone tocou, atendi:

– Isaias, sou eu, Ismenia! Lorena está com dores, precisa ser levada para a maternidade.

– Ismenia, fique calma, já estou indo pra aí. Prepare tudo o que precisa ser levado para a maternidade.

Paulo, ao ouvir aquilo, levantou-se da cadeira:

– O que está acontecendo?

– Não está acontecendo nada! Nossa criança vai nascer!

Ele pegou o paletó e saiu, dizendo:

– Vamos logo!

Chegamos em casa. Ismenia estava muito nervosa. Lorena, embora com dores, sorria. Ao ver-nos, disse:

– Finalmente nossa criança vai chegar. Está doendo muito, mas estou muito feliz.

Levamos Lorena para a maternidade. Paulo já havia telefonado para o médico, que estava nos esperando. Assim que chegamos, Lorena foi levada para uma sala, onde o médico a examinaria. Ficamos os três do lado de fora. Depois de alguns minutos, o médico voltou:

– Ela está muito bem. O trabalho da natureza já começou, vai demorar mais ou menos umas quatro horas. Poderão voltar para casa. Assim que a criança nascer, eu telefono avisando.

Olhamo-nos. Sem que um dissesse nada para o outro, sentamo-nos. O médico entendeu que não sairíamos dali. Sorriu e voltou para dentro do quarto onde estava Lorena. Depois de alguns minutos, voltou:

– Podem entrar por alguns instantes, ela quer falar com todos.

Entramos. Ela estava um pouco abatida, mas mesmo assim sorria:

– Pedi ao médico que os fizesse entrar, pois estou prestes a ter meu filho e devo isso a todos vocês, principalmente ao senhor, seu Paulo. Que Deus os abençoe. Espero que tudo corra bem, mas se alguma coisa me acontecer, tenho certeza que não abandonarão minha criança.

Eu e Paulo estávamos emocionados demais, não sabíamos o que dizer. Aprendemos a amar aquela menina. Ismenia foi a única que respondeu:

– Fique bem calma. Não esqueça que, por pior que sejam as dores, nada será maior que a felicidade que vai sentir quando tiver sua criança nos braços. Não se preocupe, ela terá a todos nós para amá-la!

Lorena, sorrindo, disse:

– Sei disso, vocês são os anjos que Deus me enviou. Que esse mesmo Deus os abençoe.

Ia continuar falando, mas uma dor forte chegou. Contorceu o rosto numa expressão de muita dor. O médico retirou-nos do quarto, dizendo:

– Agora ela precisa ficar sozinha. Já vi que não vão arredar o pé daqui, mas por favor fiquem lá fora. Assim que a criança nascer, eu aviso.

Saímos e ficamos na sala de espera. Os minutos transformaram-se em horas. Paulo andava de um lado para outro. Eu também estava muito nervoso. Já havia passado por aquilo duas vezes, mas parecia ser a primeira. Ismenia, ao contrário, estava calma. Tirou da bolsa um pequeno rosário e começou a rezar. Em dado momento, falou:

– Vocês dois, querem, por favor, parar de andar? Ela está bem! Logo nossa criança vai nascer!

Ouvimos o que ela disse, mas não adiantou. Olhamos para ela e continuamos andando. Já eram quatro horas da tarde e não havíamos comido nada. Ismenia sentiu fome:

– Não seria bom irmos até a lanchonete para comer alguma coisa? Estou com fome!

Só então percebemos que também estávamos com fome, mas tínhamos receio de sair e a criança nascer. Ismenia insistiu:

– Não adianta ficarmos aqui. Não vai interferir na hora da criança nascer. Vamos comer, assim estaremos mais fortes para sentir a emoção de ver a criança.

Concordamos, desde que fosse bem rápido. Dirigimo-nos até a lanchonete da própria maternidade. Comemos, não, engolimos um lanche e tomamos um copo de leite.

Voltamos para a sala. Quando estávamos chegando, a porta do quarto se abriu. O médico saiu sorridente!

– Nasceu! É um menino!

Abraçamo-nos. Nossa felicidade foi tão grande que contagiou o médico e as pessoas que passavam por ali, e outras que também esperavam por crianças. Paulo tirou do bolso uma porção de charutos e começou a distribuir. A alegria foi geral. Ismenia perguntou ao médico:

– Podemos entrar?

– Agora Lorena e a criança estão sendo cuidadas. Podem ir até o berçário, logo o menino será levado para lá. Vocês o verão através do vidro para evitar qualquer contaminação. Até agora ele estava muito bem protegido, na barriga da mãe. Precisa de um tempo para acostumar-se com sua nova vida. Por isso ficará por um tempo no berçário, sob total vigilância, para que nada aconteça.

Entendemos e dirigimo-nos para o andar de cima, onde ficava o berçário. Ficamos ali esperando, já mais tranqüilos, pois nossa criança nascera. Uma enfermeira foi até o vidro e nos mostrou o menino. Era a coisa mais linda. Foi assim que Léo chegou a nossa casa e a nossas vidas.

Isaias olhou para Ismenia, que já há algum tempo estava ali, ouvindo o que seu marido dizia. Walther seguiu o olhar dele e percebeu que Ismenia chorava. Preocupado, perguntou:

– Por que está chorando? Que aconteceu com Lorena?

Isaias segurou a mão da esposa. Prosseguiu:

Ficamos felizes com o menino. Em casa já estava tudo preparado esperando sua chegada. Saímos dali e fomos para o quarto onde Lorena estava. Ela nos recebeu sorrindo:

– Viram o nosso menino? Ele não é lindo?

Paulo aproximou-se, pegou a mão de Lorena e beijou-a:

– Ele é muito lindo e será muito feliz em nossa casa. A não ser que você queira dar outro rumo para sua vida.

– Nem pensar! Só vou sair de sua casa quando o senhor me mandar embora. Sei o quanto me ajudaram, sei o quanto esperaram meu filho. Sei também que me consideram!

– Se é isso que quer, assim será. Esse menino terá tudo o que precisar. Nada lhe faltará, nunca.

– Sei disso. Mas o mais importante é que ele terá muito, mas muito amor de todos nós.

Todos nos olhamos e sorrimos. Paulo continuou:

– Disso você pode ter certeza. Agora precisamos pensar no nome que lhe daremos. Tem alguma idéia?

– Nunca pensei nisso, mas gosto muito do nome Leonardo.

– Então, que seja Leonardo.

– Muito obrigada...

– Não tem nada que agradecer, nós é que estamos felizes por ter-nos dado esse lindo menino.

Uma sombra passou pelo rosto de Lorena. Ismenia perguntou:

– Por que esse olhar de tristeza? O que está pensando?

– Leonardo precisa de um registro de nascimento. Só que não terá o nome do pai. Não sei onde ele está.

– Isso não será problema, embora eu próprio não saiba como é o procedimento nesses casos. Mas deve existir uma maneira.

– Registrei os meus dois, mas não tive problema algum. Também não sei qual é o procedimento na falta do pai.

Novamente Ismenia, com sua sabedoria, interrompeu a conversa.

– Vocês estão se preocupando à toa. Por mais que discutam, não chegarão a um acordo. O melhor a fazer é um de vocês ir amanhã até o cartório e se informar.

Paulo disse:

– Iremos os dois. Amanhã mesmo ele terá um registro.

Sorrimos. Ficamos ali conversando até oito horas da noite. Estávamos cansados. Ela também. Despedimo-nos dela e antes de sair passamos pelo berçário para ver mais uma vez o nosso menino.

Ismenia largou a mão do marido. Enxugou os olhos e serviu um café. Isaias parou para beber. Walther ficou pensando em tudo o que escutara até ali. Depois de ter tomado o café, Isaias prosseguiu:

Fomos para casa, estávamos muito cansados. Aquele dia havia sido cheio de emoções.

Eram sete horas da manhã, estávamos tomando café. Eu e Paulo iríamos mais tarde até o cartório para ver como seria feito o registro do menino. O telefone tocou. Ismenia foi atender. Era do hospital. Assim que desligou, ela estava branca como cera. Só não caiu porque eu corri e a segurei. Paulo também levantou-se apressado:

– O que aconteceu? Por que está assim? Quem ligou?

Ismenia demorou alguns segundos para voltar ao normal. Finalmente respondeu:

– Era do hospital. Pediram que fôssemos até lá. Aconteceu uma complicação com Lorena, ela não está bem...

Ficamos desesperados. Paulo gritou:

– Que complicação? Ela estava muito bem!

– Também não sei. O que sei é que precisamos ir logo.

Apressamo-nos, largamos o café que estávamos tomando e apreensivos dirigimo-nos ao hospital. Lá encontramos o médico que fizera o parto de Lorena. Ele nos recebeu com o olhar triste.

– Sinto muito, mas durante a noite ela começou a sofrer uma hemorragia, não houve maneira de controlar. Infelizmente, ela se foi...

Estávamos atônitos, não conseguíamos acreditar que aquilo estivesse acontecendo. Paulo, temeroso, perguntou:

– Como se foi? O que está querendo dizer?

– Ela não resistiu. Tentamos de todas as maneiras conhecidas pela medicina, mas nada adiantou. Ela faleceu...

Estávamos boquiabertos. Ismenia começou a chorar. Paulo ficou branco, calado, sem saber o que dizer. Para mim parecia um pesadelo, não conseguia acreditar no que ouvia. Paulo foi o primeiro a voltar à realidade:

– Como isso foi acontecer? Ontem quando fomos embora ela estava muito bem...

– Isso é difícil, mas às vezes acontece. A Ciência não tem resposta para tudo. De repente, começou a sangrar em demasia.

Não entendíamos o que acontecera, aliás nem o médico tinha uma explicação perfeita. Ele próprio não tinha resposta.

Ismênia, chorando, perguntou:

– O menino, como está?

– Está muito bem, graças a Deus. Ele nasceu forte. Logo poderá ir.

– E agora que Lorena morreu, o que vai acontecer com ele?

– Se não aparecer ninguém da família, será enviado para adoção.

Paulo, nervoso, disse:

– Adoção! Nunca! Ele é nosso! Nós o esperamos por três meses! O senhor foi testemunha disso!

– Sei o quanto esperaram e o quanto gostavam da mãe dele. Posso dar uma sugestão?

– Claro que sim.

– Não é muito comum fazer o que vou sugerir, mas não gosto de ter que enviar uma criança para adoção, principalmente uma como essa.

– Quer dizer um negro?

– Isso mesmo. Uma criança negra é muito difícil de ser adotada. Todos querem crianças louras e de preferência com os olhos azuis. Por isso, posso colocar num papel que quem deu à luz foi dona Ismenia e, com esse papel, ele poderá ser registrado no nome dela e de Isaias. Será seu filho! Que acha da minha idéia?

Olhei para Ismenia e Paulo, que também me olhavam. Pelos olhos dos dois, senti que gostaram da idéia, como eu mesmo havia gostado:

– Não vejo problema algum, depende dos outros.

Não foram necessárias palavras. Paulo foi quem disse:

– Doutor, nós amamos essa criança como amávamos sua mãe. Se houver uma maneira de ficarmos com ele, ficaremos, e prometo que terá tudo o que precisar, além do nosso amor e carinho...

– Por isso propus. Se estão de acordo, vou providenciar o papel.

– Assim foi feito. Meus filhos eram menores, mas como nós, também gostavam muito de Lorena. Léo foi registrado em meu nome. É nosso filho como os outros dois. Não existe diferença alguma. Meus filhos casaram-se, mas não ficamos sozinhos. Temos essa presença bendita que nos enche de felicidade. Lorena, de onde estiver, deve estar feliz por ver seu filho lindo e feliz.

Por tudo isso que terminei de contar foi que disse que ele foi mandado como um presente de Deus.

Walther terminou de ouvir, olhou para Isaias e disse:

– Depois de tudo que me contou, estou começando a ver a vida diferente. Lorena, uma moça que não conheci, inspirou-me muita ternura. Embora fosse uma negra, ela foi uma boa mulher...

Isaias ia responder, mas nesse exato momento Léo entrava correndo pela sala. Olhou para Walther, tornou a olhar e disse:

– Sabe de uma coisa, moço? Gosto muito do senhor.

Ao ouvir aquelas palavras Walther emudeceu. Nunca em sua vida estivera tão próximo de um negro. Sentiu vergonha do que dissera momentos antes. Ficou sem palavras. Isaias, percebendo, disse:

– Meu filho. Ele também gosta muito de você.

Ismenia não tinha o mesmo conhecimento que Isaias sobre como era o racismo no país de Walther, por isso não notou nada em sua atitude. Pensou que estivesse apenas emocionado com a história que acabara de ouvir. Bateu palmas, dizendo:

– Ficaram conversando a tarde toda e nem notaram que já escureceu. O jantar está quase pronto. Walther, se quiser tomar banho antes do jantar, pode ir.

Walther, ainda um pouco confuso pela presença do menino, respondeu:

– Gostaria de tomar banho na hora em que fosse dormir. Está um calor tão bom, preferia ficar lá fora, olhando esse céu tão bonito. Posso?

– Claro que sim. Fique à vontade. Vou para a cozinha terminar o jantar.

Isaias percebeu que ele estava confuso e que precisava ficar sozinho para pensar em tudo o que escutara.

Walther foi para fora da casa. A noite estava chegando. Ainda alguns raios de Sol se faziam presentes. Começou a andar por todo o jardim. Seus pensamentos estavam realmente confusos desde o dia em que chegara ao Brasil:

Esta terra é tão distante daquela em que me criei... mostra-me uma vida diferente. A história de Lorena mostrou-me que o negro e o branco são iguais em suas emoções. Por que em meu país existe tanto preconceito? Por que minha mãe, embora tenha nascido e sido criada aqui, nunca me falou nada a esse respeito? Nunca me disse que não havia diferença entre as raças. Permitiu que meu pai não me deixasse conviver com negros. Ao contrário, sempre que podia proibia veementemente minha aproximação deles.

Sei que não posso, mas estou gostando muito desse menino. Que estará acontecendo comigo? Que transformação será essa? Não consigo entender meus sentimentos. Isso me preocupa. Sempre fui muito seguro em relação a qualquer atitude que deveria tomar, mas agora estou aqui, sem saber como agir...

Continuou andando, chegou até a piscina. Ficou olhando, lembrando-se de Léo convidando-o para nadar.

Nunca pensei em minha vida que algum dia estaria prestes a entrar numa piscina ao lado de um negro. Mas por que não? Esse menino é muito querido nesta casa, como sua mãe o foi. A única diferença é a cor.

— O jantar está pronto. Ismenia está nos esperando para servir!
Walther voltou-se, olhou para Isaias, dizendo:
— Vamos entrar... só estava pensando em algumas coisas...
— Sei que deve ter muitas coisas para pensar. Sei também que está passando por conflitos.
— Isso mesmo. Conflitos que não existiriam se eu não tivesse atendido ao chamado de meu tio.
— Tudo tem seu tempo e sua hora. Não está aqui por um acaso. Está simplesmente cumprindo uma lei maior...
— Lei maior? Que lei?
— A lei da vida, do amor e de Deus...
— A cada minuto que passa fico mais confuso. Vejo a cada instante minha vida toda passando por minha memória! Estou revendo e avaliando fatos acontecidos já há muito tempo.
— Isso já é muito bom. Se estivesse trabalhando, não teria esse tempo para pensar e reavaliar fatos. No final, talvez volte para seu país, mas voltará um homem diferente daquele que aqui chegou. Essa é a lei da qual lhe falava.
Walther não respondeu, não conseguia entender o que estava acontecendo com ele. Isaias percebeu, tocou em seu braço e encaminhou-o para dentro da casa.
Quando entraram, Ismenia recebeu-os com um largo sorriso:
— Parece que não está com fome.
Walther respondeu, também sorrindo:
— Ao contrário. Estou com muita fome!
— Então venha, sente-se aqui. Garanto que vai gostar da comida. Fiz com muito carinho.
— Acredito, a senhora tem sido muito gentil desde que cheguei.
— Não faço por obrigação. Gostei muito do seu jeito.
— Obrigado por toda essa atenção.
A mesa estava colocada para quatro pessoas, e numa das cadeiras já estava sentado o menino. Walther olhou para Isaias. A cadeira

que Ismenia lhe mostrara ficava ao lado de Léo. Isaias afastou-a e fez sinal com as mãos para que Walther se sentasse. Ele, sem outra alternativa, sentou-se.

Ismenia começou a servir. Walther foi agradecendo e começou a comer. Por alguns instantes ficaram calados. Quem quebrou o silêncio foi o menino:

– Mãe! Esta comida está muito boa. Não está, seu Walther?

Ele olhou para o menino que lhe sorria:

– Está sim, Léo! Sua mãe é uma ótima cozinheira.

– O senhor já sabe que ela não é minha mãe?

Ele olhou para Ismenia e Isaias, que sorriam. Léo continuou:

– A minha verdadeira mãe teve que fazer uma longa viagem. Ela foi encontrar-se com Deus. Ele precisava muito que ela trabalhasse lá com ele. Mas antes de levá-la, deu-me de presente para eles para que eu não ficasse sozinho.

Disse isso olhando com muito amor ora para um, ora para outro.

Walther novamente ficou sem saber o que dizer. Isaias disse:

– Walther, tudo o que ele lhe disse é verdade. Deus nos deu esse presente maravilhoso e por ele agradecemos todos os dias. Não é, Ismenia?

– Claro que sim. Mas, menino, pare de falar e coma toda a comida. Conheço você muito bem; não gosta de verdura, fica conversando para disfarçar e deixar de comer. Pode comer! Está crescendo e precisa alimentar-se bem.

Léo olhou para Walther e sorriu, num gesto de cumplicidade. Ele não suportou:

– Sabe de uma coisa, Léo? Também não gosto de verdura, mas aprendi com minha mãe que precisava comer para ficar forte e saudável como sou. Não me acha forte?

– Acho. Se comendo verdura vou ficar do seu tamanho! Mãe, pode me dar mais, vou comer tudo!

Ismênia aproveitou a oportunidade e pôs mais verdura no prato do menino. Disse:

– Walther, você está conseguindo um milagre. Ele não come verdura de jeito nenhum.

– Não comia, mamãe! Não comia! Agora vou comer todos os dias. Quero ser igualzinho ao seu Walther.

Novamente, Walther sem querer voltou ao seu passado. Lembrou-se da discriminação que havia em seu país:

95

Por que toda aquela diferença? Esse menino é igual a outro qualquer da sua idade.

Terminaram de jantar. Isaias convidou-o para ir até a sala de estar. Ismênia, pedindo licença, foi para o seu quarto. Estava acompanhando uma novela pelo rádio. Léo foi também para seu quarto. Precisava dormir logo, pois ia cedo à escola. Beijou o pai e a mãe, e antes que Walther percebesse, beijou-o também. Ele recebeu aquele beijo e também, sem perceber, beijou o rosto do menino. E sentiu uma felicidade inexplicável.

Isaias acompanhou toda aquela cena. Percebeu que Walther fizera aquilo com sinceridade. Não disse nada, apenas sorriu. Ismênia, antes de sair, deu a cada um deles um cálice com licor que ela mesma fizera. Assim que Walther tomou o primeiro o gole, disse:

– É muito bom! De que é feito?

– De jenipapo. Ismenia é especialista em fazer licores.

– Ela é uma grande mulher e vocês parecem se amar muito.

– É verdade, ela é uma grande mulher e nós nos amamos muito mesmo. Posso até dizer que nascemos um para o outro.

Enquanto tomavam o licor, Isaias prosseguiu:

– Finalmente o dia está findando. Assim que terminarmos de tomar o licor, seria bom que fôssemos dormir. Amanhã teremos que acordar cedo. Marquei com doutor Amadeu às nove horas. Após tomar conhecimento do testamento, poderá decidir o que vai fazer da vida...

– Não tenho nada para decidir. Assim que sairmos do advogado vamos até o aeroporto. Preciso ver se consigo trocar minha passagem, mas acredito que terei que comprar outra. Isaias, sorrindo, disse:

– Uma coisa de cada vez. Por enquanto vamos nos deitar e dormir. Terá que ficar no quarto que foi de Paulo, espero que não se incomode.

– Claro que não! Vou apenas dormir. Não vejo a hora de ter tudo isso resolvido. A única coisa que sinto é não saber o resto da história de minha família, que ele começou a contar. Você bem que poderia me ajudar nisso...

– Bem que gostaria, mas se Deus permitiu que ele morresse sem lhe contar, é porque tem que ser assim. Já lhe disse que a história é dele, não posso trair a confiança do meu amigo. Não se preocupe, continue sua vida como antes.

– Minha vida jamais será como antes. Muita coisa mudou. Meus pensamentos hoje estão tomando um rumo diferente de até então.

– Sei disso. Está pensando nesse momento em Léo, não é? Nunca pensou em sequer se aproximar de um negro, muito menos receber um beijo e retribuir a esse beijo...

Walther olhou para ele.

– Foi tão visível assim?

– Não! Apenas eu notei. Desculpe-me, mas sabendo da educação que teve, estive o tempo todo observando sua reação cada vez que ele se aproximava. Mas parece que ele o conquistou também.

– Isso é incrível! Na realidade não sei o que sinto em relação a ele.

– Não tem nada de incrível. Está apenas aprendendo que somos todos iguais, filhos do mesmo Deus. Que a cor da pele ou situação financeira não faz diferença. Deus nos criou e nos dá sempre uma direção para nossa evolução. Isso é o que importa. Bem, vamos nos deitar? Vou acompanhá-lo até seu quarto.

– Antes, gostaria de tomar um banho.

– Tudo bem. O quarto fica ali e o banheiro logo em frente. Se precisar de toalhas, temos no armário, fique à vontade. Procure dormir bem. Boa noite.

– Boa noite e obrigado por tudo.

Isaias apenas sorriu e afastou-se em direção a seu quarto. Walther entrou naquele que ele lhe mostrara, que fora de seu tio. Sua maleta estava em cima de uma poltrona. Por curiosidade, olhou em volta. Não havia realmente conhecido o tio. Estava agora ali, no quarto onde ele dormira:

Que tipo de homem teria sido ele? Por tudo que vi e ouvi, deve ter sido um bom homem...

Olhava e pensava, quando seus olhos pararam. Sobre o criado-mudo havia uma foto num porta-retratos. Aproximou-se, pegou o porta-retratos e observou-o. A foto já era bem antiga, mas nela aparecia uma jovem muito bonita. Seus cabelos eram pretos, longos e cacheados. Possuía um sorriso lindo. Curioso, virou o porta-retratos. Não conseguia ver a foto por trás. Automaticamente, retirou os grampos que a prendiam. Com cuidado para não danificá-la, tirou-a do porta-retratos. Virou-a e encontrou atrás uma dedicatória: "Para meu grande e único amor, Marta".

Walther olhava aquela moça que ali aparecia e pensava:

Será que meu tio foi casado? Isaias não disse nada a respeito disso, nem eu perguntei, mas agora, diante desta foto, estou curioso. Quem será essa moça? Pela dedicatória deve ter sido o amor da vida de meu tio. Para estar em seu criado-mudo, provavelmente deve ter sido sua esposa.

Colocou novamente com muito cuidado a foto no porta-retrato. Recolocou no lugar em que estava. Voltou seu olhar para sua maleta. Pegou um pijama e com ele dirigiu-se ao banheiro.

Estou sem sono, ansioso demais para que o dia amanheça. Depois de comparecer ao advogado, poderei finalmente voltar para minha casa e tudo voltará a ser como antes... espero.

Entrou no banheiro e tomou um banho. Não eram ainda nem dez horas da noite, mas ele deitou-se e tentou dormir. Tentou, mas não conseguiu. Virou e revirou na cama:

Não consigo dormir. Muita coisa aconteceu desde que cheguei. Sei agora que existe um mistério em minha vida. Por que tudo isso? Eu vivia tão tranqüilo...

Continuou pensando. Virou e revirou na cama, até que finalmente adormeceu.

A Surpresa

Walther acordou ouvindo uma leve batida na porta. Abriu os olhos, levou algum tempo para se lembrar de onde estava. Ouviu a voz de Isaias:

— Está na hora, precisa levantar, não podemos nos atrasar.

— Já acordei! Estarei pronto em instantes.

— Precisamos tomar café antes de sair de casa...

— Irei em seguida...

Percebeu que Isaias se afastava da porta. Sentou-se na cama. Olhou novamente para o porta-retratos. A moça parecia olhar para ele. Levantou-se e falou em voz alta:

— Não sei quem você é, mas que é muito bonita, isso é!

Vestiu-se rapidamente.

Finalmente chegou o dia. Espero poder voltar hoje mesmo. Voltarei com muitas dúvidas, mas não vou parar minha vida por isso. Vivi até hoje sem saber de nada e continuarei vivendo. Será que conseguirei?

Chegou à sala de refeições. Estranhou, pois Isaias tomava café sozinho:

— Onde estão os outros?

— Ismenia foi levar Léo para a escola. Já deve estar chegando.

— A escola começa cedo assim?

— Não é a escola que começa cedo, nós e que estamos atrasados. Por isso é melhor se apressar.

— Já estou pronto, vou tomar um café rápido.

– O doutor Amadeu é muito ocupado. Não podemos deixá-lo esperando.

Walther apressou-se realmente. Em poucos minutos tomou o café e comeu uma fruta. Iam saindo quando Ismenia chegou:

– Já estão indo?

– Sim, e atrasados.

– Isaias! Como sempre você está exagerando. Walther, espero que tudo dê certo e que consiga voltar para sua terra.

– A terra dele é aqui! Ele é brasileiro.

– Sei disso, mas também sei que tem uma vida toda lá e que aqui não conhece ninguém, alem de nós.

– Está bem, mas vamos embora?

– Sim, estou pronto.

Saíram, entraram no carro. Por mais que Walther tentasse, não conseguia esconder a ansiedade e o nervosismo que sentia. Isaias também dirigia calado.

Enquanto o carro corria, Walther ia apreciando a paisagem. Um rio muito largo surgiu. O carro atravessou uma ponte que passava por cima dele.

– Que belo rio, parece que fica dentro da cidade.

– É o rio Tietê. Ele atravessa quase todo o estado de São Paulo.

Chegaram ao centro da cidade. Isaias parou o carro, desceram e andaram alguns metros. Entraram num edifício cujo elevador era pequeno e apertado. Desceram no quinto andar. Isaias seguiu um corredor. Parou em frente a uma porta. Walther olhou o número, cinqüenta e seis. Isaias bateu à porta e um senhor de uns cinqüenta anos abriu. Sorrindo, disse:

– Bom dia! Chegaram pontualmente. Como vai, Isaias?

– Estou bem, apesar de tudo.

Já dentro da sala e sentados, o advogado disse:

– Sinto muito por Paulo, também era meu amigo. Mas tanto nós quanto ele sabíamos o quanto estava sofrendo. Deus é quem sabe das coisas. O nosso dia também chegará.

– Tem razão. Quero apresentá-los. Este é Walther.

– Muito prazer. Ainda bem que está aqui no Brasil. Se assim não fosse, nos daria um trabalho enorme encontrá-lo.

– Muito prazer, mas por que minha presença é tão importante?

O advogado tinha sobre a mesa quatro envelopes lacrados. Calmamente, abriu um dos envelopes, dizendo:

– Não sei se o senhor sabe, mas Paulo possuía muitos bens. Quando descobriu que estava doente, vendeu todos os seus bens imóveis, veio a minha procura e fez um testamento.

Abriu o envelope e tirou de dentro dele um papel:

– Por este documento o senhor é seu herdeiro universal.

Walther levantou-se, gritando:

– Herdeiro universal? Como? Por quê?

– Não sei responder, só sei que é o seu único herdeiro. O dinheiro que conseguiu com a venda de seus bens está depositado em seu nome no Banco do Brasil.

Entregou o documento a Walther, que o leu. Realmente ele era o herdeiro. Havia um número com muitos zeros. Ele, tremendo, disse:

– Não estou acostumado com o dinheiro brasileiro. Estou vendo muitos zeros, poderia me dizer o valor disso em dólares?

– Perto de dois milhões de dólares, descontando os impostos.

– Dois milhões! Não consigo imaginar o que representa isso!

Isaias e o advogado riram. O advogado disse:

– Nem eu! O senhor é hoje um homem muito rico!

– Isaias! Não pode ser! Não entendo o que está acontecendo.

– Não tem que entender nada, tem apenas que usufruir de tudo o que esse dinheiro pode lhe dar.

– Não pode ser! Deve haver um engano!

– Não há engano algum, eu sabia. Por isso lhe disse que teria muitas surpresas! Esse dinheiro é todo seu, e posso garantir que o merece muito mais do que imagina.

O advogado pegou outro envelope, abriu-o e tirou de dentro dele alguns papéis. Entregou-os a Isaias, dizendo:

– Realmente, Isaias, você sabia que ele teria muitas surpresas. Só não sabia disto.

Isaias, surpreso, pegou os papéis. Começou a ler o primeiro. Depois de terminar de ler, disse quase chorando:

– Não acredito. Ele não pode ter feito isso!

Walther, tremendo muito, mas curioso, perguntou:

– Fez o quê? O que ele fez?

Isaias estava tão emocionado que não conseguia responder. Quem respondeu foi o advogado:

– Esse documento que Isaias tem em mãos é a escritura da casa onde mora. Seu tio a passou para ele. Isaias, este outro documento também é seu.

Isaias pegou o outro papel e leu. Novamente quase gritou:

— Não pode ser! Aquele homem era um louco!

— Louco não. Seu amigo. E o queria muito bem. E a toda sua família. Mas não terminou, tem mais! Leia este outro também.

Outro documento, outra expressão de surpresa. Walther acompanhava tudo calado. Estava ainda um pouco atordoado por saber que agora era milionário.

Isaias finalmente conseguiu falar:

— Paulo era realmente um santo! Além de dar-me a casa, deixou no Banco do Brasil uma quantia muito grande para que eu possa viver o resto da vida sem me preocupar com dinheiro. E isto é outra quantia que ele deixou em nome de Léo para que ele estude até a faculdade! Nunca esperei por isso. Sei que sempre fomos amigos, mas nunca pensei que chegasse a isso.

O advogado entregou outro papel a Isaias. Era uma carta. Emocionado, Isaias começou a ler em silêncio.

Querido amigo Isaias

Neste momento já deve saber que tem hoje tranqüilidade para viver o resto de sua vida ao lado da querida Ismênia. Sabe também que nosso pequeno Léo tem assegurada sua educação acadêmica. Sei que se depender da educação que dará a ele, se tornará um homem de bem. Daremos a ele todas as oportunidades, queira Deus que ele as use bem. Deve estar pensando por que eu fiz isso. Ao saber que minha doença era difícil de ser curada, entendi que nada de tudo o que havia conquistado poderia levar comigo. Você, durante todo esse tempo, esteve trabalhando ao meu lado. Resolvi que venderia todos os meus bens e os transformaria em dinheiro para dar a Walther. Não sei se com esse meu gesto poderei resgatar todo o mal que fiz a ele e a sua mãe, mas sei que assim fazendo, não o estarei prendendo no Brasil. Ele poderá tomar a decisão que acreditar ser a certa. É o que posso fazer. Você, além de ter trabalhado ao meu lado, no pior momento de minha vida levou-me a conhecer essa doutrina que nos ensina que Deus é nosso pai

infinito e por isso nos ama e nos dá sempre novas oportunidades para aprender e evoluir espiri-
tualmente. Que a morte não existe. Que a vida
pós-morte é bela e que ali é o nosso verdadeiro
lugar. Aprendi a acreditar em tudo isso. Espero,
amigo, que tudo seja realmente verdade, pois em
breve irei conferir de perto. Continue sendo o
homem que sempre foi.

Se Walther vier até o Brasil, vai precisar muito de
sua ajuda para compreender tudo o que se passou.
Se tudo que aprendemos for realmente verdade,
estarei esperando por você do outro lado da vida.
Espero que demore muito, pois tem sob sua res-
ponsabilidade Léo.

Obrigado, amigo, por ter sido meu companheiro
de jornada. Que Deus o abençoe.

Um abraço do seu amigo
Paulo

Walther, sem saber o que estava escrito na carta, mas emocionado por ver a emoção de Isaias, disse:

— Você disse que eu teria muitas surpresas. Realmente estou
surpreso, mas você também não pode reclamar!

O advogado pegou outro papel e entregou-o a Walther:

— Ele transformou tudo o que tinha em dinheiro, com exceção
da casa de Isaias. O resto é todo seu.

— Por que ele fez isso?

— Não sei, talvez a resposta esteja nessa carta que está neste
envelope. Ele pediu que eu a entregasse e que, se possível, você a
lesse antes de voltar para os Estados Unidos.

Walther pegou uma quantidade considerável de papel, todos
datilografados. Ficou com eles na mão sem saber o que dizer. Isaias,
mais calmo, disse:

— Eu avisei que talvez não conseguisse voltar. Sabia da herança
e dessa carta. Nela vai encontrar as respostas que procura. Quando
terminar de ler, todo o mistério estará resolvido. Que pretende fazer?

— Ainda não sei, mas preciso voltar! Tenho compromissos, tenho meu trabalho.

O advogado prosseguiu:

– Para levar esse dinheiro para os Estados Unidos há uma certa burocracia. Levará alguns dias. Acredito que terá tempo para ler a carta enquanto espera.

– Não sei... parece que estou sonhando! Eu! Rico!? Não pode ser! Preciso pensar...

– Você é quem deve decidir o que fazer com sua vida, mas enquanto não decide, vamos para casa. Ismenia deve estar nos esperando com um delicioso almoço. Ela nem imagina que a casa agora é nossa! Preciso contar! Doutor Amadeu, o senhor tem mais alguma surpresa?

– Não, Isaias, só essas. Acredito que esteja mesmo ansioso para chegar em casa. Pode ir, mande minhas lembranças para dona Ismenia. Senhor Walther, preciso saber qual será sua decisão para providenciar a remessa do dinheiro.

– Eu ainda estou um pouco atordoado com todos esses últimos acontecimentos. Por favor, não faça nada até segunda ordem. Como disse Isaias, vamos para casa contar a novidade para dona Ismenia.

– Está bem. Quero adiantar-lhe que já recebi por todo o trabalho que fiz e que ainda farei por vocês. Paulo foi para comigo também muito generoso.

Despediram-se do advogado. Já dentro do carro, Walther perguntou a Isaias:

– Como foi que meu tio conseguiu tanto dinheiro? Encontrou a tal pedra?

– Encontrou, e daquele dia em diante a vida dele mudou. Tornou-se um comerciante de pedras preciosas e semi-preciosas, exportando para o mundo todo. Foi assim que conseguiu sua fortuna.

– Teve muita sorte.

– Mas pagou um preço muito alto por isso.

– Que preço? O que aconteceu?

– Não posso contar. Acredito que nessa carta que o advogado lhe deu esteja tudo explicado. Por favor, não me pergunte nada! Não sei o que ele escreveu nessa carta. Não posso dizer mais nada.

– Está bem! Não precisa ficar nervoso. Ao menos agora vejo uma luz no fim do túnel. Acredito que com esta carta saberei o que aconteceu. Por que minha mãe mentiu e escondeu esse parente quase até a hora de sua morte?

– Quando terminar de ler e eu souber exatamente o que ele deixou escrito, poderemos conversar a respeito. Antes disso, sinto muito, mas não posso...

– Entendo sua posição. Vamos passar pela agência de viagens para que eu possa ver o que pode se feito com minha passagem?

– Faremos isso à tarde, agora preciso ir para casa. Ismenia vai ficar muito feliz com as novidades.

Ao chegarem, Ismenia foi encontrá-los no jardim. Isaias pegou-a no colo e começou a rodar. Rodou tanto que quase caíram. Ismenia não entendia o que estava acontecendo. Assim que ele a colocou no chão, perguntou:

– Que está acontecendo? Está louco?

– Não estou louco, não! Louco era Paulo!

– Por que está dizendo isso? Que fez ele além de deixar todo seu dinheiro para Walther?

Walther fitou-a, dizendo:

– A senhora sabia disso?

Ela, meio sem graça, olhou para Isaias, que respondeu:

– Ela sempre soube de tudo. Viveu ao meu lado toda a sua história. Mas isso agora não importa. Assim que terminar de ler a carta, certamente saberá de tudo. Ismenia, pode olhar a sua volta? O que vê?

Ismenia foi se voltando e olhando tudo, mas não viu nada de diferente. Respondeu:

– Estou vendo apenas a casa.

– Isso mesmo, a nossa casa! Ela agora é nossa mesmo! Paulo passou a escritura em meu nome! Ela agora é nossa!

– Está dizendo que não precisamos nos mudar de casa para entregá-la a Walther?

– Isso mesmo. Ele deixou tudo para Walther, menos a nossa casa e muito dinheiro para vivermos bem pelo resto de nossas vidas e para que Léo possa estudar até a faculdade.

– Não acredito no que está dizendo! Não pode ser!

– Pode acreditar. Olhe. Os documentos estão aqui em minhas mãos.

Ela olhou para as mãos de Isaias. Realmente ele estava com alguns envelopes nelas. Começou a chorar:

– Obrigada, meu Deus, por ter colocado em nossas vidas um homem como Paulo. Que ele esteja agora num bom lugar, com muita luz e felicidade...

– Deve estar, minha velha. Deve estar.

A Carta de Paulo

Walther, calado e emocionado por ver a felicidade dos dois, entrou na sala e sentou-se num sofá. Enquanto Ismenia lia a escritura da casa, ele pensava:

Meu tio foi realmente um homem muito bom e querido por seus amigos. Sinto mesmo não ter tido mais tempo para conhecê-lo melhor! Mas por que isso não aconteceu?

Ismenia, parecendo ler seus pensamentos, levantou os olhos dos papéis e disse:

— Walther, Paulo foi um homem muito bom, deve sempre orgulhar-se dele.

— Estava pensando exatamente isso. E sentindo muito por não ter tido tempo de conhecê-lo melhor...

— O almoço já está pronto, só estava esperando por vocês...

— Vamos comer, embora não esteja com fome. Aconteceram muitas coisas hoje, ainda estou um pouco atordoado.

— Entendo, meu filho. Nunca imaginou que houvesse alguém aqui que se interessasse por você.

— É isso mesmo, nem que de um dia para o outro eu me tornaria um milionário!

— Disso não pode se queixar. Há pessoas que, ao contrário, perdem tudo o que têm de uma hora para outra.

Walther sorriu, concordando com a cabeça. A mesa já estava posta. Ele estranhou que o lugar de Léo estivesse vazio.

– Léo não vem almoçar?

– Não! Ele estuda o dia inteiro, só chega à tarde.

Começaram a comer. Novamente adorou a comida. Embora seu pai não gostasse, sua mãe de vez em quando fazia comida como aquela que comia agora. Sentiu uma enorme saudade dela.

Assim que terminaram de comer, Isaias perguntou:

– Quer ir até a agência para saber o que fazer com sua passagem?

– Não, estive pensando. Vou ter que esperar até que o advogado resolva toda a burocracia. Desde que cheguei e conheci meu tio, muitas dúvidas surgiram em minha cabeça. Cheguei a pensar que voltaria para o meu país com todas essas dúvidas, mas agora, com essa carta que ele deixou, talvez eu consiga descobrir algo. Prefiro, se não se importar, ir para o quarto e ler a carta.

Isaias sorriu, dizendo:

– Sábia decisão! Faça isso. Afinal, agora não precisa voltar com tanta urgência. É um homem rico!

– Posso ser um homem rico, mas tenho responsabilidades com meu trabalho. Antes de ir para o quarto, preciso tentar ligar para a empresa e avisar que vou demorar um pouco mais do que o previsto.

– As ligações para o exterior demoram muito. Vá ler a carta, eu ligo para a telefonista e peço uma ligação. Assim que estiver pronta eu o aviso. Dê-me o número.

Walther entregou a ele um papel com o número. Pegou o envelope com a carta, que estava sobre um móvel, e dirigiu-se ao quarto. Entrou, olhou tudo. A moça do retrato parecia que lhe sorria. Tirou o paletó e a gravata. Desabotoou a camisa, ajeitou o travesseiro e acomodou-se. Ficou olhando para o teto e pensando:

Dois milhões... dois milhões. O que significam realmente dois milhões? É muito dinheiro! Muito mais do que eu um dia pudesse imaginar.

Lembrou-se de Steven:

Quando lhe contar, não vai acreditar, se nem eu acredito! Mas sei que ficará contente. Preciso começar a pensar, o que vou fazer com tanto dinheiro? Nunca imaginei que um dia teria tanto assim, por isso nunca também imaginei o que fazer. Tenho uma boa casa, um bom carro. Que mais preciso? Poderei viajar pelo mundo. Isso sim! Com tanto dinheiro, não precisarei mais trabalhar! Posso conhecer muitos lugares, quem sabe encontrar um amor verdadeiro. Sim, pois sozinho não deve ser agradável viajar. Se Steven não estivesse casado, poderia me fazer companhia. Não... ele não abandonaria seus alunos. Gosta muito de ser professor. Tem verdadeira adoração por seu trabalho.

Levantou-se, foi até a janela e abriu a cortina. O céu estava claro, não havia nuvens, apenas um Sol brilhante. Ficou ali, olhando para o céu um pouco, depois voltou para a cama. Estava eufórico por saber que era milionário.

Olhou para o envelope que o advogado lhe dera. Sabia que nele estavam as respostas para todas as suas perguntas.

Por que ele me deixou tanto dinheiro? O que represento para ele? Estou com este envelope nas mãos, mas tenho medo de abri-lo. Será que nele vou descobrir que minha mãe traiu meu pai? Será que vou descobrir que tenho algum parentesco com Paulo? Será que vou descobrir que sou seu filho?

Pegou o envelope, abriu. Havia varias páginas e uma chave. Colocou a chave sobre a cama e começou a ler:

Prezado Walther

Se estiver lendo esta carta, é porque devo estar prestando contas a Deus dos meus atos. Não consegui vê-lo e contar tudo pessoalmente, o que era realmente o meu desejo. Temendo não ter essa oportunidade, resolvi deixar esta carta. Com ela todas as suas dúvidas serão dissipadas.

Walther continuou lendo até o momento em que Paulo parara, na clínica. Quando todos voltaram para o Piauí e Paulo continuou no garimpo. A carta prosseguia:

Eu não poderia voltar! Sabia que encontraria a pedra que me faria feliz e resolveria todos os nossos problemas. Os outros, vendo que eu não mudaria de idéia, resolveram partir. Ao me abraçar para se despedir, meu irmão disse:

– Já que quer continuar neste inferno, fique. Sabe que essa sua sonhada pedra não existe, e mesmo que a encontre, terá que vendê-la para o americano pelo preço que ele quiser pagar. Sabe muito bem onde é sua casa e que pode voltar quando quiser. Estaremos esperando de braços abertos.

Eu o abracei também:

— Mano, vou ficar e encontrarei a minha pedra. *Quando a encontrar, vou mudar a vida de todos nós. Você vai ver!*

— Está bem, Deus lhe ajude a realmente encontrar sua pedra. Eu não acredito, por isso estou indo embora.

Estou revivendo agora aquele momento em que subiram no caminhão e ficaram acenando, dando-me adeus. Senti uma enorme solidão. Nunca antes eu me separara de minha família. Embora não estivesse com meus pais, durante todo aquele tempo estive ao lado de meu irmão e primos. Daquele dia em diante, eu estaria sozinho. Estava com vinte e um anos. Quase corri atrás deles, mas a certeza de encontrar a pedra me fez ficar.

Quando o caminhão sumiu na estrada, olhei a minha volta. Outro caminhão que levaria os garimpeiros para o garimpo também estava saindo. Corri para alcançá-lo.

Assim que chegamos ao local, desci do caminhão e comecei a cortar aquela montanha feito um louco, sem parar. Examinava os torrões de terra, sempre na esperança de encontrar a pedra.

O dia passou, eu nem percebi, tão concentrado estava no trabalho. À noite dormíamos em barracas. Deitado em minha cama de campanha, comecei a pensar: "Meu irmão tem razão, isto aqui é realmente um inferno! Mas, e a nossa terra? Com toda aquela seca? Também é! Lá, o único que posso conseguir é plantar para comer. Nada além disso. Aqui tenho a chance de encontrar a pedra. Vou encontrar!"

No dia seguinte, logo cedo, comecei a trabalhar novamente. Durante o dia tudo corria bem, mas à noite eu me sentia muito só. Outros homens e rapazes estavam na mesma situação. Também como eu, por causa da seca, foram obrigados a abandonar suas famílias. Todos como eu sentiam-se sozinhos. Todos como eu queriam encontrar uma pedra grande.

Na área do garimpo havia um grande barracão feito de madeira. Dentro dele havia um fogão bem grande permanentemente aceso, com carvão, que quem fornecia era também o americano. Bem mais velho que todos nós, ele tomava conta de tudo. As pedras e cascalhos encontrados eram vendidos a ele, que nos fornecia o alimento e o carvão. Cada garimpeiro possuía suas provisões e fazia sua comida.

Ficávamos no garimpo a semana inteira, e voltávamos para a pequena vila no sábado ao final da tarde. Ali no hotel o garimpeiro podia comer, beber, dormir numa cama de verdade e ter uma mulher, se quisesse. Normalmente gastava no fim de semana todo o dinheiro que por ventura houvesse ganho durante toda a semana.

O americano ficava com tudo. Embora meu irmão dissesse que eu teria que vender minha pedra para ele, essa não era minha intenção. Quando a encontrasse, não contaria a ninguém. Iria embora do garimpo dizendo que estava voltando para casa, mas na realidade iria para uma cidade grande e venderia minha pedra por um preço justo.

Fazia dois dias que meu irmão e meus primos haviam ido embora quando um rapaz meu conhecido chegou da vila procurando por mim.

— Paulo! Você tem que ir para o hotel!

— Por quê? Aconteceu alguma coisa com alguém da minha família?

— Não sei, o americano mandou chamá-lo.

Preocupado, subi no jipe em que ele estava e fui para a vila. Durante o caminho não conseguia entender o porquê do americano mandar me chamar. Eu não fizera nada que o desgostasse.

Assim que entrei no pequeno saguão do hotel fiquei parado, olhando, sem acreditar no que via. Em pé, não sei se sorrindo ou chorando, estava ela; Marta.

Walther parou de ler e olhou para o retrato da moça que lhe sorria. Sorriu, pensando:

Sabia que você fazia parte da vida dele! Olhe! Meu tio tinha bom gosto, você é mesmo muito bonita!

Voltou a ler.

Ao vê-la ali, corri para ela. Abracei-a. Depois de um logo abraço, fiz com que se sentasse. Perguntei:

— Marta! O que está fazendo aqui?

— Fui expulsa de casa! Não sabia o que fazer. Vim aqui atrás de vocês, mas soube que os outros voltaram para casa, só você ficou.

— Expulsa? Por quê?

Ela colocou a mão na barriga. Só aí notei que ela estava esperando um filho. Ela chorava muito. Disse:

— Eu não sabia que estava esperando menino, mas quando minha barriga começou a crescer, o pai notou e não quis mais que eu ficasse em casa. Disse que eu era uma perdida e que na casa dele não podia ter uma perdida.

— E minha mãe e a tia? Não disseram nada?

— Elas tentaram, mas ele não quis ouvir ninguém. Mandou que eu fizesse minha mala e saísse de sua casa.

— Ele não podia ter feito isso. Você é ainda uma menina!

— Mas fez. Quando me vi na estrada sem dinheiro e sem destino, lembrei que vocês estavam aqui. Resolvi vir encontrá-los, pois sabia que me ajudariam.

— Como chegou até aqui?

— Já faz alguns dias que saí de casa. Aproveitei que alguns rapazes da cidade vinham para cá. Eles entenderam minha situação, pagaram a passagem e eu vim junto com eles. Disse que assim que chegasse eu devolveria o dinheiro. Você tem dinheiro para dar a eles?

— Não se preocupe com isso, eu acerto tudo, mas continue...

— Demorou muito, mas finalmente consegui chegar.

Fiquei atordoado, sem saber o que fazer. Aquele não era um lugar para uma moça como ela. Disse:

— Você não pode ficar aqui. Este lugar não é bom. Vou voltar com você para casa. Farei com que seu pai entenda o que aconteceu e a receba de volta.

— Não, ele não vai me aceitar. Enquanto esperava conversei com Geni. Disse-me que você não foi embora porque quer encontrar uma pedra grande.

— É verdade, mas agora tudo mudou. Vamos voltar.

— Não! Ela me disse também que, se eu quiser, posso ficar morando e trabalhando aqui como arrumadeira e ajudante de cozinha. Eu já aceitei o emprego. Se quiser, volte sozinho. Eu não voltarei. Vou ficar aqui com você, e a minha criança vai nascer aqui.

Walther voltou a olhar para o retrato:

Que mulher corajosa!

Ainda olhava para a foto quando ouviu uma batida na porta. Largou os papéis sobre a cama e levantou-se. Era Isaias:

— Sinto interrompê-lo, mas já consegui a ligação que pediu.

— Obrigado, Isaias, vamos lá! Preciso conversar com meu chefe e voltar para a carta.

Enquanto se encaminhavam para a sala onde ficava o telefone, Isaias perguntou:

— Está gostando do que está lendo?

— Até aqui, sim. Acabei de conhecer o grande amor da vida de meu tio. Marta. Você a conheceu?

— Sim.

— Pela foto, ela era muito bonita.

— Põe bonita nisso! Além de bonita, era também muito corajosa!

111

– Era exatamente nisso que eu estava pensando quando você bateu à porta.

Chegaram até a sala. Walther pegou o telefone e em inglês falou com alguém do outro lado. Ismenia e Isaias não entenderam nada, mas sabiam do que se tratava. Parecia que a pessoa do outro lado da linha não queria aceitar o que Walther lhe dizia, pois ele gesticulava com a mão e a cabeça. Depois de uns cinco minutos de conversa, finalmente desligou o telefone:

– Até que enfim consegui convencê-lo a esperar mais alguns dias. Ele me ameaçou com demissão. Contei a respeito da morte do meu tio, aí ele amoleceu.

– Contou sobre o dinheiro que herdou?

– Não! Ainda não acredito que isso realmente aconteceu. Nem sei o que farei com esse dinheiro.

– Termine de ler a carta. Garanto que no final saberá.

– A leitura está muito boa. Estou na parte em que Marta chegou ao garimpo. Estou curioso para saber o que aconteceu, mas um lanche agora seria muito bom. Vocês estão me acostumando mal. A propósito, Isaias, li na carta que minha mãe trabalhava no hotel. Ela me contou essa história, só que dizia ser um lindo hotel e o local onde conhecera meu pai. Isso foi verdade?

– Realmente, Geni trabalhou no hotel e foi lá que conheceu o marido. Quanto ao hotel maravilhoso, talvez não quisesse contar a verdade, sabe-se lá por qual motivo.

– Podia contar-me algo sobre esse tempo e como a conheceu?

– Termine de ler a carta. Acredito que Paulo tenha escrito tudo. Mas, se depois de ler, restar alguma dúvida, prometo que esclareço todas.

– Está bem, vou terminar de ler. Estou ansioso para conhecer o resto. Se me der licença, vou me retirar e voltar para a leitura.

– Claro que lhe dou licença, entendo sua curiosidade.

Walther voltou para o quarto. Em cima da cama estavam os papéis e no porta-retrato aquela moça, que agora começava a conhecer.

Ajeitou o travesseiro, pegou os papéis e continuou a leitura.

Quando Marta me falou sobre Geni, olhei para o lado. Ela também nos olhava em pé, no último degrau da escada. De onde estava podia ouvir nossa conversa. Dirigiu-se até nós, dizendo:

– Ela está dizendo a verdade. Se quiser pode ficar trabalhando aqui.

– Mas ela está esperando um filho!

112

– O que tem isso? Está esperando um filho, não está doente. Pode trabalhar e ganhar o seu sustento.

Perguntei:

– Marta. De quantos meses você está?

Marta colocou a mão na barriga e respondeu:

– Não sei. Nem sabia o que era essa barriga grande.

Geni tocou na barriga de Marta e disse:

– Pelo tamanho da barriga, deve estar com uns cinco meses.

– Está vendo? Ela não vai poder trabalhar por muito tempo. Alan não vai permitir!

– Deixe isso por minha conta. Alan faz cara de mau, mas no fundo é um ótimo homem.

Vendo que não havia outra alternativa, só me restou concordar.

Os rostos das duas se iluminaram. Dali para a frente Marta começou a trabalhar no hotel. Eu continuava no garimpo, mas agora não me sentia tão só. Sabia que nos fins de semana ela estaria lá me esperando.

Durante a semana eu trabalhava cada vez mais. Queria derrubar aquela montanha num minuto, mas sabia que era impossível. Por mais que cavasse, não conseguia encontrar nada além de pequenos cascalhos. Com eles eu conseguia ir sobrevivendo. Por várias vezes cheguei a desanimar e conversar com Marta:

– Não adianta continuar aqui. Chego a pensar que não existe ouro, muito menos pedra preciosa. Vamos voltar para casa? Lá você terá a criança com mais facilidade.

– Nada disso. Vamos ficar aqui. Você vai encontrar sua pedra e eu vou ter minha criança. Quando tudo isso acontecer, seremos felizes. Você não pode abandonar seus sonhos! Tem que continuar acreditando nessa pedra! Ela existe e está em algum lugar esperando que você a encontre! Você vai encontrá-la!

Marta era assim, cheia de vida e confiança. Era alegre e aos poucos foi conquistando a todos. A criança era esperada com muito carinho. Até o americano, sempre sério, sorria ao vê-la passar por entre as mesas, servindo aos garimpeiros. Ele estava feliz porque finalmente sua esposa, Geni, encontrara uma amiga. Já não o incomodava tanto querendo ir embora dali. Marta estava no garimpo havia três meses. Geni apareceu toda feliz, dizendo:

– Você não imagina como estou feliz!

– Por quê?

– Também estou esperando um filho! Logo, logo teremos duas crianças correndo por entre as mesas. Alan não se agüenta de tanta felicidade.

Daquele dia em diante as duas, além de se preocuparem com o trabalho, preparavam com carinho as roupinhas das crianças que chegariam.

Alan, o americano, assim que chegara ao garimpo conhecera Geni. Ela trabalhava no hotel. Alan era filho do dono do hotel. Seu pai viera para o Brasil alguns anos antes. Dedicara-se ao trabalho nas minas. Conseguira muito dinheiro, mas adoecera e voltara para os Estados Unidos. Alan viera para tomar conta de tudo. Ele era um aventureiro, viera para o Brasil em busca de aventura e de dinheiro, é claro.

O amigo que vendera os negócios para seu pai voltara para seu país com muito dinheiro, mas já estava velho e cansado. Oferecera seus negócios ao pai de Alan por um valor muito pequeno e sem prazo para pagar.

Na época em que Alan chegara, Geni trabalhava como arrumadeira no hotel. Ela preparara para ele o melhor quarto. Assim que ele a vira, apaixonara-se. Ela, ao vê-lo, também se entusiasmara. Aos poucos, essa primeira impressão foi se aprofundando. Alan tentara morar com Geni, mas ela não aceitara. Dissera-lhe que só se entregaria quando se casassem. Não tendo outra maneira e querendo ficar com Geni, casaram-se. Os dois continuaram juntos cuidando de tudo. Por isso, quando Geni disse que Marta ficaria lá, ela sabia o que dizia.

Os dias, semanas e meses foram passando. Eu, por mais que tentasse, não conseguia encontrar minha tão sonhada pedra, mas sabia que a encontraria.

A barriga de Marta foi crescendo cada vez mais. Ela trabalhava muito. Quando nalguma semana eu não conseguia um cascalho sequer, ela comprava as minhas provisões.

Todos os sábados à noite havia um baile no hotel. De uma casa grande que havia lá perto, vinham moças para dançar e agradar aos garimpeiros. Eu não me sentia bem vendo Marta no meio daquelas moças, mas ela se colocava como simples garçonete e não permitia gracinhas de garimpeiro algum. Aos poucos, aprenderam a respeitá-la. Ela passou a ser irmã de todos.

Num desses sábados, o salão estava lotado, muita música, dança e bebida. Marta andava entre as mesas, servindo. Eu, sentado numa mesa acompanhado de alguns amigos, observava sua desenvoltura e o quanto era bonita.

Percebi que ela se dirigiu até o caixa onde estava Geni. Falou com ela, e por sua expressão percebi que algo estava acontecendo. Geni chamou Alan, que ficou no caixa, e as duas subiram. Ao ver toda aquela movimentação fiquei preocupado. Fui até Alan e perguntei:

— O que está acontecendo? Por que as duas subiram justamente agora que têm tanto trabalho?

Ele, com seu português arrastado, disse:

— Estava procurando pelas mesas para ver se o encontrava. Parece que a criança vai nascer. Você precisa chamar dona Custódia!

Fiquei apavorado, não conseguia me mexer. Alan gritou, nervoso:

— Ande logo, homem! Não demore muito!

Passado o espanto, saí correndo atrás da dona Custódia. Ela era a parteira do lugar. Muitas crianças já haviam nascido por suas mãos. Assim que me viu chegando espavorido, disse, sorrindo:

— Já sei... já sei... a criança vai nascer...

Eu, ofegante, cansado de tanto correr, quase não conseguia falar. Ela calmamente disse:

— Fique tranqüilo! Vai dar tudo certo. Isso não é assim, ainda demora um pouco.

Pegou uma pequena maleta, tocou a mão em meu ombro e disse:

— Vamos trazer ao mundo mais um brasileiro?

Eu não queria muita conversa; saí na frente correndo. Ela seguiu-me bem devagar. Cheguei ao hotel bem antes dela, precisava ver Marta. Subi, fui para o quarto. Ela estava deitada, tendo ao seu lado Geni, que segurava suas mãos. Assim que me viu, seus olhos brilharam:

— Paulo! Chegou a hora! Vai nascer!

Eu estava emocionado demais. Não sabia o que dizer. Apenas me aproximei e beijei sua testa. Ela, sorrindo, disse:

— Não precisa ficar nervoso. Vai dar tudo certo.

Calado, sem poder articular uma palavra, fiquei lá até que dona Custódia chegou. Entrou no quarto, olhou para mim e disse para Geni:

— O moço aí quer fazer o favor de esperar lá fora? Dona Geni, preciso de uma bacia e água quente para lavar o bichinho quando ele chegar.

Geni pegou em meu braço, conduzindo-me para fora do quarto:

— Você vai ficar calmo, é melhor que vá lá embaixo ajudar Alan. Quando tudo terminar, eu aviso. Está bem?

Eu não podia fazer mais nada. Nem rezar eu sabia, mas mesmo assim, desci, fui para fora. No céu não havia nuvens, só muitas estrelas e uma meia-lua que iluminava a escuridão. Naquele céu parecia que a lua falava comigo. Senti uma suave brisa que me acariciava. Senti naquele momento uma enorme vontade de rezar, de acreditar que existia mesmo um Deus:

— Deus do céu! Não sei se existe mesmo, pois às vezes fico pensando que se existisse não permitiria tanta miséria e tanto sofrimento pro sertanejo! Mas, Deus! Se existir mesmo, ajude Marta nesse momento... Mais uma criança está nascendo para este mundo de pobreza e sofrimento... Deus meu! Proteja os dois!

Lágrimas caíam dos meus olhos. Estava com medo. Medo que algo acontecesse naquele lugar sem recurso algum. Não sei se estava emocionado demais, só sei que apareceu uma luz envolvendo-me todo. E não era a luz da lua, ou das estrelas. Senti uma paz imensa.

Entrei no salão. As pessoas, alheias a tudo o que estava acontecendo, continuavam rindo, dançando, cantando e bebendo. Olhei para o alto. Senti vontade de subir, mas Alan me chamou:

– Paulo! Sem as duas aqui preciso que me ajude a servir as mesas. Pode fazer isso?

Era a única coisa que eu poderia fazer naquele momento. Comecei a atender as mesas e não percebi o tempo passar. Não posso, na realidade, dizer quanto tempo demorou. Vi Geni aparecendo no alto da escada. Ela vinha descendo, procurando por mim.

Assim que me viu, abriu um sorriso largo e veio em minha direção. Eu não sabia se ria ou chorava. Meu coração batia de uma forma louca. Geni chegou ao meu lado, dizendo:

– Paulo! Nasceu! É um lindo menino! Não sei quanto pesa, mas é bem grandinho!

– E Marta, como está?

– Está muito cansada, mas muito feliz. Pode subir. Ela está esperando.

Subi as escadas de três em três degraus. Não via a hora de encontrar Marta e vê-la com meus próprios olhos e à criança.

Assim que abri a porta, parei. A imagem que vi jamais vou esquecer. Marta estava deitada, segurando nos braços seu filho, que parecia dormir. Dona Custódia terminava de fechar sua maleta. Marta, ao ver-me, disse:

– Paulo! Venha ver como ele é lindo! É o menino mais bonito que já vi!

Aproximei-me. Ela estava um pouco abatida, mas seus olhos brilhavam. Debrucei-me sobre ela e beijei-a na testa. Em seguida olhei para o menino. Era um menino grande, com os cabelos negros, muito inchado.

Confesso que não o achei bonito, mas não quis dizer isso a ela. O importante era que os dois estavam muito bem. Tudo terminara.

Pensava nisso quando percebi que nada havia terminado, estava apenas começando. Enquanto eu olhava o menino, ela passava suavemente as mãos sobre a cabecinha dele. Eu ia pensando: "Que vou fazer agora? Ela, por um bom tempo não poderá trabalhar. Esse menino vai precisar de muita coisa... não encontrei minha pedra. Não poderei dar-lhe tudo que merece!"

– Por que está tão sério? Não o achou bonito?

Voltei à realidade:

– Claro que ele é o menino mais bonito do mundo! Estou muito feliz!

116

– Sei que está preocupado, mas não precisa ficar assim, tudo vai dar certo, acredite.

– Sei que vai dar tudo certo... você é que não tem que ficar preocupada. Logo estará de pé. Prometo que antes mesmo que se levante dessa cama, vou encontrar minha pedra e tirar você e o menino deste lugar. Ele nasceu para ser um rei, não para viver aqui.

– Isso tudo que está dizendo é bobagem. O importante é que nasceu e está aqui, bem pertinho de nós. Como ele vai viver ou ser? Não sei, só sei que estou muito feliz...

Ao notar que ela estava ficando triste, mudei de atitude:

– Você tem razão. Ele está aqui e será muito feliz.

Falei aquilo, mas no íntimo sabia que não seria assim, ninguém poderia ser feliz nascendo num lugar como aquele, no meio de tanta pobreza e confusão. Aquele não era lugar para se criar uma criança.

Fiquei com ela, olhando para o menino. Quando voltei meus olhos para ela, percebi que estava dormindo. Levantei-me e saí bem devagar. Lá embaixo tudo continuava igual. Geni estava de volta ao caixa. Alan servia as mesas. Normalmente, quem ficava no caixa era ele, e ela servia, mas como sua barriga já estava aparecendo, ele quis poupá-la. Fui até ela, que falou, nervosa:

– Que está fazendo aqui? Por que não está lá com Marta?

– Ela adormeceu. Achei melhor deixá-la tranqüila.

– Fez bem. Daqui a pouco volte para lá e veja se ela e o menino estão bem.

Depois de alguns minutos, não suportei e voltei. Ela continuava dormindo e o menino também. Via ali a minha frente aquelas duas criaturas que eram toda a minha família. Olhei para o menino, senti vontade de pegá-lo, mas não tive coragem. Era muito pequeno e tive medo de acordar um dos dois.

Geni entrou em seguida. Ao ver-me ali parado, sussurrou:

– Vamos sair, eles estão dormindo. Marta está muito cansada, o parto não foi fácil. Estou até com medo da minha hora.

Olhei para ela e, sorrindo, disse também baixinho:

– Vai dar tudo certo. Tomara que você tenha um menino, assim um fará companhia ao outro.

Antes mesmo de terminar os quarenta dias de resguardo, Marta voltou ao trabalho. O menino crescia forte, cada vez mais bonito. Eu estava apaixonado por ele. Agora trabalhava com mais afinco. Precisava encontrar minha pedra para melhorar nossa vida.

Marta tinha muito leite, tão cedo não precisaria me preocupar com a alimentação do menino. Mas sabia que em breve ele necessitaria de muitas outras coisas. Precisava encontrar a pedra para poder dar a eles tudo o que precisavam e mereciam. Mas não adiantava, por mais que procurasse, não a encontrava.

O tempo foi passando, Marta sempre trabalhando muito e me ajudando, tanto com dinheiro quanto com apoio:

– Não desanime, você vai encontrar a pedra! Ela está aí em algum lugar esperando por você!

Ao ouvi-la, sentia uma nova energia e partia para a luta. No fundo também acreditava que encontraria minha pedra.

O menino já estava com seis meses, engatinhava por entre as mesas, enquanto Marta e Geni ficavam de longe observando-o. No garimpo não havia cartório, por isso ainda não havia sido registrado. Seu nome seria João Antônio, escolhido por Marta. Para registrá-lo seria preciso ir até a cidade vizinha, distante umas duas horas do garimpo. Além de não ter dinheiro, não tínhamos tempo, e fomos adiando. Assim que a criança de Geni nascesse, seriam registradas juntas. Alan, além de ter dinheiro, tinha um jipe e também tempo para isso. Quando ele fosse registrar seu filho, eu e Marta iríamos junto registrar João.

Num domingo pela manhã, depois de outra noitada daquelas, eu ainda dormia quando acordei com a batida de alguém à porta. Levantei-me e a abri. Alan entrou em meu quarto desesperado, dizendo:

– Geni está com dores, preciso chamar dona Custódia.

– Marta, onde está?

– Está lá com Geni. Elas estavam juntas preparando o café quando Geni começou a sentir as dores.

Levantei-me e me vesti rapidamente. Saí com Alan, pois ele não sabia onde morava dona Custódia. Quando retornamos, Geni estava em seu quarto tendo ao lado Marta, que com uma toalha enxugava seu rosto. Assim que entramos, dona Custódia aproximou-se de Geni, colocou a mão em sua cabeça e olhou para nós, dizendo:

– Os dois podem sair, agora. Dona Marta! Preciso de água quente e algumas toalhas.

Eu já passara por aquilo, sabia o que Alan estava sentindo. Peguei em seu braço e retirei-o do quarto. Já fora do quarto, disse:

– Fique calmo. Vai dar tudo certo. Você não se lembra como foi o dia em que João nasceu? Fiquei nervoso como você está agora e, no final, chegou aquele lindo menino! Vamos tomar um pouco de café? Antes preciso ver onde está João. Com toda essa confusão me esqueci dele.

Saímos correndo em direção ao quarto. O berço estava vazio. Fiquei apavorado. Fomos correndo até a cozinha. Assim que entramos, respiramos

118

aliviados. Ele estava ali com Ismenia. Ela dava a ele uma papa de pão com café e leite. Ele comia tranqüilo. Assim que nos viu, ela disse:

– Ele está muito bem. Cheguei aqui quando elas estavam fazendo o café. Marta me entregou o menino e pediu que cuidasse dele. Estou fazendo isso com muito prazer.

– Muito obrigado, não estou em condições de cuidar dele.

Alan completou:

– Nem eu! Mas o que veio fazer aqui?

– Isaias pediu que eu trouxesse estes documentos para o senhor assinar.

Notamos que sobre a mesa havia realmente alguns papéis. Alan, por não saber falar e muito menos ler bem o idioma, contratara Isaias para auxiliá-lo com a burocracia. Ele viajava para todos os lugares e vendia as pedras que Alan comprava dos garimpeiros. Eles moravam numa casa perto do hotel. Eram recém-casados.

Até então eu não os conhecia muito bem, apenas de vista. Todos os garimpeiros sabiam que Isaias era o homem de confiança do americano, nada além disso. Ele era muito reservado, mas parecia ser um bom profissional.

Eu e Alan sentamo-nos e começamos a tomar café. Ele não conseguia comer, estava apavorado, com muito medo. Pegou os papéis e assinou. Ismenia terminou de dar a papa a João e disse:

– Preciso levar esses documentos a Isaias. Sei que hoje está tudo muito complicado por aqui. Por isso vou levar o menino comigo e cuidarei dele até que tudo fique bem. Posso?

Para ser sincero, fiquei aliviado. Sabia que ainda faltava muito tempo para tudo se resolver e sabia também que precisava ficar ao lado de Alan. Depois da chegada de Marta, com a amizade que nasceu entre ela e Geni, também me tornei amigo dele e percebi que ele não era aquele monstro que os garimpeiros imaginavam. Ele era apenas um pouco tímido, por causa da dificuldade que tinha em conversar, por causa da língua que falava. Para esconder essa timidez, tornava-se antipático.

Ismenia saiu, terminamos de tomar o café e eu disse:

– Alan, vamos andar um pouco? Você está muito nervoso; se ficar aqui, será mais difícil. Andando, poderemos conversar e o tempo passará mais depressa.

Ele, meio a contragosto, concordou. Sabia que dona Custódia não o deixaria entrar no quarto. Saímos andando por aquela rua de terra. Como era domingo, havia muitas pessoas andando por ali, fazendo compras para levar ao garimpo.

Caminhávamos calados, tensos. Não sabíamos o que dizer. Para animá-lo, eu disse:

— Sei o que está passando. Quando João estava para nascer, eu mesmo, sem saber, rezei pedindo ajuda a Deus.

Ele me fitou com os olhos arregalados:

— Por que acha que estou quieto? O que acha que estou fazendo? Eu amo Geni e morro de medo que algo de mal possa acontecer. Neste lugar não temos recursos, e se acontecer alguma coisa errada, não teremos tempo de socorrê-la...

— Também pensei isso, mas não aconteceu nada! Dona Custódia parece ser muito experiente. Fique calmo, vai dar tudo certo.

Eu estava sendo sincero. Queria que tudo desse certo. Andamos um certo tempo, mas Alan não suportou, quis voltar. Eu o acompanhei.

Chegamos ao hotel. Não sabia por quanto tempo havíamos andado, mas lá estava tudo calmo. Os empregados faziam a limpeza e colocavam as mesas e as cadeiras em seus lugares.

Alan dirigiu-se ao bar e tomou uma doze de conhaque. Estava realmente nervoso, não queria falar. Respeitei sua vontade e, como ele, também comecei a rezar, pedindo a Deus que aquela criança viesse ao mundo com saúde. Ela teria tudo o que o meu João jamais teria. Seria uma criança feliz.

Estávamos sentados. Diante de Alan havia um copo com conhaque. O silêncio era completo. Ninguém dizia nada. Todos esperávamos a hora de ouvir o choro da criança. Comecei a ficar preocupado. Já fazia muito tempo que dona Custódia estava lá. Estava demorando muito mais do que demorara com Marta.

De repente, ouvimos um grito desesperado. Era Geni. Alan levantou-se e correu para a escada. Eu o segurei, dizendo:

— Fique calmo, não adianta ir até lá! Ela não vai deixá-lo entrar. Já deve estar perto da hora da criança nascer.

Voltou a sentar-se. Ficamos com os olhos pregados na escada, esperando ouvir o choro da criança. Passaram-se mais alguns minutos e Marta apareceu no alto da escada. Corremos para ela. Em seu rosto podíamos notar que algo saíra errado. Dirigiu-se a Alan:

— É preciso que suba agora!

— Por quê? O que houve?

— Venha comigo.

Pressenti que algo de grave havia acontecido. Alan subiu as escadas correndo, não suportei e fui atrás. Assim que entrei no quarto, vi Geni muito abatida e chorando. Ao lado dela estava dona Custódia, terminando de cobri-la. Alan jogou-se com cuidado sobre Geni, dizendo:

— Meu amor. Ainda bem que você está bem. Fiquei assustado quando ouvi seu grito. Por que está chorando?

Ela não conseguiu responder. Com a mão apontou para o outro lado. Eu e Alan olhamos juntos. Dona Custódia estava com uma criança no colo, totalmente enrolada numa toalha. Alan voltou o olhar para Geni:

– O que houve? Por que a criança não está aí ao seu lado?

Ela, chorando com mais força, disse:

– Porque ela morreu! Ela morreu! Entendeu? Ela morreu!

Ele levantou-se, foi ate dona Custódia e pegou a criança no colo. Descobriu seu rostinho. Começou a chorar, desesperado. Marta apertou meu braço contendo-se para não chorar também. Ele olhou para dona Custódia, gritando, desesperado:

– O que aconteceu? Por que deixou meu filho morrer?

Ela, muito abatida, respondeu:

– Não deixei seu filho morrer! Ele não estava na posição certa. Tentei tudo para acertar a posição, mas não consegui. Quando vi que se não o tirasse dona Geni também corria risco de vida, eu o tirei com estes ferros. Já fiz isso muitas vezes e sempre deu certo, mas ele não resistiu.

– E Geni, como está?

– Está bem, apenas precisa ficar alguns dias de repouso.

Ele se abraçou novamente a Geni e os dois choraram muito.

Walther parou de ler a carta. Seu pensamento voltou-se para seus pais:

Por que nunca me contaram isso? Nunca soube que haviam tido outro filho...

Retornou à carta. Paulo prosseguia:

Eu e Marta ficamos ali por algum tempo. Dona Custódia terminou de guardar suas coisas na maleta. Quando ela saiu, resolvemos sair também. Era um momento muito delicado e particular. Já lá fora, Marta disse, chorando:

– Não consigo nem imaginar o que Geni está pensando. Ela esperava essa criança com tanto carinho. Já imaginou se isso tivesse acontecido com João? Acho que eu enlouqueceria...

– Nem pense nisso! Graças ao bom Deus ele é um menino saudável e muito querido.

Alan ficou muito tempo ao lado de Geni, até que ela, cansada, adormeceu. Ele desceu as escadas e dirigiu-se a nós. Estava com os olhos vermelhos de

121

tanto chorar. Não sabíamos o que fazer para consolá-lo. Também estávamos tristes e abatidos. Mal o viu, Marta perguntou:

– Como ela está?

– Muito triste, inconsolável, mas finalmente adormeceu.

– Estava dizendo exatamente isso a Paulo. Imagino o que ela deve estar sentindo. Mas tudo passa, poderão ter outros filhos...

– Venham até aqui, precisamos conversar.

Fomos até uma mesa e nos sentamos.

Alan fitou-nos, dizendo:

– Vocês sabem o quanto gosto de Geni. Não suporto vê-la sofrendo dessa maneira. Estivemos conversando e resolvemos fazer um pedido a vocês.

Estranhando aquela conversa, perguntei:

– O que quer pedir?

– Escutem com atenção e, por favor, deixem-me falar até o fim.

– Está bem, mas fale logo, está me deixando nervoso!

– Sei que você vive procurando uma pedra grande que lhe daria a liberdade financeira para conseguir tudo o que quer, não é?

– Claro que sim. Mas o que isso tem a ver com seu pedido?

– Posso dar-lhe muito mais que essa pedra que talvez nunca encontre.

– Não estou entendendo. O que está querendo dizer?

– Posso dar-lhe este hotel, todos os meus clientes, enfim, tudo o que possuo aqui no Brasil.

– Estou entendendo menos ainda. Por que me daria isso tudo?

– Em troca de João...

Eu e Marta levantamo-nos juntos. Marta gritou:

– Está louco? Está querendo comprar meu filho?

Alan continuou calmo e frio:

– Vocês sabem que nunca poderão dar uma vida decente a esse menino. Sabem que ele, como vocês, viverá sempre na miséria. Ao contrário, se viver do nosso lado, terá tudo, inclusive uma nova pátria...

Marta não se conteve:

– Não posso estar ouvindo isso! Talvez ele não tenha tudo o que você poderia lhe dar, mas terá o nosso amor! Ele não precisa de outra pátria, já tem a sua! Nunca lhes darei meu filho! Entendeu? Nunca!

– Amor nós também lhe daremos , e muito mais. Boa comida, educação. A nosso lado ele terá chances que nunca teria se continuasse vivendo aqui. Se continuar aqui, será um garimpeiro; se você voltar para sua cidade, dependerá da chuva para sobreviver. Se pensar bem, verá que será muito melhor para ele viver ao nosso lado. Se o amar realmente, nos dará João.

– Nunca! Nunca! Nunca! Sofri muito para ter esse menino. Fui expulsa da minha casa! Vivi todo esse tempo aqui nesta cidade, longe da minha família, dando meu sangue para que não faltasse nada para ele.

Eu estava meio tonto com tudo aquilo. Não entendi muito bem. Alan prosseguiu:

– Vocês sabem do amor que Geni tem por João. Ela está sofrendo muito. Não suporto vê-la sofrendo assim! Farei qualquer coisa para que volte a sorrir.

– E eu? Como vou ficar? Ele é meu filho! Poderão ter outros filhos.

– Ela se recusa, tem medo de perder novamente. Ela ama João como se fosse dela.

– Mas não é! Ele é meu! Também o amo, e muito!

Alan parou de falar com Marta e voltou-se para mim, que ainda não conseguia acreditar no que pretendia.

– Paulo, fale com ela! Faça-a entender que esse menino é a "pedra" que você esteve todo o tempo procurando. Com tudo que vou dar por ele, terá muito mais que qualquer pedra lhe daria!

– Não posso fazer isso. Esse menino é tudo em nossa vida! Como Marta disse, poderão ter outros filhos! Não sei... não sei o que fazer...

– Pensem até amanhã. Tenho que enterrar meu filho. Preciso ir até o cartório na cidade. Mas só poderei fazer isso amanhã bem cedo. Vocês terão tempo para pensar e decidir o que for melhor para João.

Saiu e deixou-nos ali parados. Marta estava possessa. Eu, ao contrário, via a minha frente o que poderia conseguir tomando conta de tudo que pertencia a Alan. Confesso que naquele momento eu estava realmente pensando no bem de João, mas muito também no nosso próprio bem. Deixei-me dominar pela ganância. As palavras de Alan não saíam da minha cabeça: "Esse menino vale mais que a pedra que venho procurando há tanto tempo."

Marta saiu correndo, deixando-me sozinho. Foi até a casa de Ismenia buscar João. Eu fiquei ali pensando: "Alan tem razão em tudo que disse. O que tenho para oferecer a esse menino a não ser miséria e esse meu sonho de encontrar essa pedra que não existe? Será que temos esse direito? De tirar a chance dele ser um menino feliz, bem educado e de barriga cheia?"

Estava ali pensando quando Marta entrou trazendo João nos braços. Subiu as escadas correndo e segurando-o com muita força. Eu a segui. Já havia tomado minha decisão.

Entrei no quarto. Ela estava deitada na cama ao lado do menino meio adormecido. Sentei-me a seu lado. Passei a mão sobre seus cabelos, dizendo:

– Precisamos conversar. Temos que tomar uma decisão.

— Não temos que tomar decisão alguma. Essa proposta que ele fez é uma loucura.

— Não é tão louca assim. Poderá nos render um bom dinheiro para o resto da nossa vida.

— Não acredito no que estou ouvindo. Você também está louco? Ele é nosso filho! Como pode pensar em dá-lo em troca de qualquer coisa!?!

— Qualquer coisa, não! É muito dinheiro, e também você tem que concordar que para ele será melhor viver com eles. Poderá ter uma vida muito boa, diferente da nossa.

— Não me importo com a vida que ele pode ter. Seja qual for, será ao meu lado. Você vai encontrar a pedra e poderemos dar tudo a ele.

— Pare de sonhar! Essa pedra não existe! Eu e você estamos tentando nos enganar, mas ambos sabemos que ela não existe. Sabemos que nunca teremos dinheiro nesta vida. Sabemos que nosso filho também nunca terá! Não aprenderá a ler, escrever, e talvez como você, só conseguirá assinar o próprio nome, nada além disso. Sabe muito bem que para gente como nós não existe futuro! Isso tudo pensei quando vi sua barriga naquele dia. Tornei a sentir na noite em que ele nasceu. Não temos e nunca teremos nada para dar a ele... Ao contrário, com o dinheiro que Alan vai nos dar, poderemos nos casar. Já sabemos que não há problema algum em sermos primos e termos o mesmo sangue. Poderemos ter outros filhos.

— Outros filhos? Não quero ouvir nada disso que está dizendo. Você não está preocupado com ele, está pensando no muito que vai ganhar! Vou dizer só mais uma coisa e nunca mais voltaremos a esse assunto. Ele é meu filho e eu o amo. Ficará ao meu lado para sempre. Se insistir nessa loucura, amanhã mesmo vou embora. Pensei que me amasse, e ao nosso filho... Mas vejo que não gosta de ninguém, nem mesmo de você.

— Claro que eu a amo! Por amá-la muito e a ele é que quero fazer essa troca! Com o dinheiro seremos felizes, e ele também será!

— Saia do meu quarto! Vou embora! Não quero vê-lo nunca mais na minha frente.

— Vai embora? Posso saber com que dinheiro? Eu a amo, e amo também nosso filho. Não precisa ir embora, eu não saberia viver sem você. Direi a Alan que a idéia dele está descartada. Eu a amo...

Com os olhos cheios de lágrimas, ela me abraçou, dizendo:

— Ainda bem que voltou à razão... vamos ficar juntos nós três... você vai encontrar a pedra... tenha fé... Deus está do nosso lado...

Abracei-a e com muito carinho deitei-me a seu lado. Ela colocou João no berço que ficava ao lado da nossa cama.

No dia seguinte, bem cedo, eu e Alan pegamos o corpinho da criança e fomos juntos para a cidade. Lá ele teria que ser examinado por um médico para que fosse providenciado o registro de nascimento e, em seguida, o atestado de óbito. Eu aproveitaria para registrar João.

Geni e Marta queriam ir também, mas Geni não estava em condições de se levantar, e Marta precisava cuidar dela.

Assim que chegamos à cidade, fomos para a delegacia, mostramos o menino ao delegado e contamos o que havia acontecido. Ele já estava acostumado, pois muitas crianças morriam no garimpo. Deu toda a orientação necessária e juntos enterramos o menino.

Voltamos para casa. Geni estava inconsolável. Marta dava a ela toda a atenção. Assim que chegamos, perguntou-me:

– Onde está o registro do João?

– Sabe como é uma cidade pequena. Aliás, nem disso pode-se chamar aquilo. Não passa de uma pequena vila. Deixei todos os nossos dados, o homem do cartório disse que vai levar uns dez dias para ficar pronto.

– Estranho... pensei que ficasse pronto na hora. Está bem... preciso voltar ao meu trabalho.

Sorri, e ela se afastou. Tudo corria bem. Depois de alguns dias, Alan chegou dizendo:

– Preciso ir para o Rio de Janeiro resolver um assunto com um cliente.

Marta disse:

– Pode ir tranqüilo, não se preocupe com nada. Tomarei conta de Geni e tudo vai ficar bem.

Ele foi. Eu continuava no garimpo tentando desesperado encontrar minha pedra. Sentia que a qualquer momento a encontraria e seria minha salvação. Alan ficou no Rio por uma semana. Voltou dizendo:

– Está tudo certo. Consegui resolver o meu problema.

Geni o recebeu com muito carinho. Tudo voltou ao normal.

Naquela semana trabalhei mais do que nunca, precisava encontrar a pedra, mas novamente foi em vão. No sábado voltei para o hotel.

Fazia um pouco mais de um mês que Geni havia dado à luz. Embora ainda estivesse muito triste, ela reagia, mas continuava deitada, sem vontade de se levantar.

Haveria novamente a festa dos garimpeiros, as moças viriam. Marta trabalhou muito para que tudo estivesse pronto para a festa. Desde o nascimento do filho de Geni, aos sábados Ismenia levava João para sua casa. Marta decidiu que seria melhor, pois o barulho era muito grande. Ele dormia lá e, pela manhã, um de nós ia buscá-lo.

Como todos os sábados, a festa foi até as quatro horas da manhã. Cansados e sabendo que no dia seguinte teríamos muito trabalho, fomos todos nos deitar logo em seguida. Eu não conseguia pregar os olhos. Marta, muito cansada, adormeceu assim que se deitou.

No dia seguinte, eram onze horas quando ela acordou. Ficou preocupada por ter dormido tanto. Eu continuava dormindo. Levantou-se e foi depressa para a casa de Isaias buscar João. Ismenia estranhou ao vê-la entrar:

– O que houve? Aconteceu alguma coisa com João?

– Que está dizendo? Ele não está aqui?

– Não! Paulo veio buscá-lo ontem à noite.

– Como buscá-lo? Para quê? Por que não me disse nada?

Ismenia não entendia o que estava acontecendo.

– Não sei o que aconteceu. Ele me disse que você mandou buscá-lo, por isso o entreguei.

Marta chegou ao hotel correndo e foi direto para o quarto. Eu, por ter demorado muito para dormir, ainda não acordara, e não percebi quando ela saiu nem quando voltou. Ela, furiosa, começou a me sacudir para que eu acordasse:

– Paulo! Acorde! Onde está meu filho?

Acordei assustado. Sabia que aquele momento chegaria. Sabia também que teria muita dificuldade para contar a Marta o que eu havia feito. Sentei-me na cama, e ela gritou:

– Onde está meu filho? O que fez com ele?

Tentei abraçá-la, mas ela se esquivou:

– Não quero saber de abraços, quero saber do meu filho! O que fez com ele?

– Fique calma. Vou contar-lhe tudo.

Ela tremia muito, pois no íntimo sabia o que eu havia feito, mas não queria acreditar.

– Por favor, não venha me contar que você fez o que estou pensando!

Fiquei olhando para ela. Ela já adivinhara. Baixei a cabeça sem coragem de fitá-la. Senti naquele momento a extensão do que havia feito. Ela começou a me bater na cabeça, no rosto, onde conseguia pegar. Estava alucinada:

– Como teve coragem de vender nosso filho? O meu filho? Você é um monstro! Odeio você! Onde ele está?

Fiquei calado, não tinha o que dizer. Sabia que havia feito algo terrível, mas já estava feito.

– Diga alguma coisa! Vou atrás do meu filho!

Sem que eu esperasse, ela saiu correndo. Desceu as escadas e como uma louca saiu correndo para a rua. Corri atrás dela. Ela correu, correu muito, até que, cansada, parou e se ajoelhou. Cheguei perto dela. Ao ver-me, quis levantar-se e correr novamente, mas eu a segurei, dizendo:

– Não adianta! Eles já estão muito longe! Saíram ontem quando fomos dormir.

– Você sabia? Você concordou? Você vendeu meu filho? Você é um monstro! Vou a pé, de caminhão, de qualquer maneira, mas vou encontrar o meu filho.

– Não adianta, não vai encontrá-los. E mesmo que encontre não poderá fazer mais nada. Nosso filho não existe mais, está enterrado.

Ela arregalou os olhos. Perguntou:

– O que está dizendo? Enterrado? Como?

– Tente acalmar-se para que eu possa contar-lhe tudo. Quando eu terminar, vai ver que fiz o melhor para ele.

– Melhor para ele? Fez o melhor para você! Você é um monstro! Nada que me disser poderá me fazer mudar de idéia. Vou atrás do meu filho e vou encontrá-lo! Nem você nem ninguém poderá me impedir.

– Espere! Fique calma. Você não vai encontrá-los. Eles foram para os Estados Unidos.

– O quê? Como?

– Deixe-me explicar. Quando tomar conhecimento de tudo, verá que não foi tão ruim assim.

Ela sentou-se no meio da rua. Olhava-me de uma maneira que jamais esquecerei. Em seus olhos eu via muito ódio, mesclado com dor. Naquele momento entendi o que havia feito e também que a tinha perdido para sempre. Ela ficou calada olhando para mim, esperando que eu lhe contasse tudo. Sentei-me a seu lado, sem atrever-me a tocar nela. Comecei a falar:

– Lembra-se daquela noite em que conversamos sobre a proposta de Alan? Você pode não acreditar, mas eu havia pensado muito. Ele tinha razão, jamais nosso filho teria a nosso lado uma vida decente. Sem dinheiro, seria criado como nós fomos. Sem instrução e até sem comida. Por isso tomei a decisão.

Assim que você adormeceu, fui até o quarto deles. Bati à porta. Alan abriu e fez-me entrar. Sabia que se eu estava ali, era porque aceitara sua proposta. E realmente foi o que fiz. Aceitei.

Ao ouvir-me dizer aquilo, Marta pegou em meu rosto com muita força e gritou, olhando em meus olhos;

– E ainda tem coragem de dizer que me ama? Nunca mais vai se atrever a me tocar! Até agora não disse o que fez com meu filho! Continue, mas por favor seja breve. Estou ficando cada vez mais nervosa.

– Alan e Geni, ao me ouvirem dizer aquilo, ficaram tomados de felicidade. Foi então que combinamos como tudo seria feito. No dia seguinte, pela manhã, teríamos que ir até a cidade para enterrar o menino e registrar João. Combinamos tudo. Geni não poderia ir, e eu sabia que você ficaria para cuidar dela.

Tudo combinado, assim fizemos. Ao chegarmos à cidade, fomos direto à delegacia. Disse ao delegado que meu filho havia nascido morto e que precisava enterrá-lo. Disse-nos que precisávamos de um atestado de óbito e que ele mesmo chamaria um médico para obtê-lo. Tudo seria rápido, desde que se pagasse.

Alan prontificou-se a pagar. O menino precisava também de um registro de nascimento. Combinamos que enquanto ele providenciava o médico, nós iríamos até o cartório. Assim fizemos. No cartório, Alan registrou João em seu nome e eu registrei o menino deles em meu nome.

– O quê? Você deu nosso filho a eles de papel passado e tudo? Você é bem pior do que eu pensava!

– Fiz isso, sim. Por isso tive que inventar aquela história quando me pediu para ver o registro de João. Pensei que estivesse fazendo o melhor por nosso filho! Ele teria uma vida boa!

– O que Alan lhe deu em troca?

– Depois de registrarmos as crianças, fomos até um advogado. Com ele Alan preparou um documento pelo qual passava para o meu nome o hotel e todos os seus negócios aqui no Brasil. Hoje somos donos de tudo! Teremos muito dinheiro! Muito mais do que eu conseguiria, caso encontrasse a pedra!

– Você transformou meu filho numa "pedra"! Você o vendeu em troca de um sonho! Eu o odeio e vou odiá-lo pelo resto da minha vida!

Eu sabia que ela estava com a razão, mas tinha esperanças de conseguir convencê-la. Por isso deixei que falasse o que quisesse. Depois de muito me agredir, ficou esperando a seqüência. Prossegui:

– Quando Alan foi para o Rio dizendo que ia atender a um cliente, na realidade fora providenciar os passaportes e as passagens para os três. Nosso filho hoje chama-se Walther Soares Brown e vai viver nos Estados Unidos.

Ao ler aquilo, Walther levantou-se tomado de susto e saiu correndo do quarto chamando por Isaias, que estava sentado na sala ao lado de Ismenia, ouvindo música no rádio. Walther entrou correndo e muito aflito, com os papéis nas mãos:

– Isaias! Você sabia disso! Você sabia que eu não era filho de Geni e de Alan? Vocês sabiam que fui vendido?

Ismenia e Isaias já esperavam por aquele momento. Isaias calmamente disse:

– Sabíamos, sim, presenciamos todos os fatos.

– Não fizeram nada para impedir uma loucura dessas?

– Só tomamos conhecimento quando tudo já havia acontecido, mas mesmo que soubéssemos antes, não poderíamos fazer nada.

– Aquele retrato que está no quarto é de minha verdadeira mãe?

– Sim, ele esteve ali por todo o sempre.

– E ela, onde está? Morreu?

– Pelo visto você não terminou de ler a carta.

– Não terminei e nem vou terminar! Agora só me interessa saber de minha mãe! Quanto deve ter sofrido por causa de um inconseqüente como ele!

– Não vou tirar sua razão, mas, por favor, termine de ler a carta. Tem ainda muito para saber. Apenas leia e não julgue. A parte mais difícil você já leu. Veja agora as conseqüências de tudo isso.

– Só quero saber se minha mãe ainda vive.

– Leia e saberá. Se eu responder a essa pergunta agora, talvez não queira mais ler, e é importante que leia até o fim. Confie na providência. Deus está em todos os lugares e em todos os momentos de nossas vidas, não nos abandona nunca e nada acontece por acaso. Leia tudo até o fim.

– Vem me falar em Deus agora? Onde estava Deus quando esse louco fez uma monstruosidade dessas? Onde está minha mãe?

– Deus, com certeza, estava ao lado deles, como está agora ao nosso lado. Por favor, leia a carta até o fim.

Walther percebeu que seria inútil insistir. Isaias não diria nada. Voltou para o quarto, pegou o retrato em suas mãos e começou a olhar aquele rosto que parecia sorrir para ele. Prestou atenção nos cabelos, rosto, e principalmente em seus olhos:

Ela era realmente muito bonita... e quanto deve ter sofrido... não sei o que estou sentindo neste momento... fui criado com tudo e com muito amor, não posso me queixar da vida que tive... amei meus pais, mas nunca poderia imaginar que não era filho deles. Descubro agora que minha vida toda foi uma mentira. Descubro agora que fui tirado dos braços de uma mulher que me amava... como pode ser isso? Como pode existir tanta maldade no mundo?

Colocou novamente o retrato sobre o criado-mudo, voltou a se acomodar na cama e recomeçou a leitura.

Assim que Marta ouviu o novo nome do nosso filho, levantou-se e foi caminhando calada em direção ao hotel. Eu a acompanhei a distância. Não me atrevia a dizer mais nada. Sabia que ela precisava de tempo para pensar, e eu daria a ela todo o tempo que fosse preciso. Eu a amava muito. Pensava que, embora eu lhe houvesse tirado o filho, poderia dar-lhe tudo o que sempre sonhei e outros filhos, tantos quantos ela quisesse.

Ao chegar ao hotel, ela foi direto para o quarto, e eu a segui. Assim que entrou no quarto, pegou a mesma maleta com a qual chegara e foi colocando dentro dela algumas peças de roupa. Tentei evitar. Ela apenas olhou pra mim sem dizer nada, e eu entendi o seu olhar. Sabia que ela não mudaria de idéia, que estava naquele momento me abandonado.

Eu não podia permitir. Desesperado, disse:

— Espere, não faça isso! Eu a amo! Agora poderemos ter tudo o que sempre sonhamos! Não poderei viver sem você! Perdoe-me, sei agora o grande erro que cometi, mas perdoe-me! Viverei para fazê-la feliz! Teremos outros filhos, eu prometo!

Ela não disse nada, nem sequer voltou-se para me olhar. Terminou de arrumar a mala e saiu do quarto. Fui atrás, implorei, chorei, mas não adiantou. Perguntei:

— Para onde você vai? O que pretende fazer?

Ela não respondeu. Continuou andando. Eu insisti:

— Você não tem para onde ir!

Ela não disse uma palavra, apenas continuou andando. Percebi que não adiantava, ela estava determinada a me deixar e nada a faria mudar de idéia. Ela saiu para a rua e foi caminhando pela pequena estrada de terra. Eu a vi afastando-se. Embora desesperado, eu sabia que não conseguiria nada naquele momento. Fiquei olhando até ela desaparecer no fim da estrada. Estava ali, parado, olhando, quando ouvi uma voz atrás de mim:

— E agora, o que vai fazer?

Voltei-me. Era Isaias. Olhei para ele sem saber o que responder. Ele, percebendo que eu estava desesperado, fez-me entrar, dizendo:

— Venha, vamos entrar, sentar-nos e conversar. Não quer contar-me o que está acontecendo?

Eu mal o conhecia. Sabia que trabalhava para Alan, mais nada. Mas naquele momento eu precisava conversar com alguém, desabafar, contar a enorme asneira que fizera.

Ele pegou em meu braço e conduziu-me de volta ao hotel. Sentamo-nos. Olhei em seus olhos e notei que havia neles uma luz que me transmitia confiança. Contei tudo. Ouviu-me sem interromper. Quando terminei de falar, lágrimas corriam por meus olhos. Estava sofrendo muito, eu amava Marta e nunca pensara que um dia ficaria sem ela.

Ele olhou bem dentro dos meus olhos e disse:

– O que o senhor fez foi muito grave. Eu não sabia de nada, mas agora entendo por que Alan chamou-me um dia e disse que o senhor passaria por momentos difíceis. Pediu-me que ficasse a seu lado e o ajudasse em tudo que precisasse. Compreendoque além do dinheiro, o senhor sinceramente pensou em seu filho, no que seria melhor para ele. Não sei se será ou não, mas está feito.

Sigo já há muito tempo uma doutrina que nos ensina que nada acontece por acaso e que nunca estamos sós. Que temos o livre arbítrio para decidirmos o que é certo ou errado. O que é bom ou ruim para nós. O senhor usou seu livre arbítrio, só que para decidir a vida de outras pessoas. Vai levar isso consigo para sempre, mas está feito. Talvez consiga um dia remediar tudo o que foi feito hoje. Tenha fé...

Isaias ficou em silêncio por alguns minutos, apenas me observando. Eu não conseguia dizer nada, apenas chorava. Ele perguntou:

– Para onde acredita que ela foi?

– Não sei! Nem sei se ela tem dinheiro. Ela não me disse...

– Ela trabalhou durante muito tempo, deve ter algum dinheiro. Não estará indo de volta para casa?

– Não sei. Acredito que não. Não sei o que fazer...

– Se não sabe o que fazer, não faça nada. Confie em Deus que tudo sabe e tudo perdoa. Tudo será como tem que ser. No final, tudo está sempre certo, acredite.

– Não está nada certo! Estou só, sem meu filho e sem a mulher que amo...

– Esse é o preço que terá de pagar pelo uso do seu livre arbítrio.

– Isso que está dizendo não faz sentido! Não entendo nada disso! Não tenho religião alguma! Nem sei se Deus realmente existe!

– Claro que existe. Olhe a sua volta. Tudo isso que vê, esse Sol brilhando, as matas, as montanhas cheias de pedras preciosas, nós mesmos, as plantas, os animais. Ele existe e está em todos os lugares e com todas as pessoas.

– Às vezes quero acreditar que Ele exista, mas ao ver tanta miséria e fome, chego a pensar que não existe nada, que a única coisa que realmente conta neste mundo é a quantidade de dinheiro que possuímos. Com ele sim podemos ter tudo o que queremos.

– Hoje o senhor tem uma boa quantidade de dinheiro, mas tem tudo o que quer? Aliás, ninguém tem nada. Tudo o que temos ou conseguimos um dia teremos de deixar aqui mesmo.

– Não entendo.

– Um dia todos voltaremos para Deus e não levaremos nada, a não ser o que aprendemos, fizemos de bem e as orações dos amigos que conquistamos. O resto ficará aqui, inclusive o nosso corpo. Não é mesmo?

Eu era muito jovem para entender o que Isaias dizia. O que me importava realmente era tudo o que eu poderia adquirir com todo o dinheiro que então possuía. Respondi:

– Quer saber de uma coisa? Não sei para onde ela foi, mas sei que pensará e entenderá que fiz o melhor para o nosso filho e para nós mesmos. Depois de pensar bastante, voltará. Sei que também me ama. Enquanto isso, ficarei aqui trabalhando e esperando. Falando nisso, você vai continuar a meu lado fazendo o mesmo trabalho que fazia para Alan?

– Se me quiser, ficarei.

Daquele dia em diante começamos uma longa amizade, que perdura até hoje. Entregamo-nos ao trabalho. Isaias cuidava de toda a parte burocrática, eu dos garimpeiros. Ele e Ismenia mudaram-se para o hotel. Ela começou a trabalhar no lugar antes ocupado por Geni.

Eu, embora fosse dono de tudo aquilo, não era feliz. Todas as noites pensava em Marta e em você. Sabia que um dia ela voltaria.

O tempo passava, já fazia dois meses que tudo acontecera, mas até então, nada. Não tinha notícias de Marta.

Numa manhã acordei muito nervoso, precisava fazer alguma coisa. Não conseguia parar, andava de um lado para outro. Desde que Alan fora embora, nunca mais eu voltara ao garimpo, mas naquele dia senti uma vontade imensa de ir até lá. Resolvi que iria, pois pensava que cortando aquela montanha poderia extravasar toda a raiva que sentia. Esquecer de tudo que fizera, mas principalmente da incompreensão de Marta.

Fui até a montanha, peguei a picareta e comecei a cavar com muita força. Precisava colocar minha ira naquela picareta. Eu cavava, cavava sem prestar muita atenção aos torrões que iam caindo. Ouvi um garimpeiro gritando:

– Olhe aí! Olhe o tamanho dessa pedra!

Olhei para o lugar que ele apontava e vi, estarrecido, ali sob meus pés, envolta em muita terra, uma enorme pedra verde. Fiquei parado, olhando, sem coragem de me abaixar e tocar naquilo que era o meu sonho havia muito tempo. Depois de alguns segundos abaixei-me, peguei o torrão e comecei a tirar a terra que a envolvia. Ela era realmente grande, muito mais do que eu imaginara. Comecei a gritar feito um louco:

– Encontrei! Encontrei a minha pedra!

Todos os garimpeiros se aproximaram para ver aquela beleza que eu tinha em minhas mãos. Eu pulava e gritava feito um louco. Não conseguia acreditar. Ela estava realmente ali! Finalmente a encontrara. Sabia que a encontraria, Marta sempre me dizia que a pedra só estava esperando que eu a encontrasse.

Lembrei-me de Marta. Ali, naquele momento, dei-me conta mais ainda da imensa loucura que fizera. Só então pude entender que aquela pedra não representava mais nada em minha vida. Ela chegara muito tarde. Eu perdera meu filho e a mulher que amava.

Comecei a chorar sem parar. Os garimpeiros pensavam que eu chorava de emoção, felicidade, mas não era. Eu chorava de desespero por ver como a vida era injusta.

Peguei a pedra e voltei para o hotel. Fui com ela até o escritório onde Isaias trabalhava. Chorando, coloquei a pedra em cima da mesa:

– Eu a encontrei! Ela está aqui! A pedra que tanto procurei!

Isaias pegou a pedra em suas mãos:

– Que beleza de pedra! Nunca vi uma igual em todo esse tempo de garimpo! Ela é linda, deve valer muito dinheiro!

– Sei disso, e é por isso que estou chorando...

– Não entendo! Deveria estar feliz! Todo garimpeiro sonha com uma pedra como esta!

– Ela chegou tarde! Muito tarde...

Isaias entendeu o que eu dizia. Saiu de trás da mesa e abraçou-me:

– Entendo o que sente. Mas devemos continuar acreditando na sabedoria divina. Se encontrou essa pedra, é porque tem muito o que fazer ainda nesta Terra. Se me permite um conselho, a primeira coisa que deve fazer agora é voltar para sua casa. Talvez Marta esteja lá. Já se passou um bom tempo, ela deve ter pensado muito. Vá até lá, meu amigo. Dê-se uma chance de remediar o mal que sem intenção fez. Se ela não estiver lá, ao menos reverá sua família e agora poderá ajudá-los. Vou guardar muito bem esta pedra até conseguir um bom comprador.

– Tem razão, farei isso, mas levarei a pedra comigo. Se Marta estiver lá, quero que a veja.

– É muito perigoso viajar com uma fortuna dessas. Não sei se essa é uma boa idéia.

– Da maneira como ela chegou às minhas mãos, só pode ser minha, e ninguém vai tirá-la de mim! O importante é que Marta a veja e compreenda que tudo o que fiz foi pensando no bem-estar do nosso filho e dos futuros que viriam e que virão, se Deus quiser!

133

– Tem razão. Deve fazer isso mesmo. Ao menos já está falando em Deus. Isso é um bom começo. Acredite que Ele está a seu lado e que tudo será resolvido da melhor forma.

– Estou começando a acreditar. Mas ele podia ter me dado essa pedra antes que tudo aquilo acontecesse. Receio que agora seja tarde demais...

– Tudo tem sua hora. Tudo será como tem que ser. Não imagine o que vai acontecer. Apenas vá. No mínimo, deixará sua família muito feliz...

No dia seguinte bem cedo saí no jipe que antes pertencera a Alan e que agora era meu. Durante a viagem, pensava: "Isaias tem razão. Se Marta não estiver lá, ao menos vou rever minha família. Farei com que se mudem daquele lugar. Agora poderão viver na cidade, sem depender da chuva para sobreviver. Tenho dinheiro suficiente para que todos possam viver muito bem. Espero de todo o meu coração encontrar Marta e conseguir convencê-la a voltar comigo".

Parei à noite num pequeno hotel na estrada. Estava cansado, dirigira o dia inteiro parando apenas para abastecer o jipe e comer um pequeno lanche. Senti que não conseguiria dirigir durante a noite. No dia seguinte reiniciaria a viagem. A pedra seguiria colada ao meu corpo. Vestia-me simplesmente, como todos, ninguém poderia imaginar que eu carregava comigo uma fortuna como aquela.

Entrei no hotel, dirigi-me ao bar e perguntei se havia algo para comer. Eu queria comer comida mesmo. O lanche que comera na estrada não me satisfizera, precisava de algo mais nutritivo. O dono do bar garantiu que a comida era muito boa e que jamais a esqueceria. Realmente era boa mesmo.

Depois de jantar fui logo para o quarto. Estava cansado e a viagem ainda seria muito longa. No dia seguinte levantei-me logo cedo, tomei um café rápido e caí na estrada.

Durante a viagem ia olhando aquela estrada; quanta pobreza, as poucas casas que se podiam ver eram feitas de barro e cobertas com folhas. Ali, sozinho, vendo no horizonte a estrada que parecia não ter fim, lembrei-me do Deus que Isaias falava: "Será que Ele existe mesmo? Se existe, por que permite que haja tanta pobreza neste mundo? Como pode permitir que essas pessoas vivam dessa maneira? Que futuro tem essa gente? Que sonhos podem ter?"

Continuei dirigindo. Finalmente avistei ao longe minha casa. Levava comigo muita esperança de reencontrar Marta e conseguir convencê-la a voltar e viver a meu lado. Eu já era um homem rico e tinha também encontrado a pedra.

Cheguei nos limites da propriedade, parei o jipe e fiquei olhando. Ainda restava algum verde, mas com certeza a seca em breve chegaria e tudo aquilo se transformaria em terra, pura terra, como acontecera durante toda minha vida ali.

Acelerei e entrei. De longe vi na varanda uma mulher que correu para dentro da casa assim que viu o jipe entrar na estradinha. Da distância em que eu estava não conseguia reconhecer quem era, mas pelos cabelos negros só podia ser ela. Marta.

Meu coração disparou. Acelerei mais, a pequena estrada era de terra e muito esburacada, mas nada daquilo importava. Estava chegando para junto da mulher que amava mais que tudo, mais até do que a minha tão sonhada pedra.

Em seguida vi a mulher voltando acompanhada por um homem, que logo reconheci. Era meu pai. Sua altura e o modo de usar o chapéu eram inconfundíveis. Aproximei-me. Eles me reconheceram e eu a eles. Começaram a gritar e a acenar. Eu fazia o mesmo. Percebi que a mulher não era Marta, mas minha prima Nalva, irmã dela. Mesmo assim eu estava feliz, voltava para casa e, como prometera, com a pedra que tiraria a todos daquele lugar.

Com os gritos, os demais membros da família também vieram, alguns correram ao meu encontro. Abraçamo-nos com muita emoção e saudades. Entrei em casa, tudo continuava como sempre fora. Nada mudara. Vi a todos, menos ela. Sem esconder minha emoção, perguntei:

— Onde está Marta?

Olharam-me com ar de surpresa. Meu pai perguntou:

— Ela não está com você?

— Não! Abandonou-me há mais de dois meses, pensei que pudesse encontá-la aqui!

— Abandonou? Por quê? E a criança? Ela teve a criança, não teve?

— É uma longa história, mas se ela não está aqui, onde estará?

Minha tia, mãe de Marta foi quem falou:

— Desde que o pai a expulsou daqui, quando soube que ela estava esperando criança — e o pior, que essa criança era sua, o próprio primo —, nunca mais tivemos notícias. Eu fiquei desesperada ao ver minha filha partindo daquela maneira, mas você sabe como teu tio era, não pude impedir!

— Era? O que está dizendo? Onde está meu tio?

— Ele morreu dois meses depois que ela partiu. No fundo não se conformou por ter feito aquilo. Morreu de repente. Foi tomar café na cozinha, caiu, e quando chegamos perto ele já estava morto. Embora preocupada com minha filha, sempre tive a esperança de que ela o tivesse encontrado, que estivessem juntos.

Fiquei desolado com a notícia da morte de meu tio, mas muito mais preocupado com Marta. Onde estaria ela? O Brasil é muito grande, embora eu tivesse dinheiro, não sabia por onde começar. Pensei: "Será que ela foi para os Estados Unidos atrás do filho? Não! Ela não conseguiria. Por muito dinheiro que houvesse guardado, não conseguiria em tão pouco tempo guardar tanto para pagar a passagem. Além do mais, não sabia ler. Não! Ela está no Brasil e eu vou encontrá-la".

Logo estava rodeado por toda minha família. Meus pais, irmãos e primos. Todos estavam lá, felizes, e eu, apesar de tudo, estava feliz também. Eu os amava. Luiz, o irmão que trabalhara a meu lado no garimpo e que não quisera continuar, perguntou:

– E aí, mano velho! Disse que só voltaria quando encontrasse a pedra grande! Você a encontrou?

Eu desabotoei a camisa, tirei a pedra que estava embrulhada num pano preto e colada ao meu corpo com esparadrapos e coloquei-a sobre a mesa. Todos se aproximaram e se espantaram com o tamanho e o brilho. Sorrindo, disse:

– Encontrei, mano... encontrei... aí está ela...

Ele, como os outros, também se admirou, mas percebeu que eu não estava bem. Afastou-me dos outros e perguntou:

– O que houve? Parece não estar feliz por ter encontrado a pedra, por ter realizado seu sonho.

– Claro que estou feliz, só que paguei um preço muito alto por ela...

– Não estou entendendo! Que preço?

– O amor de Marta. Receio tê-la perdido para sempre. Meu filho está distante, talvez nunca mais volte a vê-lo...

– Que está dizendo, não estou entendendo!

– Vou contar-lhe. Vamos sair, quero andar por aí e ver tudo. Ver o que mudou desde que eu parti.

– Vamos, sim! Quero que me conte tudo. Quanto ao lugar, continua como antes, nada mudou.

– Eu sei, já percebi quando cheguei, mas mesmo assim quero rever tudo.

Saímos e começamos a andar. Contei a ele em detalhes tudo o que acontecera. Ele ouvia sem acreditar, mas não me interrompeu. Quando terminei, disse-lhe:

– Foi isso o que aconteceu. Encontrei a pedra, tenho hoje muito dinheiro, mas perdi Marta e meu filho.

– Por tudo o que me disse, pode ter perdido Marta. Quanto a seu filho, sabe onde ele está. Pode ir até lá e trazê-lo de volta!

– Não posso fazer isso! Para todos os efeitos, meu filho está enterrado. Eu deixei que o americano o registrasse em seu nome, não posso nunca reclamar meus direitos. Não posso provar que aquele menino é meu filho!

Não posso fazer nada, a não ser continuar procurando por Marta. Sei que a encontrarei.

– Espero que consiga. Vou ajudá-lo na busca.

– Obrigado, mano, só podia esperar isso de você. Mas voltei também para cumprir minha promessa. Vou tirar vocês todos daqui! Vou comprar uma casa grande na cidade. Mandarei dinheiro todos os meses. Todos estudarão e viverão tranqüilos, sem o medo da seca. Nunca mais sofrerão!

– Isso será muito bom, desde que consiga convencer a todos. Sabe o quanto os velhos gostam daqui. Vamos falar com eles?

– Vamos, sim, sei que vou convencê-los. Por mais que gostem daqui, sabem que viverão melhor na cidade.

Entramos abraçados em casa. Todos ainda continuavam examinando a pedra. Ela passava de mão em mão. Sorri ao ver a felicidade no rosto deles. Peguei a pedra, que estava na mão de minha prima, e disse:

– Esta pedra nos dará a todos maior conforto. Uma vida melhor! Vou comprar uma casa na cidade! Todos se mudarão para lá. Todos poderão estudar e sonhar com o futuro! Não teremos mais medo da seca, pois ela nunca mais nos atingirá! Estamos livres!

Os mais jovens empolgaram-se. Gritaram e dançaram de alegria, mas, conforme o previsto, os mais velhos ficaram calados, um olhando para o outro.

Aos poucos todos foram notando o silêncio deles. Aproximei-me de meu pai:

– Que foi, meu pai? Não ficou feliz com a pedra e com tudo o que ela pode nos dar?

– Fiquei! Vocês conseguirão mudar de vida, terão oportunidade de estudar e sonhar com um futuro melhor, mas nós estamos velhos. Crescemos aqui nesta terra. Nós a amamos e não vamos sair daqui. Eu, ao menos, não vou. Quem quiser pode ir, tem minha benção, mas eu não vou. Vou continuar aqui, onde é o meu lugar.

Não acreditei no que ouvia:

– Meu pai! Não diga isso! Sei que gosta daqui, mas durante toda sua vida sofreu muito esperando a chuva que não vinha, vendo sua roça e os animais morrendo! Não precisa mais disso!

– Você tem razão! Sempre esperei a chuva chegar e ela sempre chegou. Não saberei viver em outro lugar.

Minha mãe e minha tia aproximaram-se. Minha mãe disse:

– Meu filho, estou feliz por ter encontrado um caminho melhor para sua vida. Sei que seus irmãos e primos também estão felizes. Eles terão a oportunidade de alcançar tudo o que sonharam, mas seu pai tem razão. Nós estamos velhos. Vamos continuar aqui cuidando de tudo. Tem razão quando

diz que não precisamos mais nos preocupar com a chuva. Quando a seca chegar, teremos um lugar na cidade para esperar que ela vá embora, mas retornaremos junto com a chuva para recomeçar tudo. Nossa vida tem sido assim e assim será para sempre. Você não pode tirar a nossa felicidade. Se sairmos daqui, com certeza seremos infelizes.

— Não entendo o porquê de tanto amor por esta terra que só nos trouxe tristeza e sofrimento.

— Você jamais entenderá, mas tem que respeitar nossa vontade. Pode ajudar aos jovens e a nós também, deixando-nos aqui. Agora não estamos na seca. Nossa roça está verde e produzindo. Continuaremos aqui. Assim que ela chegar, prometo que não passaremos dificuldades. Iremos para a cidade e ficaremos na casa que você comprar. Mas enquanto esse dia não chegar, deixe-nos aqui vivendo da maneira que sempre vivemos.

Percebi que não havia modo de fazê-los mudar de idéia. Não entendi, mas tive que dizer:

— Está bem, se é assim que querem, assim será. Mas vão me prometer que não passarão mais necessidades. Comprarei a casa. Os jovens irão, estudarão e assim poderão se livrar de toda essa miséria.

Fiz exatamente isso. Junto com meu irmão, compramos a casa bem no centro da cidade. Os jovens se mudaram e começaram a estudar. Hoje estão todos muito bem. As moças estudaram, estão casadas e com filhos. Meu irmão mais velho agora é um bom advogado. Temos em nossa família advogados, engenheiros, professores e alguns nem sei em que se formaram. Alguns continuaram morando no Piauí, outros se espalharam por esse Brasil. Tenho sempre notícias deles. Combinei com meu irmão que todos os meses depositaria no banco uma quantia para que eles não se preocupassem com nada. Queria apenas que os velhos tivessem toda a assistência e os jovens estudassem.

Depois de ter cumprido a promessa feita, minha missão terminara. Precisava voltar para o garimpo e tentar encontrar Marta. Fiquei lá por uma semana, não poderia ficar mais. Embora soubesse que Isaias estava cuidando de tudo, eu tinha responsabilidades no garimpo. Despedi-me de todos prometendo escrever todos os meses.

Entrei no jipe e, acenando, iniciei o caminho de volta. Voltava feliz por ter deixado todos bem, mas muito triste por não encontrar Marta.

Assim que cheguei ao garimpo fui recebido por Isaias:

— Senhor Paulo! Ainda bem que chegou! Está tudo bem com sua família? Encontrou Marta?

— Com minha família está tudo bem. Quanto a Marta, não a encontrei e ninguém sabe dela...

– Sinto muito, mas não se desespere. Tudo tem sua hora!

– Queria ter essa esperança, mas por mais que queira ser otimista, creio que é quase impossível encontrá-la.

– Nada é impossível para Deus! Tenha fé! Tudo caminha da mesma maneira que nós próprios caminhamos, sempre para o melhor. Não sei se está disposto ou muito cansado, mas precisamos conversar sobre alguns pedidos que recebemos. Preciso que assine alguns papéis para que eu possa enviar.

– Está bem, vou acreditar nesse seu Deus e continuar minha vida, mas vou colocar alguns anúncios em jornais do país, fazer um comunicado nas rádios que existam aqui por perto. Quem sabe assim recebo alguma notícia dela. Preciso encontrá-la

– Boa idéia, faça isso! Só não pode desanimar! Agora tem em suas mãos um negócio muito grande! Precisa tomar a frente de tudo!

– Seu otimismo me contagia. Vou trocar de roupa, descansar e comer um pouco, depois conversaremos.

– Está bem. Estarei no escritório esperando-o.

Entrei no hotel, fui para o meu quarto e assim que entrei, vi esse retrato que está agora em meu criado-mudo. Se não o viu, sugiro que peça a Isaias para mostrá-lo a você. É o retrato de Marta, sua mãe.

Olhei para o retrato e lembrei-me dos momentos bons que tivemos juntos. Novamente uma enorme saudade envolveu-me. Tomei um banho e deitei-me. Estava cansado, adormeci em seguida. Quando acordei já era noite. Levantei-me e fui para o salão. Estávamos no meio da semana, tudo ali estava calmo. Ismenia estava na cozinha conversando com a cozinheira. Fui até ela. Ao ver-me, abriu um sorriso:

– Que bom que o senhor voltou! Estávamos preocupados!

– Sei que demorei mais do que esperava, mas tinha muitas coisas para resolver. Como está tudo aqui?

– Aqui está tudo bem, mas e o senhor, como está? Isaias já me contou tudo! Não desanime, vai encontrá-la!

– Espero que sim!

– Isaias pediu que eu o avisasse quando o senhor acordasse. Se quiser falar com ele, está lá no escritório.

– Obrigada, irei agora mesmo.

Conversei com Isaias. Contou-me todas as novidades do garimpo. Disse que haviam sido encontradas muitas pedras e que vários pedidos chegaram. Terminou dizendo:

– O senhor tem muita sorte. Os negócios para o americano não estavam muito bons. Fazia já algum tempo que não eram encontradas pedras de um bom tamanho. Depois de encontrar a sua, muitas outras surgiram, mas nenhuma com o tamanho daquela. Se continuar assim, vai ganhar muito dinheiro! Preciso que assine estes papéis.

Assinei os papéis que ele me deu. Saímos do escritório e dirigimo-nos à sala para jantar. Conversamos sobre muitas coisas. Contei a ele tudo o que havia feito na viagem e como deixei minha família. Ele me contou o que fez na minha ausência. Fomos dormir. No dia seguinte, mandei um dos garimpeiros até a cidade colocar anúncios procurando por Marta nos jornais e nas rádios das cidades vizinhas.

Os dias foram passando, entrei na rotina do trabalho, mas como não chegava notícia alguma, fui aos poucos me desesperando. Uma manhã acordei muito nervoso e desalentado. Não via mais motivo para continuar vivendo. Levantava todos os dias muito cedo, mas aquele dia não tive vontade de me levantar. Fiquei ali na cama, pensando: "De que me adianta ter tudo hoje? Para que serve o dinheiro? O que fazer com ele, se não tenho a meu lado aqueles a quem amo? E tudo por minha culpa!"

No garimpo existiam pessoas de todo tipo, inclusive aventureiros que vinham para descobrir o lugar onde as pedras ficavam guardadas, ou ver quem as encontrava. Seguiam-nos e as roubavam. Por isso todos andavam armados, inclusive eu. Todos sabiam que eu atirava muito bem. À noite, quando ia dormir, colocava o revólver sobre uma cômoda.

Já há alguns dias eu vinha pensando na inutilidade da minha vida. Levantei-me, olhei para o revólver e uma idéia passou pela minha cabeça. Peguei-o em minhas mãos. Pensei um pouco, coloquei-o em minha cintura e resolvi descer. Lá embaixo procurei por Isaías. Ismenia informou-me que ele fora bem cedo até o armazém. Perguntou:

— O senhor está bem? Demorou muito para descer e não me parece bem. Está sentindo alguma dor? Está doente?

— Não estou doente e nem com dor, só não dormi muito bem esta noite.

Retirou-se e eu entrei no escritório. Sentei-me na cadeira e comecei a mexer nos papéis que estavam sobre a mesa. Olhava para eles, via números, mas não conseguia me concentrar. Aquela idéia voltou a minha cabeça. Tirei o revólver da cintura, segurei-o em minha mão e pensei: "De que adianta continuar vivendo? Antes, quando tentava encontrar a pedra, tinha um sonho. Hoje tenho a pedra e muito mais do que sonhei, e para quê? Minha família toda está bem, mas Marta sumiu e com certeza não voltará mais... meu filho está perdido para sempre... estou sozinho neste mundo... para que trabalhar? Para que viver? Estou cansado e desiludido desta vida... o melhor é morrer e acabar com tudo".

Peguei o revólver e levei-o até meu ouvido. Sabia que um tiro naquele local seria fatal e rápido, eu nem sentiria. Estava quase apertando o gatilho quando Isaias entrou. Ao ver-me naquela situação, parou na porta, dizendo:

– Por favor, não faça isso! Esse não é o caminho nem a solução para nenhum problema...

Eu, ainda com o revólver no ouvido, respondi:

– Pode não ser o caminho, mas é a única solução para minha vida! Não agüento mais! Tenho tudo e ao mesmo tempo não tenho nada! Se morrer, tudo terminará!

– Está enganado! Nada terminará! A vida continua após a morte... Se chegar do outro lado através do suicídio, terá um sofrimento ainda maior... Pelo amor de Deus, não faça isso...

Notei que lágrimas caíam de seus olhos enquanto falava. Não acreditava em nada do que dizia, mas sabia que ele acreditava e muito em tudo aquilo. Também não podia me matar em sua frente, não seria justo. Ele era um bom homem, não merecia assistir a uma cena como aquela. Baixei a mão e coloquei o revólver sobre a mesa. Ele andou até onde eu estava e, chorando, abraçou-me.

– Obrigado por ter desistido de fazer essa loucura. Esse não é o caminho. Deus existe! Não está no céu, não. Está aqui neste momento a nosso lado, ou melhor, dentro de cada um de nós! O senhor tem que acreditar nisso!

Abraçado a ele, chorei muito. Não conseguia me conter. Os soluços saíam altos de minha garganta. Depois de algum tempo, fui me acalmando. Olhei em seus olhos, dizendo:

– Obrigado, amigo. Depois de tudo que aconteceu aqui, por favor, não me chame mais de senhor. Não sou o patrão, nem você é meu empregado. Você é meu amigo. E um amigo não chama ao outro de senhor.

Ele não respondeu, apenas sorriu. Continuei falando:

– Sei que acredita nesse Deus, mas como pode acreditar se você mesmo veio para cá fugindo da seca, da miséria? Que Deus é esse que permite tanto sofrimento a pessoas inocentes, que só querem ter um pedaço de terra para sobreviver? Que Deus é esse?

– O mesmo Deus que o fez encontrar a pedra, que lhe deu dinheiro para ter tudo o que quiser! Que fez com que pudesse ajudar sua família!

– Em troca de quê? Em troca da distância dos que amo? Aliás, disso ele não teve culpa, o único culpado sou eu mesmo. Fui eu quem os afastei, só eu! Sou o único culpado de tudo... Por isso não tenho mais nada para fazer... Prefiro morrer do que continuar vivendo com essa culpa...

– Deus é bom e generoso, nos perdoa sempre e para ele não existem culpados ou inocentes. Somos todos caminhantes rumo à perfeição.

— Como não existem culpados? Eu sou culpado, e sei disso.

— Nem você nem eu sabemos nada. Entrei correndo aqui porque o carteiro trouxe para você!

— Carta? Quem mandou?

— Não sei, mas acredito que tenha sido Deus!

Peguei o envelope de suas mãos e procurei o remetente.

— Você sabe que não é de Deus, já deve ter visto que é de Geni.

— É de Geni, mas chegou pelas mãos de Deus na hora certa! Abra logo, veja o que ela diz!

Abri, havia uma carta e um retrato seu. Olhei o retrato, você estava lindo! Atrás estava escrito: "Este é Walther. Não está lindo?"

Com lágrimas, mostrei o retrato a Isaias. Comecei a ler em voz alta:

Estimado Paulo

Espero que esteja tudo bem e que tenha convencido Marta de que o que fez foi o melhor para o menino. Como pode ver, ele está forte e bonito. Mando este retrato e mandarei muitos outros para que possam acompanhar seu crescimento.

Vou ensinar-lhe o português para que, se um dia ele quiser voltar para o Brasil, não encontre problemas com o idioma.

Você prometeu que nunca tentaria entrar em contato conosco e que ele nunca saberia não ser nosso filho. Espero que cumpra essa promessa para o bem de todos nós, e principalmente dele. Prometo, quando chegar a hora, falarei com Walther. Contarei tudo e pedirei que os procure.

Desejo de coração que estejam bem e felizes. Por favor, embora tenha no remetente meu endereço, não escreva. Alan proibiu-me de manter correspondência com vocês. Ele tem medo que, com dinheiro, vocês possam se arrepender e queiram tentar recuperar o menino.

Peça perdão a Marta por não ter dito nada a ela e por tudo ter sido feito de uma maneira não muito leal, mas eu os amo muito.

Com carinho
Geni

Assim que terminei de ler, olhei para Isaías. Ele estava de olhos fechados e posso até dizer que rezava. Abriu os olhos, dizendo:

— Não disse que Deus é poderoso e que nos ama e perdoa sempre? Essa carta chegou no momento exato para impedi-lo que fizesse uma loucura!

— Você pode até ter razão nisso, mas ainda não me conformo com as diferenças deste mundo, com a pobreza das pessoas...

— Vou dar-lhe um livro para que leia.

— Não gosto de ler, aliás, nem sei ler direito.

— Esse você vai ler. Aquilo que não entender, pergunte. Responderei tudo o que puder e souber. Posso garantir que assim que terminar de ler, entenderá muitas coisas sobre a vida, sobre esse nosso Deus e como ele é maravilhoso!

Deu-me o Evangelho. Comecei a ler. Confesso que foi muito difícil entender, mas ele foi me ensinando, respondendo a minhas perguntas. Depois deu-me o Livro dos Espíritos. Discutimos muito a respeito de tudo.

Com o passar do tempo, fui entendendo que Deus nos dá sempre uma nova chance através da reencarnação. Que vivemos muitas vidas e que ainda viveremos tantas outras quantas forem necessárias para nossa evolução, que nada acontece por acaso. Tudo tem sempre um motivo.

Não sei qual foi o motivo que me separou de você e de sua mãe, mas sei que deve existir algum. Depois de ler aqueles livros, li muitos outros. Em cada um eu encontrava mais ensinamentos do grande amor de Deus por nós, seus filhos. Aprendi que durante a vida temos que fazer muitas escolhas, e nem sempre fazemos as escolhas certas. Mas o importante é que as façamos. Se a escolha for certa, tudo bem; mas, se porventura fizermos a escolha errada, paciência. Depois de feitas não há como mudar. Se for possível reparar o erro, tudo bem; mas se não for, não adianta ficarmos para o resto da vida nos culpando. Erramos aqui, acertamos ali, assim vamos evoluindo.

Outra coisa que aprendi foi que devemos aceitar nossos companheiros de caminhada como são. Cada um está num estágio da estrada. Não somos melhores nem piores que qualquer um. Somos todos caminhantes e aprendizes do bem.

Não devemos guardar ódio nem mágoa em nossos corações. Jesus veio à Terra só para nos ensinar que o perdão é o caminho para se chegar até Deus. Por isso, agora que estou voltando para o pai, volto tranqüilo. Sei que errei, mas sei também que foi tentando acertar. Sei que você hoje é um homem de bem, instruído e pronto para a vida. Sei também que amou e foi muito amado por Alan e Geni.

Walther largou a carta sobre o colo e pensou:

Que homem foi esse? Não sei se o odeio ou admiro! Será que isso que escreveu sobre Deus é verdadeiro? Reencarnação? Minha mãe antes de morrer disse qualquer coisa a respeito disso, mas não dei muita atenção. Hoje sinto que deveria ter me interessado mais pelo assunto. Bem, ainda tenho tempo para isso. Agora preciso terminar de ler a carta, vamos ver o que mais tem para me contar.

Pegou a carta e continuou lendo.

Aquela carta deu-me um novo ânimo. Sabia que você estava bem e que dali para a frente teria sempre notícias suas. Sabia que, embora fosse através de retratos, poderia acompanhar seu crescimento, e quando encontrasse Marta, mostraria a ela a carta e os retratos. Ela veria que você estava bem e entenderia minha atitude e me perdoaria, com certeza.

Daquele dia em diante, minha vida mudou. Continuei procurando sua mãe. Não a encontrava, mas como o sonho de minha pedra, tinha certeza que um dia a encontraria, do mesmo modo que encontrei a pedra.

Geni cumpriu sua promessa. Durante todos esses anos mandou-me seus retratos. Sempre quis escrever, mas nunca o fiz atendendo ao seu pedido. Queria evitar qualquer coisa que pudesse causar problemas.

Como disse Isaias, sou um homem de sorte. Os negócios prosperaram. Ganhei muito dinheiro. Trabalhei sempre pensando que um dia tudo seria seu. Essa foi a forma que encontrei de pedir-lhe perdão.

A essa altura dos acontecimentos, já deve saber da quantia que tem hoje em dinheiro. Espero que esse dinheiro lhe traga muita felicidade. Já deve saber também que me desfiz de tudo o que tinha e transformei em dinheiro. Fiz isso para não prendê-lo ao Brasil, para que possa decidir o que fazer com sua vida.

Quero dizer, também, que a casa de nossa família no Piauí está no mesmo lugar. Ali ainda moram minha mãe, meu pai e minha tia. Eles continuam sua vida de sempre. Já estão bem velhos, mas mesmo assim insistem até hoje em viver naquele lugar onde nasceram e viveram seus momentos de tristeza e felicidade. Se quiser conhecê-los, estão lá e lá ficarão até que resolvam sair.

Meu irmão mais velho cuidou deles esse tempo todo e ainda continua fazendo isso. Gostaria muito que, se puder e sentir vontade, fosse até lá para conhecê-los. Isaias tem o endereço.

Quanto a sua mãe, embora a tenha procurado durante toda minha vida, não a encontrei. Sinto muito não poder dar-lhe notícias dela, nem sei se ela está viva ou morta. Aliás, quando estiver lendo esta carta, eu já saberei.

Essa pequena chave que está com você é de um cofre no banco. Com ela poderá pegar a minha pedra! Sim ! Eu não a vendi! Sempre tive a esperança de encontrar sua mãe e poder mostrá-la a ela. Queria que ela a tivesse em suas mãos, sentisse seu peso e visse seu brilho. Agora ela é sua, faça com ela o que quiser. Um dia eu o troquei como se fosse uma "pedra". Hoje devolvo-lhe essa mesma pedra.

Termino esta carta pedindo-lhe que, se for possível, me perdoe. Como todo ser humano, não sou perfeito. Mas pode ter certeza que sempre o amei, mesmo a distância. Continuarei amando-o do outro lado da vida.

Que Jesus o proteja e ajude a fazer as escolhas certas e a me perdoar.

Um beijo do fundo do meu coração.

Seu pai
Paulo

Walther, com aquela carta na mão, sentia que flutuava. Estava confuso e indeciso. Eram muitas informações novas, muitos sentimentos conflitantes. Não sabia o que pensar daquele homem e de sua própria vida:

145

Não sei dizer se ele foi um homem bom ou mau. Neste momento, perce-
bo que minha vida toda foi uma mentira. Ao lembrar-me de minha criação,
não tenho do que me queixar. Sempre tive tudo o que um ser humano precisa
para ser feliz... nunca me faltou nada em termos materiais, muito menos
carinho e amor, tanto de meu pai quanto de minha mãe. Eles sempre me
trataram como um pequeno rei. Mas, e a minha verdadeira mãe? Quanto
deve ter sofrido e quem sabe até hoje ainda sofra? Onde estará ela? Será que
ainda vive? Será que se eu a encontar, sentirei algo por ela?

Pegou o retrato que sabia agora ser de sua mãe, a doce Marta, e
disse em voz alta:

– Minha mãe... sei que abandonou tudo por minha causa... sei
que cruelmente fomos separados, mas onde estará a senhora agora?
Desde que cheguei a esta terra, tenho notado minha vida mudar a
cada minuto. Não sei o que fazer... nunca fui pobre, mas hoje tenho
muito mais dinheiro do que um dia pudesse imaginar... não sei o que
fazer com todo esse dinheiro... já não tinha mais sonhos, pois pensava que tinha tudo para ser feliz... com ele poderei comprar uma casa
melhor do que a que tenho, talvez um carro melhor, mas e daí? Essas
coisas não me fazem falta.
Descubro que ao me levarem desta terra transformaram-me num
americano... descubro que sou um brasileiro, pois tenho raízes aqui...
sempre pensei que não tinha mais ninguém no mundo. Descubro
hoje que tenho uma família imensa! Descubro que tenho ainda avós,
tios e primos. Não sei o que fazer. Não sei se volto agora, ou se
procuro por todos eles, inclusive pela senhora...

Ficou ali no quarto com o retrato de Marta nas mãos. Olhava
para aquele rosto e imaginava o quanto ela sofrera por ele sem que
ele mesmo soubesse. Olhava para aquele rosto que parecia sorrir-
lhe. Também tinha consciência de que fora amado muito por Paulo,
mesmo a distância.

Ouviu uma batida na porta. Disse:

– Entre.

A porta se abriu e por ela entrou Isaias. Ao ver Walther com o
retrato nas mãos, perguntou:

– Terminou de ler a carta?

– Sim...

– Quer falar a respeito?

– Pode imaginar que sim, estou em estado de choque...

– Sei disso, mas não seria melhor irmos para fora? Já está há muito tempo neste quarto.

– Acho que tem razão. Lá fora, respirando ar puro, talvez consiga colocar meus pensamentos em ordem.

– Isso mesmo.

Walther acompanhou Isaias, levando consigo o retrato de Marta.

A Decisão

Saíram do quarto. Passaram por Ismenia, que estava na sala sentada num sofá. Isaias olhou para ela. Pela expressão do rosto de Walther, ela percebeu que ele não estava bem. Não disse nada, apenas acompanhou-os com o olhar.

Já lá fora, sentaram-se num banco perto da piscina. Isaias foi o primeiro a falar:

– O que está pensando a respeito de tudo o que leu?

– Não sei... ainda estou muito confuso... sinceramente não sei...

– Não se preocupe, acredite sempre que Deus é nosso pai, e Ele guia nossos caminhos. No final, sempre há uma solução.

Walther tornou a olhar para o retrato, dizendo:

– Será que Marta, minha mãe, pensa dessa mesma maneira? Será que ela entendeu por que fomos separados? Será que esse Deus de quem você fala foi justo com ela? Custa muito acreditar num Deus que não hesita em permitir que coisas como essas aconteçam!

– Tudo está certo nesta vida. A folha de uma árvore não cai sem a permissão de Deus.

– Não acredito nisso. Esse Deus está muito distante, lá no céu, e nós estamos aqui na Terra. Minha mãe verdadeira sofreu, e se ainda estiver viva, deve estar sofrendo muito pela atitude dos três! Nem ao menos sei se está viva ou morta!

– Deus não está no céu! Está aqui neste momento! Está dentro de cada um. E está fazendo sempre o melhor para o nosso bem.

– Fazendo tudo para o nosso bem? Acredita mesmo nisso? Acredita que Ele queria que eu fosse afastado de minha mãe, que me amava?

— Esse afastamento não foi tão ruim assim. Você foi bem educado e bem criado. Pelo que sei, nunca lhe faltou nada, nem mesmo amor. Agora é um homem muito rico, talvez não se tenha dado conta do quanto.

— Sei de tudo isso. Sei também que agora sou um homem muito rico. Muito mais do que um dia sequer imaginei. Mas, e minha mãe, onde está?

— Isso não posso responder, pois Paulo a procurou a vida toda. Colocou anúncios em jornais e rádios. Contratou pessoas para que tentassem encontrá-la, mas foi tudo inútil.

— Será que ela está morta?

— Paulo nunca quis aceitar essa idéia, mas confesso que há muito tempo já acreditei nessa hipótese.

— Está vendo? Como posso acreditar nesse seu Deus? Como posso perdoar esse homem que se diz ser meu pai? Ele não só me afastou de minha mãe, como também de toda uma família! Fui criado com tudo, como você diz, mas sempre sozinho. Sem um irmão ou parentes. Como posso acreditar e perdoar?

— Fique calmo. Imagino o que está sentindo a respeito de tudo isso. Sei o que está pensando de Paulo, mas ele pagou muito caro pelo erro que cometeu. Embora acreditasse que estava fazendo um bem, pagou muito caro, e levou o resto de sua vida procurando por Marta. Nunca se casou, sempre na esperança de encontrá-la.

Walther não sabia o que dizer ou pensar. Isaias, mudando de assunto, acrescentou:

— Fui até seu quarto para dizer-lhe que o jantar está pronto. Apesar de tudo o que está sentindo, não pode deixar de se alimentar. Agora, com todo o dinheiro que tem, pode ter tempo para pensar no que vai fazer com sua vida. Se quiser, pode continuar aqui no Brasil, não precisa mais voltar.

— Ficar aqui? Nem pense nisso! Minha vida está toda lá! Minha casa, meu trabalho e meus amigos.

— Você tem razão. Mas agora tem que se alimentar. Dormirá e amanhã será outro dia. Como todos os dias, o Sol nascerá, e com ele novos pensamentos e oportunidades. Deixe por conta desse meu Deus, como você diz. Ele sabe de tudo e encaminha nossos passos. Vamos jantar?

Walther estava com fome. Ficara muito tempo dentro daquele quarto. Olhou para Isaias e disse:

– Vamos, sim. Estou com fome. Tenho muito para pensar e pouco tempo para decidir. Estou confuso, mas minha vida não pode parar. Tenho que decidir rápido o que farei...

– Isso mesmo! Assim é que se fala! Você tem muitas maneiras de tocar sua vida daqui para a frente. Pelo menos com dinheiro não terá mais problemas.

Foram para a sala de jantar. Ismenia já havia posto a mesa e voltara para a cozinha. Léo estava sentado no chão, tentando montar um quebra-cabeça com pequenas peças.

Enquanto Isaías foi até a cozinha avisar Ismenia que já estavam prontos para o jantar, Léo viu Walther entrando e disse-lhe:

– Seu Walther! Não quer me ajudar a montar? Não estou encontrando uma peça que caiba neste lugar.

Walther olhou para o menino que lhe sorria. Ainda não se sentia à vontade em sua presença. Embora soubesse que era um menino alegre, feliz e muito amado por Isaías e Ismenia, para ele ainda era um negro. Mas não conseguiu dizer não diante daquele sorriso de criança. Sentou-se ao lado de Léo e ficou olhando para o quebra-cabeça. Era uma paisagem, uma montanha com árvores e neve. Aquela paisagem era muito sua conhecida. Crescera com a neve e com o frio que ela produzia. Sentiu muita saudade de sua casa, dos amigos e daquele país que aprendera a amar como se fosse seu.

Enquanto procurava com Léo a peça que precisava, ia pensando:

Não posso deixar de voltar. Estou aqui neste país que me é totalmente estranho. Quem diria que, um dia, estaria assim ao lado de um negro...

– Achei! É esta aqui!

Walther voltou o olhar para Léo. Ele, feliz, mostrava-lhe uma peça do quebra-cabeça. Iam colocá-la no lugar quando as mãos se tocaram. Novamente Walther sentiu aquele contato. Novamente retirou a mão com rapidez. Léo não percebeu, e rindo muito, colocou a peça no lugar:

– Viu, é essa mesmo! Agora precisamos encontrar as outras que estão faltando!

– Você não vai encontrar mais nada agora! Vai lavar as suas mãos para o jantar.

Léo e Walther voltaram-se, era Ismenia quem falava. Os dois se levantaram, Léo entrou pelo corredor que o levaria até o banheiro. Walther olhou para Ismênia, que lhe disse:

– Ele não é uma criança adorável?

– É, sim, pena que seja um...

Walther interrompeu-se. Ismenia não entendeu; perguntou:

– Um o quê?

Walther ficou sem saber o que responder. Percebeu que magoaria Ismênia se dissesse o que pensara.

– Um órfão, Walther, não foi isso que quis dizer?

Walther, agradecido, olhou para Isaias, que acabava de entrar na sala. Um pouco desajeitado, respondeu:

– Isso mesmo, Isaias. Pena que seja um órfão!

Ismenia respirou aliviada:

– Ora, Walther, não se preocupe com isso! Ele é um órfão, mas muito amado!

Isaias, percebendo a situação em que Walther se encontrava, disse:

– Vamos jantar antes que a comida esfrie.

– Vamos sim!

Sentaram-se. Léo fez questão de sentar-se ao lado de Walther, e ele não teve como não permitir. Começaram a jantar. Em dado momento, Ismenia perguntou:

– Walther, terminou de ler a carta?

– Sim...

– Como está? Entendeu e perdoou o que Paulo fez?

– Não sei se ele tinha o direito de fazer o que fez, mas, ao mesmo tempo, tive uma infância muito boa. Não sei, talvez, se tivesse permanecido aqui, também tivesse... Só penso com muita dor na minha verdadeira mãe e no quanto deve ter sofrido...

– Nisso você tem razão. Para ela foi muito difícil. Sentia tanta dor que sumiu e ninguém mais a encontrou.

– O que me preocupa é não saber o que aconteceu com ela. Será que ainda vive?

– Isso não sei dizer, só sei que Paulo passou a vida toda procurando por ela.

– Isaias disse-me a mesma coisa, mas mesmo assim, não sei o que fazer. Em alguns momentos penso em procurá-la, mas se Paulo não conseguiu... se ele, que conhecia todo este país, não conseguiu encontrá-la, como eu conseguiria? Não conheço nada. É quase impossível... se já não estiver morta...

– Já disse, Walther, deixe por conta do nosso pai maior. Ele nos guiará sempre para o caminho certo.

– Isaias tem razão. Entregue tudo nas mãos de Deus. Ele é justo e magnânimo. Se tiver que encontrá-la, com certeza isso acontecerá...

– A senhora também pensa igual a Isaias?

– Claro que sim. Vivemos um ao lado do outro há um longo tempo. Já vimos muitas coisas acontecerem, quando Deus mostrou sua presença...

Isaias, sorrindo, prosseguiu:

– Uma delas foi Lorena ter parado aquele dia bem em frente a nossa casa para que Léo pudesse nascer e nos trazer tanta felicidade...

Walther olhou para ambos e depois para Léo, que lhe sorria:

– É isso mesmo, seu Walther. Minha mãe foi uma mulher muito bonita e corajosa!

Novamente Walther olhou para Ismenia e Isaias. Ela disse:

– Não se preocupe, ele sabe de tudo o que aconteceu com a mãe dele. Foi preciso, pois assim que começou a ir à escola, notou que as crianças brancas tinham pais brancos, as negras tinham pais negros e só ele era diferente. Por isso contamos toda a história. Dissemos também que ele nos tinha sido enviado por Deus para que fôssemos felizes.

Walther ficou sem saber o que dizer. Estava um pouco envergonhado por sentir dentro de si aquele preconceito, mas aprendera que o negro era e sempre seria diferente do branco. Calou-se.

Terminaram de jantar. Ismenia foi para o quarto ouvir sua novela no rádio e Léo voltou para seu quebra-cabeça. Walther disse a Isaias:

– Desculpe-me, mas hoje foi outro dia de muitas emoções. Eu já devia estar acostumado, pois desde que cheguei a este país estou tendo uma emoção atrás da outra. Já deveria estar preparado, mas confesso que não consigo. Está difícil de acompanhar as mudanças que estão acontecendo. Por isso, se me der licença, gostaria de voltar para o quarto. Estou cansado e quero ver se durmo cedo.

Isaias, sorrindo, respondeu:

– Fique à vontade. A casa é sua. Entendo que tem muito para pensar e muito mais para decidir. Boa noite, e procure dormir bem.

– Obrigado, e boa noite.

Walther afastou-se. Isaias olhava para ele. Assim que a porta do quarto se fechou, Isaias fechou os olhos, pensando:

Meu Deus, que esse moço seja iluminado para que encontre o melhor caminho a seguir. Que meu amigo Paulo possa estar neste momento num lugar feliz. Que a nossa casa seja iluminada por Sua luz divina.

Dentro do quarto, Walther olhou para os papéis que estavam sobre a cama. Olhou para o retrato de Marta que estava em suas mãos. Olhava ora para um, ora para outro, enquanto pensava:

Como gostaria de acreditar nesse Deus que Isaias e Ismenia tanto falam! Mas, como acreditar? Ele permitiu que eu fosse afastado de minha verdadeira mãe. Não sei onde ela está e gostaria muito de tê-la conhecido...

Retirou os papéis de cima da cama, colocou o retrato de volta no criado-mudo, ajeitou a cama e o travesseiro e deitou-se. Ficou olhando para o teto. Estava mesmo muito confuso.

Meu Deus! Se é que realmente existe assim como eles dizem... se realmente é justo e conhecedor de todas as verdades... nesta hora confusa que estou vivendo sem saber o que fazer, mostre-me um caminho a seguir e o que devo fazer com minha vida e com todo esse dinheiro que recebi...

Adormeceu, mas seu sono não durou muito. Acordou assustado com a sensação de estar caindo. Sentou-se na cama, mas por mais que tentasse, não conseguia lembrar-se do sonho que tanto o assustara, nem de onde caíra.

Levantou-se, foi até a cozinha e tomou um pouco de água. Na sala, olhou por entre as cortinas. O céu estava claro, havia muitas estrelas. Sentiu um aperto no coração, não sabia se de admiração por ver aquele céu tão lindo, ou pela solidão e tristeza que sentia.

Por mais que tentasse, não conseguia esquecer de tudo o que acabara de ler. Sua cabeça rodava, sentiu necessidade de sentar. Sentou-se num sofá, abriu a cortina e ficou olhando o céu.

Este belo céu pertence ao Brasil, minha terra natal, mas que no fundo não reconheço como tal. Não adianta eu ficar aqui, não encontrarei minha mãe... se Paulo não a encontrou e teve todas as condições, como eu a encontraria?

Já decidi, assim que o dinheiro for liberado, vou embora. Com todo esse dinheiro poderei ter uma vida muito melhor do que aquela que tinha. Encontrarei uma mulher que ame e, dessa vez, terei tempo de dedicar-me a ela. Será diferente do que aconteceu com Ellen.

Com todo esse dinheiro, muitas portas se abrirão, talvez eu entre em algum negócio só meu... tenho muito tempo ainda para viver... agora tudo será mais fácil.

Quer saber de uma coisa? Está decidido. Vou dormir, e amanhã bem cedo ligo para o advogado e verifico quanto tempo vai demorar para que todo o dinheiro seja transformado em dólares. Aí poderei ir embora. Vou esquecer tudo o que descobri a respeito da minha história de vida. Ela não tem importância alguma, não vai mudar em nada o que sou. Não pertenço a este lugar. Sou americano e orgulho-me muito disso. Com diz Isaias, se Deus assim o quis, assim seja...

Levantou-se, voltou para o quarto e tornou a deitar-se. Mas, novamente, não conseguia dormir. Por mais que tentasse, o rosto de Marta não saía de seu pensamento. Nervoso, virou o porta-retrato de cabeça para baixo, para não ver mais aqueles olhos e aquele sorriso:

Preciso esquecê-la e de tudo que descobri. Meu pai foi um canalha! Com aquela sua atitude descabida mudou minha vida, mas não posso negar que sempre fui feliz. Tudo foi feito e nada poderá mudar o passado. A única coisa que mudará é a minha vida com todo esse dinheiro. Voltarei para o meu país, meus amigos e tudo com que me acostumei durante a vida. Sou americano!

Pensou, pensou, até finalmente adormecer.

Sonhou que estava chegando a algum lugar, ao longe via uma casa muito grande, com muitas janelas. Assim que se aproximou, viu numa delas uma mulher que balançava muito os braços, parecia gritar. Correu até ela, e assim que chegou, viu que era Marta. Percebeu que ela estava chorando. Começou a bater na janela para que ela o visse, mas foi em vão. Ela olhava, mas parecia não vê-lo. Ele batia cada vez com mais força. Ela não o via, mas estava chorando. Ele batia, batia, batia...

Acordou mais uma vez assustado, mas dessa vez lembrava-se perfeitamente do sonho. Via aquela mulher chorando desesperada por trás da janela.

Olhou para a foto:

Tenho certeza que era ela, não esqueceria esse rosto nunca. Mas que sonho estranho!

Desviou seus olhos para o relógio, que marcava nove horas e quarenta minutos. Não acreditou:

Será que esse relógio está certo? Nunca dormi até tão tarde! Por que Isaias ou Ismenia não vieram me acordar?

Vestiu-se rapidamente e saiu em direção à sala. Isaias lia tranqüilamente um livro, Ismenia devia estar na cozinha, a mesa do café estava colocada para uma pessoa. Assim que chegou à porta da sala, Isaias lhe perguntou:

— Bom dia! Então? Dormiu bem?

— Bom dia! Nunca dormi tanto quanto hoje. Não me lembro de um dia sequer da minha vida que tenha dormido tanto. Por que não me acordou?

— Percebi que você perambulou pela casa quase a noite toda. Deduzi que custou a pegar no sono, por isso não o acordei. Sente-se, vou avisar Ismenia que você acordou. Ela lhe trará um café bem quente.

— Não precisa! Incomodei vocês durante a noite? Procurei andar sem fazer ruído.

— Não se preocupe. Só percebi porque eu mesmo não conseguia dormir, tinha também muito para pensar. Não me levantei porque sabia que você precisava pensar muito e decidir o que fazer com sua vida. Decidiu alguma coisa?

— Durante a noite realmente pensei muito e decidi telefonar para o advogado e perguntar quando meu dinheiro estaria livre para que eu pudesse ir embora. Para que eu pudesse voltar, mas...

— Mas o quê?

— Tive um sonho muito estranho. Esse sonho talvez me faça mudar de idéia.

— Nossa! Que sonho foi esse?

Walther contou em detalhes o que sonhara. Assim que terminou, Isaias disse:

— Não deve se preocupar com isso. Esse sonho não foi nada mais do que reflexo de tudo o que ficou sabendo.

— Pode ser, mas pareceu-me tão real. Ela estava ali! Chorava muito e parecia não me ver!

— Você não deve se impressionar por um sonho, embora eu saiba que quando dormimos, nosso espírito se liberta do corpo e vai para muitos lugares. Talvez até tenha ido a algum lugar, mas também pode ter sido apenas reflexo do que descobriu.

— Se o que disse a respeito do sonho for verdade, pode ser que eu tenha estado com minha mãe?

– Não sei... talvez...

– Sabe que não acredito em nada disso, mas o sonho foi muito real. Não preciso mais ir embora. Na carta Paulo diz que tenho avós, tios e primos espalhados pelo Brasil.

– Sim, é verdade. Tem uma família muito grande.

– Por isso, resolvi. Vou até o Piauí visitar meus avós e conhecer a casa onde eles moram. Quem sabe ela seja a casa do meu sonho. E se for a mesma casa é porque minha mãe também está lá. Vou para saber.

– Não sei se é uma boa idéia, mas se quiser, vá. Basta comprar uma passagem de avião.

– Não... já que este é meu país, quero conhecê-lo. Vou viajar de carro, percorrer todos os caminhos, conhecer tudo.

– De carro? É muito longe! Eu nunca estive lá, nem imagino como são as estradas.

– Mesmo assim prefiro andar de carro. Tenho que confessar que odeio andar de avião.

– Mas viajou muitas horas até chegar aqui.

– Foi uma exceção. Confesso, também, que não gostei da viagem. Mas o que desejo mesmo é conhecer meus familiares, ao menos todos os que morem no Piauí.

– Está bem, se assim quiser, posso acompanhá-lo. Gosto muito de viajar, mesmo!

– Agradeço, mas você tem seus compromissos. Prefiro ir sozinho para poder pensar.

– Não sei se seus avós o receberão bem. Não sabemos se eles sabem de sua existência.

– Paulo não falou com eles a meu respeito?

– Não. Quando viu que sua mãe não estava lá, resolveu não tocar no assunto.

– Então, se minha mãe estiver lá, nem imagina que eu esteja aqui.

– Isso é verdade...

– Pois bem, irei até lá.

– E sua passagem de volta para os Estados Unidos?

– Por favor, veja o que pode fazer. Se conseguir suspendê-la até minha volta, tudo bem. Se não conseguir, não tem importância! Afinal, não sou um homem rico? Posso comprar outra quando chegar a hora. Nada me impedirá de conhecer minha família e talvez encontrar minha mãe.

– Você é quem sabe, mas talvez a viagem seja perigosa.

– Não se preocupe. Cresci nos Estados Unidos, lá também há violência. Viajarei apenas durante o dia. À noite encontrarei um lugar para dormir. Fique tranqüilo, voltarei logo e em perfeitas condições de saúde. Será que tenho algum dinheiro disponível?

– Claro que tem, está todo no banco. Por quê?

– Quero comprar um carro novo. Não quero ter problemas durante a viagem.

– Tem o de Paulo. É seu também e está em perfeitas condições.

– Sei que é meu, mas prefiro outro. Esse pode ficar para você. O de Paulo é muito grande. Como não sabemos em que condições estão as estradas, acredito que seria melhor um jipe. Que acha?

– Você é quem sabe. Vamos ligar para o advogado e ver como pode ser feito.

– Isso mesmo. Pretendo sair amanhã bem cedo. Você tem um mapa rodoviário?

– Deve haver um na biblioteca, mas isso quem sabe é Ismenia. Vou perguntar.

– Pergunte. Se não houver um, teremos que comprar. Preciso de um para chegar ate lá. Como você diz, é bem longe, não?

– É, sim... muito longe... continuo dizendo que não deveria fazer essa viagem sozinho...

– Não se preocupe, nada vai me acontecer. Será uma aventura. Além do mais, eu adoro dirigir...

Ismênia, ao ouvir vozes, entrou na sala:

– Bom dia, Walther! Dormiu bem?

– Bom dia, dona Ismenia, não dormi muito bem, mas acordei com uma decisão e muita disposição para enfrentar uma aventura!

– Não estou entendendo.

– Não se preocupe, minha velha, isso são coisas da juventude. Nosso jovem vai para o Piauí. Ele quer conhecer sua família.

– Faz muito bem, meu filho. Não sabemos com certeza para onde vamos, mas de onde viemos é importante saber. Conhecer nossas raízes. Quando partirão?

– Não, dona Ismenia, Isaias não vai. Pretendo ir sozinho.

– Sozinho? Mas é muito longe. Você não conhece nada por aqui.

– Por isso mesmo quero ir sozinho. Isaias tem obrigações com a senhora e com Léo. Eu, ao contrário, agora que sou um homem rico, tenho muito tempo e muito para aprender desta terra. Vou ao encontro dos meus avós que moram no Piauí. Talvez conheça meus tios e primos. Cresci sozinho pensando não ter família, agora sei que eles existem. Preciso conhecê-los. E o mais importante: tenho quase certeza de que encontrarei minha mãe.

– Fico feliz que tenha essa vontade de conhecer seus parentes, mas quanto a encontrar sua mãe, acredito que seja uma missão quase impossível.

– Se não a encontrar, ao menos terei tentado. Não poderei voltar para casa sem ter feito isso. Vou conhecer esta terra, que me parece ser muito bonita.

– Só posso abençoá-lo e dizer: que Deus o acompanhe e abençoe seu caminho.

– Obrigado. Sabia que me apoiaria. Às vezes penso que pertenço a esta casa e a vocês. Parece que já os conheço há muito tempo...

– Pode ter certeza de que isso é verdade. Conhecemo-nos há muito tempo...

– É verdade, vocês me conheceram quando eu ainda era criança.

– Tem razão, conhecemos você quando era muito pequeno, mas essa nossa amizade vem de muito longe, muito antes disso.

– Lá vem a senhora de novo com essa conversa de religião, de reencarnação.

– Pode não acreditar, mas nada acontece por acaso. Estamos sempre juntos na mesma caminhada. Se acredita ou não, isso não tem importância. Acreditando ou não, vamos vivendo cada um seguindo seu caminho, mas sempre nos encontrando com amigos e, às vezes, com inimigos. Mas tudo faz parte da vontade de Deus.

– Pensando bem, já encontrei em meu caminho várias pessoas assim. Umas amigas, outras porém... que me fizeram muito mal...

– Essa é a vida. Para isso estamos aqui, Deus nos manda os amigos para nos apoiarmos mutuamente. Os inimigos, quando aparecem em nossas vidas, é somente para nos ensinar a perdoar. A lei de Deus é justa e sábia!

– Tudo isso que está dizendo é um pouco complicado para eu entender, mas talvez tenha razão. Aprendi com minha mãe que conseguimos tudo na vida, basta querer e ser honesto. Mas acredito hoje que não é bem assim. Acho que temos sobre nossa vida um relativo controle, mas não a controlamos inteiramente. A prova do que estou dizendo é minha própria vida. Em poucos dias percebi que tudo o que era, não é mais... que tudo o que fui até hoje, não sou mais. Que minha vida foi uma mentira...

– Está certo no que diz, mas nada está errado. Tudo está certo entre o céu e a Terra. Seguimos um caminho, que pode sofrer desvios, mas a qualquer momento voltamos ao nosso rumo. A lei divina é poderosa. Não duvide nunca disso. Faça o que seu coração mandar. Siga o caminho que acreditar ser o melhor para você. Se a escolha for boa, terá bons resultados; se for ruim, ganhará experiência e no futuro fará melhor. O que não deve é arrepender-se nunca do que fez de certo ou errado. Porque nada é certo ou errado, é apenas uma caminhada.

– Que coisas bonitas acabou de dizer! Onde aprendeu tudo isso?

– Com a vida, e acreditando num Deus que é um pai maravilhoso, que nos ama e por isso nos dá todas as oportunidades para caminharmos em sua direção.

– Queria acreditar num Deus como o seu...

– Ele não é só meu, é de toda a humanidade. Para ele não existe religião ou crença. Para ele somos todos seus filhos, independente de raça, cor ou religião.

– Da maneira como fala, Ele parece ser mesmo maravilhoso. Sempre acreditei que o dinheiro, sim, é que era o meu Deus. Através de minha vida, vi muitas pessoas comprarem tudo com dinheiro. Confesso que muitas vezes invejei essas pessoas e me perguntei: por que eu também não tenho tanto dinheiro assim? Sempre tive uma boa vida, nunca me faltou nada, mas sempre quis ter muito mais.

– Deus atendeu aos seus desejos, e hoje você tem muito.

– Só que para ter esse dinheiro foi preciso eu descobrir que minha vida foi uma mentira.

– Ela não foi uma mentira. Foi como devia ser. Já lhe disse que nada acontece por acaso, tudo tem seu motivo. Tudo está certo entre o céu e a Terra. Tudo está sob o domínio de uma lei divina. Acredite nisso e siga seu coração. O que vai acontecer? Nem você nem eu sabemos, mas será o que for preciso para nosso desenvolvimento espiritual.

– Não sei... talvez tenha razão, vou pagar para ver. Vou sozinho ao Piauí. Vou em busca do meu passado, conhecer as pessoas que o viveram. Talvez encontre minha mãe.

– Se é isso que o seu coração pede, faça-o. Não devemos nunca nos arrepender do que fizemos, mas sim do que deixamos de fazer. Vá, meu filho, e que Deus o acompanhe e o ajude a encontrar sua família, ou ao menos a você mesmo...

– Sabe que eu estou mesmo perdido? Sem identidade?

– Sei... imagino. Vá, meu filho, siga seu destino. Ele está aí chamando-o. Confie em que tudo dará certo.

Walther levantou-se, foi até ela e beijou-a na testa, dizendo:

– Gostaria muito de ter tido você como minha mãe! É uma pessoa maravilhosa!

Ismênia, um pouco sem graça, ficou sem saber o que responder. Isaias veio em seu auxilio:

– Minha velha, não precisa ficar envergonhada! Está cansada de me ouvir dizer que você é a pessoa mais maravilhosa do mundo e que a amo muito...

Ela pegou o avental, enrolou nas mãos e saiu da sala, enquanto Walther e Isaias a seguiam com os olhos. Antes que ela chegasse à porta que a levaria até a cozinha, Isaias chamou-a:

– Espere, Ismenia.

Ela voltou-se e olhou para ele:

– Precisa de alguma coisa?

– Sim. Sabe se há algum mapa rodoviário aqui em casa?

– Há um lá na biblioteca, vou pegar.

– Obrigado. Walther vai precisar dele.

Ela entrou na biblioteca. Walther olhou para Isaias, dizendo:

– Ela é realmente uma mulher maravilhosa.

– É, sim, e eu a amo muito. Não consigo imaginar o que teria sido da minha vida sem ela!

– Acredito. Nota-se que vocês se amam muito.

– Sim... muito...

– Que bom. Já fui casado, mas nunca senti um amor como esse que vejo em vocês...

– Porque não era o verdadeiro amor. Como se diz, não era sua outra metade da laranja. Quando a encontrar verá como é maravilhoso.

– Não acredito nisso. Tudo é muito bonito antes do casamento, mas depois logo se entra na rotina e o amor não ocupa mais o primeiro lugar. Aparecem outras prioridades. No meu caso foi o trabalho. Queria dar a ela todo o bem material, e para isso precisava trabalhar muito. Ela não entendeu e me abandonou.

– Gostava muito dela?

– A princípio, sim, mas com o passar do tempo notei que aquele amor intenso passara. Sentia que faltava algo, mas não sabia o quê.

– Volto a dizer que não era sua outra metade. Quando a encontramos, como encontrei Ismenia, nada disso acontece. O amor vai ficando cada vez maior. Nós realmente nos amamos, somos um a metade da laranja do outro.

Os dois começaram a rir. Ismenia entrou na sala trazendo em suas mãos um mapa. Entregou-o a Isaias e saiu em direção à cozinha.

Isaias abriu-o sobre a mesa e com um lápis começou a traçar o caminho que Walther deveria seguir. Walther acompanhava com os olhos. Quando Isaias terminou, disse:

– É realmente muito longe. O Brasil é grande mesmo!

– Não disse que a viagem seria muito longa? Veja, aqui está a cidade que vai procurar, fica bem no meio do sertão. Por tudo que Paulo sempre disse a respeito dela, é uma cidade muito pequena e com poucos moradores. Mas veja, assim que sair da estrada principal, siga por esta. Acredito que terá que perguntar, mas no Nordeste brasileiro, segundo Paulo, o sobrenome é muito respeitado. Ele dizia que as famílias eram todas conhecidas. Se conseguir chegar até este ponto, acredito que não será difícil encontrá-los. Essa viagem não será fácil, vai passar por lugares totalmente desconhecidos.

– Já pensei em tudo isso, mas preciso fazê-la. Não viveria em paz se não a fizesse. Preciso conhecer as pessoas que fizeram parte da minha vida. Só de conhecer meus avós, já será uma felicidade. Talvez não entenda, mas me criei acreditando ser só. Nunca pensei em avós, tios ou primos. Isso sempre me entristeceu. Todas as vezes que perguntei a minha mãe por que não tinha irmãos, ela respondia que Deus queria que se dedicasse apenas a mim. Eu aceitava aquela resposta, mas sempre ficava muito triste. Ela dizia que nascera no Ceará, que era também filha única e por isso sabia o que eu sentia.

– Geni não mentiu. Realmente nasceu no Ceará e era filha única. Seus pais morreram quando ela era ainda muito pequena. Não sei muito da vida dela, só sei que quando chegou ao garimpo era uma linda mocinha. Alan, quando a viu, apaixonou-se, e não houve outra maneira de tê-la senão casando-se. Mas parece que realmente se amavam.

– Também acredito nisso. Eram muito apaixonados, lembro-me deles sempre se abraçando ou se beijando. Quando papai morreu, de uma maneira estúpida, sem que esperássemos, ela ficou muito triste. Acredito até que perdeu a vontade de viver.

– Como ele morreu?

– Saiu de casa para trabalhar e caiu no meio da rua com um derrame cerebral. Não houve nada que pudesse ser feito para evitar.

Ele estava muito gordo e gostava de beber cerveja. O médico já o havia prevenido, mas ele não dera atenção. Mamãe ficou muito triste e foi murchando. Parecia que ele era tudo para ela. Nessa época, eu estava casado, talvez não tenha dado a ela toda a atenção que precisava.

— Não pense assim. Não tenha sentimento de culpa. Eles morreram porque chegara a hora. Já haviam cumprido a missão deles aqui na Terra. Como Ismenia disse, tudo está certo entre o céu e a Terra.

— Espero que seja assim mesmo...

— Se eles estivessem vivos, você estaria hoje aqui?

— Acredito que não...

— Está vendo? Tudo teria que ter acontecido como aconteceu. Você precisava tomar conhecimento do que aconteceu em sua vida, era um direito seu.

— Sinto que tem razão, mas eu poderia tomar conhecimento sem que precisassem morrer...

— Eles não lhe contariam nunca. Tinham medo de perdê-lo. Também não morreram por sua causa. Morreram porque chegara a hora.

— Realmente, não entendo. Eles foram cruéis ao me tirarem de minha mãe verdadeira... tem razão, talvez se eu soubesse antes, não os perdoasse.

— E agora, já os perdoou?

— Não sei. Não suporto a idéia de ter sido roubado, ou melhor, vendido. Não suporto a idéia de saber o quanto minha verdadeira mãe sofreu. Ao mesmo tempo que quero entender e perdoar, sinto muita raiva deles e principalmente de Paulo, que foi o maior responsável por tudo o que aconteceu.

— Não vou querer justificar o erro dele, mas embora o tenha trocado por dinheiro, pensou mesmo que seria melhor para você. Naquele tempo não era fácil viver. A pobreza era muito grande. Ele não tinha como educá-lo, nem mesmo como dar-lhe uma boa alimentação, e isso o preocupava.

— Mas ele encontrou a pedra que nos daria tudo!

— É... e quando a encontrou já era tarde. Você já havia ido embora e Marta também. Por isso ele nunca a vendeu. Queria que você e Marta um dia a vissem. Assim saberiam que ele tinha razão quando dizia que um dia a encontraria.

— Não sei o que dizer. Estou tentando entender e aceitar, mas não consigo. Bem no íntimo, não os perdôo, por isso vou tentar encontrar minha família e minha mãe. Se a encontrar, darei a ela todo o meu carinho e amor para compensar o muito que sofreu.

– Deus ilumine seu caminho. Se a encontrar, faça isso mesmo. Ela merece.

– Farei, Isaias... farei... pode ter certeza disso...

– Bem, já que decidiu, vamos falar com o advogado e comprar seu jipe?

Walther sorriu, levantou-se e foi até a cozinha. Ismenia estava junto ao fogão terminando de preparar o almoço. Aproximou-se pedindo um pouco de água. Ela, sorrindo, entregou-lhe um copo. Enquanto tomava a água, perguntou:

– Ismenia, conheceu bem minha mãe?

– Sim, conheci.

– Como ela era, além de bonita?

– Ela era muito bonita, sim, e tinha uma vontade imensa de viver. Quando você nasceu, dizia que você seria um grande homem e que a faria muito feliz. Ela não o largava um minuto. Enquanto trabalhava, você ficava num cercado, ou no berço dormindo, mas ela estava sempre de olho em você. Ela o amava muito. Era corajosa e nunca deixou que Paulo perdesse a esperança de encontrar a pedra.

– Mesmo assim, ele a traiu. Mesmo sabendo o quanto ela me amava, ele me roubou.

– Ele fez o que achou ser melhor para todos.

– Inclusive para ele mesmo.

– Talvez tenha pensado isso, mas ele sabia também que seu futuro seria melhor longe daquele lugar. Eu gostava muito de Marta e sempre que penso que, mesmo sem saber, ajudei nessa armação, sinto um aperto no coração. Vi o quanto ela sofreu. Vi o desespero que sentiu, mas eu não podia fazer nada. Quando descobrimos já era tarde. Ela ficou desesperada, foi embora e nunca mais perdoou Paulo. Ele sofreu por isso durante a vida toda, muito mais quando encontrou a pedra.

– Aí ele entendeu que não precisava ter feito o que fez.

– Isso mesmo. Por isso passou o resto da vida procurando por ela, mas não conseguiu. Chego a pensar que ela morrera...

– Não sei se ela morreu, mas se estiver viva, juro que a encontrarei. Nunca tive dinheiro demais, apenas o suficiente para viver bem. Não estou acostumado com a riqueza, gosto do meu trabalho e sei que sou um bom profissional. Por isso gastarei até o meu último centavo que recebi de Paulo para encontrá-la. Vou virar este Brasil do avesso, mas vou encontrá-la!

Ismenia ficou olhando para ele de um modo estranho. Ele notou:

— Por que me olha assim?

— Por um momento me pareceu ver Paulo quando dizia que encontraria sua pedra. Seus olhos pareciam os dele. O modo de falar também. Só agora noto como são parecidos, quando ele tinha sua idade. Vocês são mesmo muito parecidos, não só fisicamente, mas também no temperamento. Estou quase acreditando que vai realmente encontrar Marta. Deus o encaminhe, meu filho. Estou muito feliz por tê-lo conhecido e por ver que, apesar de tudo, numa coisa Paulo tinha razão. Você se tornou uma pessoa muito boa.

Walther, ao ouvir aquelas palavras, emocionou-se. Foi para junto dela, abraçou-a e beijou sua testa com muito carinho. Isaias entrou justamente nesse instante:

— Posso saber o que está acontecendo aqui?

Os dois soltaram-se e olharam para ele. Ismênia, com lágrimas nos olhos, respondeu:

— Eu estava dizendo a ele como se parece com Paulo com essa idade. Não é verdade?

Isaias examinou Walther de cima a baixo e disse:

— Não é que você tem razão, minha velha? Eles se parecem realmente!

Walther, também emocionado, respondeu:

— Não sei se devo sentir orgulho disso. Ele foi muito cruel para minha mãe, foi um canalha.

— Não diga isso. Já disse que ele pensou estar fazendo o melhor. Hoje ele já está prestando contas a Deus dos atos que praticou. Você está aqui, jovem e rico, pode fazer o que quiser da vida. Não guarde ódio nem rancor de Paulo, ele já pagou o que fez com muito sofrimento. Vamos rezar para que esteja num bom lugar, cercado de amigos...

— Às vezes chego até a perdoá-lo, mas quando penso no muito que minha mãe sofreu, sinto muito ódio.

— A mágoa e o ódio não fazem bem a ninguém. Quem somos nós para julgar? Jesus disse: "Aquele que não tiver pecado, atire a primeira pedra". Com isso quis dizer que ninguém é perfeito. Que todos temos nossa parte de culpa em tudo que nos acontece. Ninguém tem condições de julgar.

– Está dizendo que eu e minha mãe também tivemos culpa?

– Quem sabe?

– Eu era apenas uma criança! Como poderia ter alguma culpa?

– Você era criança como ser humano, mas não como espírito...

– Lá vem você novamente com essa história de reencarnação. Isso é besteira. Mesmo que acreditasse nisso, que culpa tenho eu hoje por algo que fiz em outra vida? Ainda mais não me lembrando de nada! Tudo isso é sonho. É ilusão e uma desculpa para se fazer o que quiser e colocar a culpa em outra encarnação. Não aceito isso e nunca vou aceitar. Isso não existe!

– Está bem, não precisa ficar nervoso. Já decidiu que vai em busca de suas raízes, não é? Pois bem, vá... isso só poderá fazer-lhe muito bem.

– Preciso fazer isso. Não viveria em paz se assim não agisse.

– Está bem... siga seu coração, ou seu instinto. Vá em busca de sua felicidade e libertação.

– Farei isso. Assim, quando voltar para casa, irei com meu coração em paz.

– Então, depois do almoço iremos até o advogado. Depois compraremos o carro e juntos planejaremos a viagem.

Walther sorriu. Em poucos dias aprendera a gostar daquela família. Até de Léo, embora ainda sentisse um pequeno mal-estar. Mas aquilo também já estava passando.

Fizeram exatamente isso. Depois do almoço foram até o advogado. Ele disse que o dinheiro já estava no Banco do Brasil, bastava apenas que Walther se identificasse através de documentos para poder retirar a quantia que quisesse.

Walther sorriu. Ainda não conseguia entender o que representavam dois milhões de dólares. Sabia que era muito dinheiro, mas ainda não pensara seriamente no que faria com ele. Sua prioridade, no momento, era conhecer sua família, encontrar aquela casa com muitas janelas, e o mais importante, encontrar sua mãe.

Ao chegar ao banco foi recebido pelo gerente com um sorriso:

– Tenho muito prazer em conhecê-lo. Eu era um grande amigo de Paulo. O doutor Amadeu falou comigo. Já está tudo pronto, o dinheiro está todo aí, pode retirar quanto quiser.

Walther não conhecia o valor do dinheiro brasileiro, por isso pediu ajuda a Isaias:

– Quanto custa um jipe? De quanto vou precisar para comprar um e fazer a viagem?

– Eu e o gerente faremos algumas contas. Pensando bem, creio que é melhor irmos a uma agência de automóveis escolher o carro que vai querer. Quanto à viagem, precisa levar uma boa quantia, pois não sabe o que vai encontrar pelo caminho...

– Vamos fazer isso. Senhor gerente, voltaremos logo, obrigado por sua atenção.

– Ora! Isso não foi nada! O prazer foi todo meu!

Walther sorria enquanto pensava:

Todos os gerentes do mundo são iguais. Se ele não soubesse quanto tenho no banco, com certeza não estaria sendo tão gentil. Mas, enfim, fazer o quê?

Foram até a Praça da República, onde havia uma agência de veículos. Walther escolheu um jipe que ele já conhecia e sabia ser potente.

O vendedor da loja ligou para o banco e falou com o gerente. Tudo combinado, foram até o banco. Walther assinou alguns documentos e pegou uma quantia que Isaias achou ser necessária para a viagem. Voltaram para a agência.

Walther saiu dali dirigindo seu jipe novo, acompanhando Isaias, que ia na frente. Não havia muitos carros nas ruas. Eram poucas as pessoas que os possuíam. Walther estava muito feliz por estar num jipe como aquele. Enquanto dirigia, pensava:

Não sei o que estou sentindo dirigindo este jipe. Creio que só agora começo a entender o que o dinheiro pode fazer. Até agora eu ainda não acreditava muito que possuía todo esse dinheiro. Mas agora, vendo-me dentro deste jipe maravilhoso, sinto que não haverá limites para minha felicidade!

Isaias, pelo retrovisor, podia ver o rosto de Walther. Percebeu que ele estava feliz. Por isso sorria e pensava:

Estou feliz por ver a felicidade estampada no rosto desse meu amigo recém-conquistado.

Continuaram rodando por muito tempo. Isaias levou-o até o museu do Ipiranga. Não entraram, pois já era muito tarde.

Chegaram em casa quase às sete da noite. Ismenia estava preocupada, pois saíram logo depois do almoço e não telefonaram. Ao vê-los chegando, cada um num carro, sorriu:

– Eu aqui toda preocupada e vocês passeando nesse carro bonito!

– Gostou? Eu também gostei muito. Mas não é um carro. É um jipe. Só agora entendo o que o dinheiro pode fazer!

– Pode mesmo! Não entendo nada a respeito de carros, mas sinto que agora você começará a ser realmente feliz e que todos os seus desejos serão realizados.

– Estou começando a acreditar nisso.

Léo, ao ouvi-los, saiu correndo de dentro da casa. Ao ver o jipe de Walther, parou e ficou olhando de longe. Seus olhos brilhavam. Walther, vendo aquela expressão no rosto do menino, disse:

– Léo! Quer dar uma volta no meu jipe novo?

– O senhor deixa?

– Claro que sim, venha. A senhora? Não quer vir também?

Ela olhou para Isaias que, sorrindo, disse:

– Então vamos todos juntos!

Entraram no jipe. Estavam felizes. Léo não escondia sua satisfação. Walther sentia-se como se fizesse parte daquela família.

A princípio foi devagar, não estava acostumado com a potência do jipe. Aos poucos começou a aumentar a velocidade. Léo ia na frente junto com ele. Adorou e pedia que corresse mais. Walther, através do retrovisor, olhou para Isaias, que fez não com a cabeça. Ele obedeceu. Seguiram numa velocidade segura. Andaram durante meia hora e voltaram para casa.

Durante o jantar conversaram sobre a viagem que Walther iniciaria na manhã seguinte. Não possuía data certa para voltar, pois não sabia quantos dias levaria para chegar até o Piauí, nem o que encontraria por lá. Prometeu que mandaria telegramas e, se possível, telefonaria.

Terminaram de jantar. Walther foi deitar-se logo, pois na manhã seguinte teria que se levantar muito cedo. Queria partir antes do amanhecer para aproveitar o dia. Não pretendia viajar à noite.

Assim que se deitou, pegou o retrato de Marta em suas mãos, dizendo com voz calma:

– Minha mãe... Vou tentar encontrá-la. Sei o quanto sofreu por minha causa, enquanto eu vivia uma vida feliz e tranquila. Espero realmente que não tenha morrido para poder abraçá-la e mostrar-lhe o homem que me tornei. Sei que não vai se decepcionar.

Adormeceu abraçado ao porta-retrato.

Reavaliando Conceitos

Na manhã seguinte, assim que se levantou, pegou sua maleta. Pegou o porta-retrato, a caixa com as fotografias e a carta de Paulo e colocou tudo dentro dela. As roupas já havia colocado na noite anterior. Tomou um banho e foi para a sala. Isaias já o esperava.

Os dois sentaram-se à mesa. Ismenia terminou de servir, sentou-se e os três tomaram café juntos. Ficaram calados, cada um preso em seus pensamentos. Isaias e Ismenia, preocupados com a viagem de Walther, não entendiam por que insistira em viajar sozinho. Não sabiam o que ele encontraria quando chegasse ao seu destino. Walther, nervoso e ansioso por chegar e conhecer sua família.

Assim que terminaram de tomar o café, Walther disse:

– Bem, está na hora de começar minha viagem. Vou com meu coração feliz por saber que tenho uma família, mas com medo de não encontrar minha mãe, embora, depois do sonho que tive, tenha certeza de que ela está lá naquela casa com muitas janelas esperando por mim.

Ismenia abraçou-o e beijou seu rosto, dizendo:

– Que Deus o acompanhe nessa viagem. Espero de coração que encontre Marta. Se isso acontecer, sei que finalmente ela será feliz. Mas não se esqueça que Deus é nosso guia e que para ele nada e impossível. Deus o abençoe...

Walther retribui o abraço e o beijo:

– Obrigado, dona Ismênia. Uma coisa eu sei: chegarei lá. Sinto realmente que minha mãe estará lá também. Obrigado pelo modo como me recebeu. Quando voltar, trarei um presente para cada um de vocês e também boas notícias. Quem sabe voltarei com minha mãe!

– Quem sabe. Se depender de minha vontade, voltarei a ver minha amiga.

Conforme o combinado na noite anterior, Isaias saiu com seu carro na frente. Acompanharia Walther até a estrada. Assim que chegaram perto da estrada, Isaias parou o carro e saiu. Walther também saiu do jipe e foi ao encontro do amigo. Isaias mostrou a ele como chegar à estrada, dizendo:

– Daqui para a frente vai continuar sozinho. Espero que Deus o acompanhe e que encontre o que procura. Estaremos ansiosos por notícias. Dirija com cuidado e não corra muito. Devagar ou depressa chegará, não se esqueça disso.

– Não se preocupe, tomarei cuidado. E, por enquanto, obrigado por tudo. Sei que tem muita força junto a esse seu Deus. Peça a ele que me ajude...

– Eu, você e todas as pessoas temos a mesma força junto a Ele. Não se preocupe, tenho certeza que Ele estará a seu lado durante toda a viagem.

Abraçaram-se. Walther entrou no carro e, acenando, foi para a estrada que o levaria a seu destino.

Entrou naquela estrada com o coração cheio de ansiedade e esperança de encontrar sua família, e principalmente Marta, sua mãe. Nem sequer se preocupava pelo fato de não conhecer o país. Enquanto o jipe corria pela estrada, pensava:

Hoje eu deveria já estar em casa e amanhã trabalhando. Em vez disso, estou aqui nesta estrada tão distante de minha casa em busca do desconhecido.

Viajou durante algumas horas e notou que o combustível estava terminando. Parou para abastecer. Pelos cálculos que fez com Isaias, ele estaria no Rio de Janeiro pela noitinha, onde deveria pernoitar. Pensando nisso, parava somente quando percebia ser necessário abastecer o jipe. Aproveitou esses momentos para comer lanches. Não sentia fome, pois estava muito ansioso para chegar a seu destino. Pensava:

Preciso resolver tudo por aqui para poder voltar e retomar minha vida de onde a deixei. Quando recebi aquela carta de Paulo, nunca pensei que minha vida mudaria tanto. Mas mudou, e muito! Preciso começar a pensar o que farei com tanto dinheiro.

Ia olhando a paisagem, muito verde, morros de pedras. Aquela paisagem enchia seu coração de paz. Não haviam muitos carros na estrada, apenas caminhões e alguns ônibus. Parava, comia e seguia viagem. Começava a ficar cansado quando viu uma placa na estrada que indicava a distância restante para o Rio de Janeiro: quarenta quilômetros.

Não sabia bem o que significava aquilo, pois não conhecia muito bem esse sistema métrico. Em seu país a distância era marcada por milhas. Calculou em milhas, estava ainda muito longe e já começava a anoitecer.

Antes do que pensava, percebeu que estava no Rio de Janeiro. Entrou na cidade. Isaias dera-lhe o nome de um hotel e o endereço.

Perguntou a uma pessoa, depois a outra e outra, e finalmente encontrou o hotel. Estacionou o jipe em frente.

Entrou. Isaias já havia feito sua reserva por telefone. Preencheu o papel na recepção e foi levado por um rapaz até seu quarto. Entrou, jogou a maleta no chão, foi para a janela, abriu as cortinas e ficou prestando atenção no que via lá do alto. Ficou encantado ao ver a sua frente aquele imenso mar. As ondas com o reflexo da lua que se tornavam sombras brancas que se apagavam e acendiam, uma após a outra. Olhando aquela beleza natural, pensava:

Durante toda minha vida estudei e trabalhei tanto que nunca tive muito tempo para apreciar a natureza, muito menos uma beleza como esta. Minha mãe, aliás, Geni, tinha uma verdadeira obsessão para que eu me formasse. Hoje entendo por que. Ela prometera que eu teria tudo, e cumprira. Fez de mim um profissional. Não médico ou advogado, como ela queria, mas um especialista em finanças. Posso trabalhar em qualquer lugar e ter sempre um salário muito bom. Será que se eu permanecesse aqui teria estudado? Teria tido a mesma vida que tive? Claro que teria! Paulo encontrou a pedra!

Ligou para a recepção pedindo que o acordassem às seis horas. Tirou a roupa, foi para o banheiro e tomou um banho. Estava mesmo muito cansado. Nunca dirigira por tantas horas seguidas, muito menos um jipe. Colocou o pijama e deitou-se. Antes disso pegou o porta-retrato, olhou para aquela linda moça que agora sabia ser sua mãe. Ela parecia sorrir-lhe. Sorriu-lhe de volta e colocou-o sobre o criado-mudo. Não pensou muito, adormeceu imediatamente.

Sonhou novamente com aquela casa e suas janelas. Viu a mesma moça na janela, só que, ao chegar perto, dessa vez ela sorria.

170

Acordou com o telefone. Atendeu. Era da portaria acordando-o e perguntando se gostaria de tomar o café no quarto. Ele disse que sim. Logo depois, ouviu uma leve batida à porta. Levantou-se e abriu. Uma senhora sorriu-lhe e entrou no quarto com um carrinho, onde estava a bandeja do café da manhã. Colocou a bandeja sobre uma pequena mesa que havia no canto do quarto.

Walther acompanhou seus movimentos sem nada dizer. Antes que saísse, deu-lhe algum dinheiro, agradecendo.

Voltou-se para a bandeja e ficou encantado com tudo que viu. Havia não só o café, mas leite, frutas, manteiga, queijos e biscoitos de várias qualidades.

– Puxa! Aqui o hóspede é muito bem tratado.

Sentou-se numa cadeira e começou a comer. Deliciou-se com as frutas. Comeu tudo o que havia na bandeja. Não sabia como seria o resto da viagem, mas aquele café serviria quase como um almoço.

Terminou de tomar o café e desceu em direção à recepção. Pagou a conta e pediu instruções de como sair da cidade e seguir viagem rumo ao Piauí. O rapaz ensinou-lhe de uma maneira que não conseguiria errar.

Assim que saiu do hotel, viu a sua frente o mar que vira à noite pela janela. No alto do morro viu o Cristo Redentor. Do outro lado, muitas casas umas sobre as outras, no morro.

Essas devem ser as favelas. Não entendo como as pessoas conseguem viver dessa maneira. É... são uma realidade aqui no Rio de Janeiro.

Ao dar algumas voltas pela cidade, foi apreciando tudo o que via. Não eram ainda oito horas da manhã, mas já havia movimento na cidade. Pessoas iam e vinham, ônibus lotados. Lembrou-se de Nova York, onde fora criado. A cidade era totalmente diferente, mas as pessoas pareciam iguais, todas correndo em busca de seus sonhos. Embora o rapaz da recepção do hotel houvesse lhe ensinado muito bem como sair da cidade, perdeu-se várias vezes até conseguir finalmente chegar à estrada.

Novamente entrou na estrada cheio de confiança, sabendo que conseguiria encontrar sua mãe quando chegasse àquela casa com muitas janelas.

Foi dirigindo e apreciando a paisagem. Viu muitos morros, algumas plantações, algumas vacas que pastavam calmamente. Cada

171

vez que parava para abastecer, olhava o mapa para ver onde estava e quanto faltava para chegar a seu destino. Por mais que corresse, parecia que seu destino estava cada vez mais longe e que nunca chegaria.

Percebeu que já anoiteceria novamente. Parou na primeira cidade que encontrou. Era muito diferente do Rio de Janeiro, pequena, talvez até uma pequena vila. Na rua que lhe parecia ser a principal, perguntou se havia algum hotel. Indicaram-lhe uma casa onde uma mulher alugava quartos por uma noite. Dirigiu-se até lá.

Bateu à porta e uma senhora negra o atendeu. Assustou-se, pois embora houvesse convivido alguns dias com Léo, ainda sentia um certo constrangimento diante de um negro. Mas sabia que não havia outra alternativa. Perguntou:

— Boa noite, a senhora tem algum quarto vago para que eu possa dormir esta noite?

A senhora olhou-o de cima a baixo: Respondeu:

— De onde o senhor vem? Para onde vai?

— Estou vindo de São Paulo e pretendo ir até o Piauí.

— Esse carro que está aí na frente é seu?

— Sim, estou viajando nele...

— Está bem, entre.

Walther, acanhado com a secura da mulher, entrou numa pequena sala. Notou que, apesar de pequena, era muito limpa. Ela disse:

— Vai dormir só esta noite?

— Sim, pretendo sair amanhã bem cedo, tenho ainda uma longa viagem pela frente.

— Está com fome?

— Não, vim comendo alguma coisa durante a viagem.

— Alguma coisa não é comida. Estou terminando o jantar. O senhor vai comer junto comigo...

— Não precisa se preocupar, só preciso dormir e acordar cedo...

— Não estou preocupada, mas parece que além de cansado, está com fome. Vamos jantar juntos, garanto que não vai se arrepender. Não se preocupe com o dinheiro, o preço do quarto é o mesmo com comida ou sem. Ali naquela porta fica o banheiro. Se quiser tomar um banho, fique à vontade. No armário tem várias toalhas, pode usar sem medo. Elas são muito bem lavadas e passadas. Enquanto toma seu banho vou terminar o jantar.

Ele não conseguiu dizer não para aquela senhora que poderia ser sua avó e que falava com tamanha firmeza. Não encontrou alternativa. Entrou no banheiro e novamente percebeu que, embora fosse pequeno como a sala, também estava muito limpo.

Tomou um banho. Estava mesmo muito cansado, tudo aquilo para ele estava sendo uma aventura, mas cansativa. Quando saiu do banheiro, a mesa já estava posta. Sobre ela havia duas panelas.

Sentou-se na cadeira que a mulher lhe mostrou. Numa panela havia feijão, na outra arroz, e numa travessa de louça, carne ensopada com batatas. Walther não estava acostumado a comer numa mesa com panelas sobre ela. Sua mãe às vezes preparava arroz e feijão, mas carne com batatas nunca comera.

A senhora sentou-se a sua frente e, com um sorriso, disse:

– Pode comer, meu filho. A comida é simples, mas feita com muito carinho. Vai fazer-lhe muito bem. Como é o seu nome?

– Meu nome é Walther, e o seu?

– Zulmira, mas todos me chamam de Vó Zu. Prefiro que também me chame assim.

– Está bem, Vó Zu! Não estou resistindo ao aroma de sua comida, posso comer?

– Claro que sim, fiz para nós dois!

Começou a comer em silêncio. Enquanto comia, pensava:

Em meu país isto jamais aconteceria... um branco sentado e comendo ao lado de uma negra... ela me parece tão doce... por que será que lá existe tanto preconceito contra os negros?

– Em que está pensando, meu filho?

Ele voltou de seus pensamentos:

– Em como sua comida está mesmo boa!

Ela sorriu:

– Não disse que foi feita com carinho? Diga uma coisa, por que está indo para o Piauí? É muito longe...

Walther olhou para ela. Passara o dia todo calado, só com seus pensamentos, e agora estava diante de uma negra que o tratava como se fosse um filho. Sentiu vontade de falar.

Contou a ela tudo o que lhe acontecera desde que chegara ao Brasil. Só não contou da herança e do dinheiro que possuía. Ela ouviu em silêncio. Quando ele terminou de falar, ela disse:

– Sua história é muito triste, mas não é diferente das de muitas pessoas que vivem no Nordeste brasileiro. Muitas famílias são obrigadas pela seca a se separar. Muitas mulheres são obrigadas a se afastar de seus maridos, que vão em busca de trabalho em outros lugares. Muitos filhos são doados, ou simplesmente abandonados. O Brasil é um país imenso e rico, mas muito mal conduzido por seus dirigentes. Como você disse, seu pai trocou-o por muito dinheiro. Outras crianças são dadas apenas para que alguém lhes dê comida. Está indo em busca de sua família e de sua mãe. Talvez os encontre, talvez não, mas de uma forma ou outra, muito encontrará nessa viagem.

– Não entendo. O que está querendo dizer?

– Estou dizendo que todos os caminhos nos levam a Deus, ao nosso auto-conhecimento.

– Se não encontrar minha mãe, voltarei para meu país e continuarei minha vida como antes.

– Poderá voltar, mas nunca mais será o mesmo. Sinto que durante essa viagem aprenderá muito sobre a vida e sobre si mesmo. Tudo está sempre certo entre o céu e a Terra.

– A senhora me fez lembrar de outras pessoas que me disseram essas mesmas palavras...

– Essas pessoas que lhe disseram isso devem ter muito conhecimento da vida e de Deus.

– Se tudo está certo entre o céu e a Terra, por que fui separado de minha mãe? Embora durante todo esse tempo eu não tenha sofrido, minha mãe, como viveu?

– Quero completar o que as pessoas talvez não lhe tenham dito. Não existem vítimas ou agressores, todos colhemos aquilo que plantamos... todos, mais cedo ou mais tarde, respondemos por nosso livre arbítrio.

Walther, ao ouvir aquilo, ficou furioso:

– Eu era apenas uma criança! Minha mãe, apenas uma jovem! Como eu poderia exercer o livre arbítrio, ou ela? Não teve chance! Foi enganada!

– Para Deus não existem crianças ou jovens. Todos são espíritos muito antigos, que estão sempre caminhando... nós não conhecemos nossos erros anteriores.

– Já percebi que a senhora tem a mesma religião de outras pessoas que encontrei aqui. Será que todo brasileiro pensa assim?

– Não... nem todos, aliás são muito poucos. Mas acreditando ou não, todos estamos na mesma estrada. Você diz que não entende por que tantas pessoas lhe disseram as mesmas coisas. Deve ser porque neste momento é o que você precisa ouvir. Já pensou por que você, nessa sua viagem, veio parar justamente em minha casa? E para ouvir essas coisas?

– Porque era a única na cidade que possuía um quarto para que eu pudesse dormir.

– Poderia ter parado numa cidade mais atrás, ou noutra mais à frente. Por que parou justamente nesta?

– Não sei... tenho ouvido muito a respeito de reencarnação e outras coisas, mas me é difícil entender e aceitar tudo o que me dizem e o que aconteceu com minha vida...

– Acredita em Deus?

– Não sei se acredito. Às vezes penso que ele não existe. Não tenho ainda uma opinião formada...

– Muito bem, continue sua viagem. Só posso desejar que Deus o acompanhe e que consiga encontrar sua mãe e seu destino.

Sorrindo e sentindo-se muito bem com aquela senhora, Walther respondeu:

– Gostei muito de conversar com a senhora, mas não me contou nada sobre sua vida. Mora aqui sozinha?

– Moro... meu marido morreu há dez anos, tenho dois filhos, mas moram na capital. Uma ou duas vezes por ano eles vêm me visitar. Estão casados, tenho três netos. As crianças estudam, por isso não podem vir mais vezes, mas mandam-me dinheiro todos os meses, além do que recebo de pensão do meu marido. Dá para viver muito bem.

– Por que não vai morar com um deles?

– Não! Eu não quero sair de minha casa. Sabe como é, morar com noras sempre causa problemas. Gosto daqui.

– Então não aluga os quartos por que precisa de dinheiro?

– Não é pelo dinheiro. Gosto de conhecer pessoas novas, aprendi muito com as que por aqui passaram e quase todas tornaram-se minhas amigas. Sempre que estão por perto passam por aqui, nem que seja apenas para conversar. Outros mandam cartas. Nem imagina quantos amigos tenho por todo esse Brasil.

Walther sorriu:

– A senhora é mesmo muito agradável. É difícil não se tornar seu amigo. Já me considero um também! Quando voltar, passarei por aqui e vai conhecer minha mãe!

– Tem mesmo certeza de que vai encontrá-la, não é?

– Depois do sonho que tive, sei que quando encontrar aquela casa com muitas janelas, eu a encontrarei.

– Mesmo que não a encontre, não fique triste. Deus sabe o porquê das coisas.

– Gostei muito mesmo da senhora. Nem imagina o que significa para uma pessoa como eu ouvir isso.

– Estou feliz por ter gostado e por tê-lo conhecido. Agora vá dormir, amanhã será um longo dia. Que Deus o acompanhe, mostrando-lhe o caminho que deve seguir...

Walther, sorrindo, dirigiu-se ao quarto. A cama estava bem arrumada. Retirou o lençol e o cobertor que estavam sobre o travesseiro e abriu a maleta. Pegou o porta-retrato, sorriu e colocou-o sobre o criado-mudo. Aquilo já se tornara uma rotina desde que conhecera toda a verdade e descobrira que aquela linda moça era sua mãe. Conhecia todos os contornos de seu rosto.

Ficou olhando para ela por algum tempo, mas cansado da viagem, adormeceu.

Acordou com o reflexo do Sol entrando através da cortina. Lembrou-se de onde estava e que deveria seguir viagem. Levantou-se e saiu do quarto. A casa estava em silêncio:

Ela ainda deve estar dormindo. Não vou fazer barulho, deixarei o dinheiro sobre a mesa.

Entrou no banheiro fazendo o mínimo de barulho possível. Tomou um banho rápido. Não sabia se encontraria outro lugar igual àquele, por isso não dispensou o banho. Saiu do banheiro, voltou para o quarto, vestiu-se e pegou sua maleta.

Assim que abriu a porta do quarto, pôde sentir o cheiro de café que vinha da cozinha. Sorriu e dirigiu-se até lá.

– Bom dia! Pensei que estivesse dormindo! Ia deixar o dinheiro sobre a mesa, antes de sair.

– Pensou que eu o deixaria partir antes de tomar café? Fui até o galinheiro pegar alguns ovos. A viagem será longa, precisa alimentar-se bem.

– Muito obrigado. A senhora é mesmo uma bela pessoa.

– Fiquei à noite pensando na história que me contou. Sei que para você é difícil entender, mas quem sabe, tendo vindo para esta terra que também é sua, aprenda outras coisas.

– Que coisas?

– Ontem, quando me disse que para uma pessoa como você era muito difícil dizer que havia gostado de alguém como eu, percebi sobre o que falava. Gosto muito de ler jornal e ouvir rádio. As notícias demoram a chegar, mas chegam. Sei que em seu país o preconceito racial é muito grande, por isso entendo seu conflito. Aqui conhecerá muitos negros e mulatos. Talvez até você seja um descendente deles. No Brasil todo eles existem, principalmente no Nordeste, para onde está indo. Verá que eles não são diferentes em nada dos brancos. Como acontece com qualquer branco, poderá encontrar alguns negros ruins e sem caráter. Mas a maioria é de pessoas muito boas.

– Desculpe-me, não quis ofendê-la!

– Não ofendeu! Estou feliz por considerar-me sua amiga. Mais feliz ainda por saber que, embora não encontrando sua mãe, está reavaliando seus valores e tudo que aprendeu durante toda sua vida. Sem perceber, está sendo orientado e ajudado por Deus. Esse mesmo Deus que você não sabe se existe.

Walther sentou-se numa cadeira junto à mesa. Ela terminava de preparar os ovos e passar o café num coador de tecido. Ficou olhando para os cabelos brancos daquela mulher, que mesmo sem conhecê-lo o recebera com tanto carinho. Ela era uma mulher muito sábia. Enquanto olhava, pensava:

Por que fui ensinado a ficar longe dos negros? Esta mulher é maravilhosa!

Ela sentou-se do outro lado da mesa e começaram a tomar o café juntos. Quando terminaram, ele se levantou, foi até o jipe e voltou trazendo o mapa. Estendeu sobre a mesa e analisou o caminho que deveria tomar e o quanto faltava.

Ela acompanhava seu dedo que corria sobre o mapa. Disse:

– Ainda está muito longe, não?

– Está sim, nem imagino quantos dias demorarei para chegar.

– Não se preocupe com o tempo, ele não existe. Apenas passa.

– Não entendi o que disse.

– Estou dizendo que o tempo passa, independente da nossa vontade. Que tudo tem hora certa para acontecer. Por isso, não se preocupe com o tempo, chegará na hora exata em que tiver que chegar.

Ele não resistiu. Deu a volta à mesa, pegou aquele rosto negro e enrugado em suas mãos e beijou sua testa com muito carinho. A velha senhora, emocionada, deixou cair uma lágrima:

– Muito obrigada, meu filho. Vá em paz, e que Deus o acompanhe. Que consiga realizar todos os seus desejos. Não se esqueça de passar por aqui na volta.

– Não esquecerei, pode ter certeza... não a esquecerei nunca enquanto viver, e como os outros que por aqui passaram, mesmo estando longe escreverei sempre para saber como está.

Ela o acompanhou até o jipe. Ele entrou e sorriu. Ela disse:

– Vá com Deus!

Ele acenou e saiu dirigindo. Sentia-se muito bem:

Gostei realmente dessa senhora! Aliás, desde que aqui cheguei, só encontrei pessoas hospitaleiras e alegres. Até essa senhora, com toda a humildade com que vive...

Seguiu viagem por vários dias. Dormiu e comeu mal. Notou que a paisagem começava a mudar. Já via poucas árvores e a vegetação era baixa, mas tudo estava muito verde. Alguns lugares pareciam sem vegetação. Só agora entendia o que lhe disseram sobre a seca. Aquele lugar mais parecia um deserto, igual aos que conhecia nos Estados Unidos. Mas nada importava, sabia que assim que encontrasse aquela casa com muitas janelas, encontraria sua mãe e toda sua família que nunca conhecera.

Sempre que ficava cansado ou desanimado lembrava-se disso e recuperava seu ânimo. Se não os encontrasse não conseguiria mais viver em paz. Continuava sempre com a certeza de que, como disse Vó Zu, ele chegaria.

A Casa com
Muitas Janelas

*E*stava parado num posto de gasolina. Pela placa que vira na estrada, sabia que não faltava muito para chegar. Suas roupas estavam sujas, pois não trouxera muitas. Perguntou ao rapaz que abastecia o carro.

– Conhece a família Almeida?

– Conheço! Eles são muito antigos aqui na região.

– Sabe como posso chegar até eles?

– Na próxima saída, o senhor vira à esquerda e entra numa estrada de terra. Vai andar uns cinco quilômetros. Assim que avistar uma casa toda branca com muitas janelas, é ali!

Ao ouvir aquilo, Walther sentiu seu coração disparar. Agradeceu ao rapaz, deu-lhe uma boa gorjeta, entrou rápido no carro e saiu em disparada. Olhou para o relógio. Eram duas horas da tarde:

Agora estou perto, a casa com muitas janelas existe mesmo! Agora acredito que encontrarei minha mãe. Foi ela quem me apareceu em sonhos. Ela está esperando por mim. Finalmente poderei fazer a felicidade dela e a minha. Assim que a vir, antes de dizer qualquer coisa, vou abraçá-la e beijá-la muito. Depois vou levá-la comigo para os Estados Unidos. Lá ela terá tudo o que não teve aqui. Vou recompensá-la por tudo que sofreu.

A estrada de terra chegou. Era estreita e muito esburacada. Mas Walther não se importou, comprara um jipe justamente para enfrentar estradas ruins. Queria mesmo era chegar o mais rápido possível. Desviava de alguns buracos, de outros não. Quando entrou naquela estrada, olhou para o hodômetro e, por seus cálculos, os cinco quilômetros já haviam passado. Até então não via a casa com muitas janelas. A estrada estava deserta, não passou por ninguém.

Preocupado, pensou:

Será que estou no caminho certo? Será que aquele rapaz sabia mesmo de quem eu estava falando?

Parou o carro, pegou o mapa e seguiu a linha que Isaias havia traçado:

– Por este mapa estou no caminho certo, mas onde está a casa?

Continuou rodando, só que agora prestando mais atenção em tudo. Já estava há muito tempo naquela estrada, quando viu ao longe a casa. Seu coração começou a bater com mais força. Essa mesma força ele colocou no acelerador, precisava chegar logo. A casa ficava cada vez mais perto. Encontrou uma pequena estrada que o levaria até onde ela estava. Devagar e com cuidado, virou o carro à direita e entrou na estrada.

Foi com cuidado, porque a estrada tinha muitos buracos. Teve que desviar várias vezes, mas não parou por um minuto. Sabia que estava chegando. Quanto mais se aproximava, mais certeza tinha que era a casa dos seus sonhos:

Finalmente cheguei. Minha mãe deve estar esperando por mim. Que vou dizer a ela? Como me receberá?

Estava desviando de um buraco quando percebeu que um cavaleiro se aproximava. Continuou sem parar. O cavaleiro parou o cavalo em frente ao jipe, fazendo com que Walther freasse. O cavaleiro perguntou:

– Onde o moço está indo? Aqui é uma propriedade particular.

Walther saiu do jipe, dizendo:

– Meu nome é Walther. Estou aqui para conhecer minha família.

– Que está dizendo?

– Sou filho de Paulo e de Marta.

– Nunca soube que eles tivessem um filho...

– Não duvido disso, pois eu próprio fiquei sabendo só agora. Mas tenho aqui comigo uma carta que pode explicar tudo.

– Está bem, acompanhe-me. Vamos até a casa. Lá poderá contar essa história.

O cavaleiro voltou-se e começou a andar devagar. Walther seguiu-o, pensando se seria algum parente...

Chegaram. Walther parou o jipe ao lado do cavalo e desceu. Assim que chegaram, uma porta se abriu e por ela saiu uma senhora com cabelos muito brancos. O cavaleiro disse:

– Vovó, este moço diz que é filho de tio Paulo!

A senhora ficou olhando para Walther, que um pouco sem jeito, disse:

– É isso mesmo, sou filho dele e de Marta... a senhora quem é?

Ela ficou olhando para Walther e de seus olhos começaram a cair lágrimas. O cavaleiro correu para amparála. Walther fez o mesmo. Calados, entraram na casa. Lá dentro Walther encontrou outra senhora e um senhor, que ao vê-lo, assustaram-se. O homem perguntou:

– Que está acontecendo? Branca, por que está chorando?

A senhora olhou para ele, respondendo:

– Esse moço é o filho de Paulo com Marta...

Os dois também levaram um susto. Sentaram-se num sofá. A outra senhora disse:

– Que está dizendo? Não pode ser. Paulo nunca disse nada a respeito do filho.

Walther aproximou-se do senhor e da senhora que estavam sentados, pegou na mão de cada um e com os olhos cheios de lágrimas, disse:

– Sou realmente filho deles. Entendo o que estão sentindo, pois eu mesmo só tomei conhecimento disso há pouco tempo. Fiquem calmos, contarei tudo. Tenho aqui uma carta que Paulo me deixou.

– Sente-se aí nesse outro sofá e conte tudo. Faz muito tempo que Paulo não escreve. Ele está bem?

Walther percebeu que eles até então não sabiam que Paulo falecera. Lembrou-se de tudo o que Isaias lhe dissera sobre a vida após a morte e respondeu:

– Ele está muito bem, não se preocupe.

– Por que não veio com o senhor?

– Por favor, não me chame de senhor. Mas desde que nos encontramos lá fora, não sei quem a senhora é. Imagino que seja mãe de Paulo ou de Marta. De qual deles é a mãe?

– Tem razão, não me apresentei. Eu sou Branca, mãe de Paulo. Esta é Maria, minha irmã e mãe de Marta. E este é Antônio, pai de Paulo. Como deve saber, somos todos parentes.

Walther cumprimentou a todos. Olhou para o cavaleiro. Antes que pudesse perguntar seu nome, ele estendeu a mão, dizendo:

— Meu nome é Lula, aliás, Luiz. Sou filho do irmão mais velho de tio Paulo. Não sei se sabe, o nome dele também é Luiz.

— Muito prazer, sei o nome dele, sim. Então somos primos?

— Isso mesmo! Bem, não precisam ficar tristes. Vamos receber com carinho esse nosso parente que até agora não conhecíamos.

Walther abaixou-se, pegou a mão de Maria e beijou-a, dizendo:

— Sua benção, minha avó, estou muito feliz por estar aqui e poder conhecer a todos.

— Deus o abençoe. Não se incomode com nossas lágrimas. Gente velha é assim mesmo, chora à toa.

Walther sorriu e fez o mesmo com os outros avós, que também o abençoaram e deram-lhe as boas-vindas. Estava realmente feliz por encontrar aquelas pessoas, que embora fossem estranhos para ele, naquele momento o levavam para bem perto de todo o seu passado. Olhou para uma porta tentando ver se sua mãe saía por ela, mas não saiu ninguém. Lula disse:

— Eu moro aqui com nossos avós. Eles se recusam a sair daqui, e para ser sincero, gostei muito disso. Por isso não faço sacrifício algum, não gosto da vida da cidade. Mas, seja bem-vindo. Imagino que ficará aqui ao menos alguns dias. Não trouxe bagagem?

Walther sorriu, fazendo que sim com a cabeça. Acompanhado por Lula, foi até o jipe, tirou a maleta e entrou novamente na casa. Abriu-a, pegou o porta-retrato e a carta e entregou-os a sua avó Branca, mãe de Paulo.

Ela olhou para aquele rosto. Walther percebeu que ela ficou muito emocionada. Depois de olhar por alguns instantes, passou a foto para Maria, que ao ver o rosto da filha, recomeçou a chorar. O avô também se emocionou.

Walther ficou sem saber o que dizer. Mais uma vez Lula veio em seu auxílio:

— Eles estão assim porque faz muito tempo que não têm notícias de tia Marta.

— Ela não está aqui?

Foi Maria quem respondeu:

— Não, meu filho. Desde aquele dia que o pai a expulsou, nunca mais tivemos notícias dela. Paulo veio aqui em busca dela, mas não disse nada a seu respeito.

Walther sentiu uma desilusão imensa. Não conseguiu evitar a expressão de tristeza. Depois de alguns instantes, disse:

– Vim até aqui na esperança de encontrá-la, mas infelizmente isso não aconteceu.

– Não fique triste, meu primo. Não encontrou sua mãe, mas encontrou seus avós. E logo vai conhecer outros parentes que moram na cidade. Não sei se sabe, mas sua família é muito grande.

Walther sorriu novamente.

– É, meu primo. Estou muito feliz por saber que não estou só nessa vida. Essa carta que está nas mãos de nosso avô explica tudo.

Antônio, o avô, entregou a carta a Lula, dizendo:

– Não sabemos ler. Lula, quer ler pra nós?

Lula pegou a carta. Assim que passou os olhos, percebeu que era uma carta de despedida. Entendeu que se estava nas mãos de Walther, era porque Paulo havia morrido. Emocionado, disse:

– Mais tarde. Agora está muito calor e o primo deve estar cansado. Por suas roupas percebo que está precisando de um banho e de roupas limpas. Na estrada há muita poeira.

Walther entendeu que ele não quis dizer aos avós que Paulo havia morrido. Respondeu:

– Lula, você tem razão. Estou mesmo cansado e precisando de um bom banho. Se permitir, farei isso agora. Só que não tenho roupas limpas. Todas estão sujas.

– Não se preocupe. Temos o mesmo corpo, acho que as minhas servirão. Venha comigo, vou mostrar-lhe o banheiro e onde dormirá. Vou também dar-lhe algumas roupas. Depois Leda vai lavar e passar as suas.

Walther agradeceu ao primo em pensamento. Queria sair dali naquele momento. Sabia que teria que contar tudo, mas não estava preparado. Eles eram muito velhos, teriam que ser preparados para receber a notícia. Acompanhou Lula, que o levou até o banheiro. No corredor, enquanto se dirigiam ao quarto, Walther notou que a casa tinha muitos quartos, por isso possuía tantas janelas. Sentiu novamente um aperto no coração. Lembrou-se do sonho. Pensou:

Tinha tanta esperança de encontrar minha mãe. Infelizmente isso não aconteceu. Pelo menos encontrei uma família. Esse meu primo parece ser uma pessoa de bem. É muito gentil. Gostei dele. Nem parece que nos conhecemos só agora...

Lula abriu a porta de um quarto, e enquanto entravam, ia dizendo:

– Nesta casa já moraram muitas pessoas, a família era muito grande. Quando tio Paulo voltou, estava muito feliz. Disse que encontrara a pedra e que mudaria a vida de todos. Eu ainda não era nascido, mas nossos avós sempre contam a história. Nossos tios foram embora. Alguns estudaram e hoje estão muito bem. Meu pai casou-se, mudou-se para a cidade, mas sempre ficou ao lado dos pais, nunca deixando faltar nada.

– Por que você está aqui? Pelo modo como fala, parece ser uma pessoa com instrução.

– Quando criança, vinha passar as férias aqui e adorava. Meu pai, com o dinheiro que tio Paulo mandou, estudou e tornou-se advogado. Sempre acreditou que todos os seus filhos deveriam estudar. Fiz a vontade dele. Formei-me, sou advogado, mas nunca me senti como tal. Nunca suportei a idéia de ficar de paletó e gravata o dia inteiro. Entreguei o diploma para meu pai, dizendo: "Agora já sou um doutor, só que vou para o sítio dos meus avós. Quero viver lá para sempre!"

Meu pai não entendeu o porquê daquilo, mas diante de minha atitude e percebendo que eu já havia decidido, só lhe restou aceitar. Foi assim que vim para cá e nunca mais quis ir embora. Cuido de tudo e estou perto dos meus avós. Você já deve ter notado que eles continuam aqui de teimosos.

– Realmente, já estão muito velhos. Sem você por perto seria difícil permanecerem aqui.

– Por isso estou aqui. Dou a eles tudo aquilo que precisam. Além disso, gosto muito deles. Para ser sincero, uni o útil ao agradável.

Walther colocou a maleta sobre um sofá e observou todo o quarto. Havia uma cama de casal, um guarda-roupa, uma cômoda e, no canto, um sofá. Depois de olhar por alguns segundos, disse:

– Pode não acreditar, mas sonhei com esta casa.

– Acredito sim. Quando dormimos, nosso espírito sai para passear. Vai a muitos lugares.

Ao ouvir aquilo, Walther quase gritou:

– Não! Você também, não!

Lula não entendeu a reação de Walther.

– Eu também não, o quê?

– Você também vem com essa história de espírito? Parece que todo mundo com quem converso pensa da mesma maneira! Neste país todos acreditam nessas coisas?

Lula começou a rir:

— Quer dizer que já ouviu falar sobre isso?

— Com todas as pessoas que conversei por mais de dez minutos. Todos aqui acreditam mesmo nisso?

— Não! Nem todos! Aliás, a maioria acredita que espíritos são coisas do diabo. E quem estuda sobre isso é o próprio diabo! Este país é muito católico, principalmente aqui no Nordeste. Essa doutrina ainda é muito nova. Nem todos aceitam. Eu aceitei e acredito fielmente, mas agora não é hora de falarmos sobre isso. Vamos até meu quarto. Vou pegar algumas roupas para que use até que as suas sejam lavadas.

Saíram do quarto. Lula abriu uma porta que ficava ao lado e entraram. Como o outro quarto, esse também era muito simples. Enquanto Lula pegava algumas roupas no armário, Walther notou que no criado-mudo havia um porta-retrato com a foto de uma moça muito bonita. Não resistiu à curiosidade. Perguntou:

— Quem é a moça do retrato?

Lula pegou o porta-retrato nas mãos, olhou e sorriu dizendo:

— É Noemia. Foi minha esposa. Foi-se, mas é meu eterno amor...

— Não entendi. Se é seu eterno amor, por que o abandonou?

— Não disse que me abandonou.

— Você disse que ela foi sua esposa, mas que se foi!

— Não nos separamos, ela partiu para junto de Deus...

— Morreu? Você diz isso com toda essa calma? Não a amava?

— Eu a amava muito mais do que possa imaginar, mas sei que ela cumpriu seu tempo aqui na Terra e que está agora me esperando, pois a qualquer momento também irei. Aliás, todos iremos um dia.

— Por mais que me esforce, não consigo acreditar no que está dizendo. Você não a amava? Não consigo aceitar a morte com essa facilidade.

— Isso é porque não acredita que exista vida após a morte, mas eu acredito. Acredito na sabedoria divina, acredito que Noemia veio apenas por um tempo. Viveu o tempo necessário para me fazer feliz e ensinar-me essa nova doutrina. Sim, foi através ela que comecei a conhecer e aceitar a espiritualidade.

— Não entendo, mas preciso respeitar sua opinião. Se é feliz assim, que posso dizer, não é?

Lula recolocou o porta-retrato no criado-mudo, dizendo:

— Não precisa entender, nem dizer nada. Precisa apenas tomar banho e trocar de roupas. Venha.

Saíram do quarto. Lula acompanhou Walther até o fim do corredor, parou em frente a uma porta e disse:

— Aqui é o banheiro. Graças a Deus, faz muito tempo que não temos seca, por isso tem água à vontade para tomar seu banho.

Walther pegou as roupas, uma toalha e entrou no banheiro. Como todo o resto da casa, o banheiro também era muito simples. Viu um chuveiro e uma torneira, havia também uma pia. Na parede sobre ela havia um espelho e, sobre a pia, uma navalha e um pincel de barbear. Pegou o pincel, passou no sabonete e, com a navalha, fez a barba, que já estava bem crescida.

Tirou a roupa, abriu a torneira do chuveiro e uma água morna começou a cair sobre seu corpo. Aquela água era como um bálsamo. Enquanto se lavava ia pensando em tudo o que Lula lhe dissera. Pensou naquelas pessoas que o aceitaram sem querer ver documentos ou provas de quem era, ou se dizia a verdade.

E se eu estivesse mentindo? Aceitaram-me assim que me viram. Como é estranho esse meu primo. Que é isso que está acontecendo? Parece que não são estranhos... Parece que já os conheço há muito tempo...

Terminou o banho. Já se sentia outro. Vestiu a calça e a camisa que Lula lhe dera. Serviu-lhe perfeitamente:

Como disse Lula, temos o mesmo corpo. Não sei como vou contar a eles que Paulo morreu. A carta ficou com Lula, talvez ele tenha um modo de falar. Conhece os velhos bem mais que eu.

Saiu do banheiro e percebeu que a porta do quarto do primo estava aberta. Foi até lá. Ele estava recostado na cama lendo a carta de seu tio Paulo. Bateu suavemente na porta. Lula olhou, sorriu. Walther perguntou:

— Posso entrar?

— Claro que pode, foi por isso que deixei a porta aberta. Queria falar com você a respeito desta carta. Já li um pouco. Então, tio Paulo morreu?

Ele se aproximou, dizendo:

— Sim, mas eu o encontrei ainda vivo. Tentou contar-me o que havia acontecido, mas não conseguiu, morreu antes disso.

— Por que não nos avisaram? Nem sabíamos que estava doente.

– Ele não quis, tinha a mesma crença que a sua. Disse que queria ser lembrado como sempre fora. Com a doença, ficou muito magro e abatido. Foi sepultado em Campos de Jordão, uma cidade muito bonita, junto a uma montanha muito colorida. Um lugar que ele adorava.

– Você acompanhou seu sepultamento?

– Sim, ele morreu um dia depois da minha chegada ao Brasil.

– De onde? Por que veio?

– Vim dos Estados Unidos, vivi lá toda minha vida. Vim porque ele me chamou através de uma carta. Até pouco tempo, não sabia de sua existência.

– Como assim? O que aconteceu?

– Está tudo nessa carta. Ele, com medo que não tivesse tempo de me contar, deixou tudo escrito.

– É uma carta bem longa.

– Se quiser, posso adiantar-lhe tudo. Ele simplesmente me vendeu. Roubou-me de minha mãe.

– Agora não. Mas já estou entendendo mais ou menos o que aconteceu. Vou ler mais tarde, agora vamos até a sala. Não se esqueça que nossos avós estão nos esperando. Eles devem ter muitas perguntas.

– Acredito que sim, e vou procurar responder a todas. Só não sei como dizer que Paulo morreu...

– Por que se refere a ele como Paulo e não como pai?

– Porque, na realidade, não o considero como pai. Fui criado por outro homem que julgava ser meu pai E a quem muito amei. Ainda não me acostumei com essa minha nova situação.

– Entendo... essa carta deve mesmo conter uma longa história.

– Sim! Muito longa e mudou minha vida. Vamos para a sala?

Dirigiram-se à sala. Assim que chegaram, Walther percebeu que a mesa estava posta com muita comida. Uma senhora que ele ainda não conhecia colocava a comida sobre a mesa. Os avós continuavam sentados no sofá. Lula, ao ver o espanto de Walther, disse:

– No interior é assim. Acordamos muito cedo, antes do Sol nascer, e por isso o jantar também é servido antes do Sol se pôr. Deve estar com fome. Quero que conheça Leda, está conosco há muito tempo. Cuida da casa e de todos nós.

Walther olhou para Leda, que lhe sorria. Estendeu a mão, dizendo:

– Muito prazer, meu nome é Walther, sou o mais novo membro da família.

187

– O prazer é todo meu, seja bem-vindo!

Lula dirigiu-se aos avós, dizendo:

– Gente. Vamos comer? Vamos mostrar a esse primo o que é uma boa comida?

Rindo, os velhos levantaram-se e foram até a mesa. Walther esperou que todos se sentassem para depois sentar-se. Leda começou a colocar arroz, feijão e carne de Sol nos pratos dos velhos. Walther seguia seus movimentos e percebeu que ela fazia aquilo com carinho. Lula, colocando sua própria comida, olhou para Walther e disse:

– Vamos, primo. Sirva-se! A comida da Leda é muito boa, tenho certeza que vai gostar.

– Vou sim! Já há alguns dias venho comendo a comida feita aqui no Brasil. Parece que a mulher brasileira tem um dom especial para cozinhar. Minha mãe também cozinhava muito bem, mas nunca provei comidas iguais às que comi por aqui.

Comeram conversando e rindo muito. Dona Maria, mãe de Marta, não tirava os olhos de Walther. Ele percebeu, mas fez de conta que não notava. Imaginava o que poderia passar pela cabeça daquela senhora ao ver diante de si o neto que um dia permitiu que seu marido expulsasse de casa. Sentiu um certo rancor por ela. Enquanto comia diante daquela mesa imensa, tentou imaginá-la cercada por muitas crianças. Lembrou-se de Paulo contando como viviam.

Estava com seu pensamento distante quando ouviu seu avô, pai de Paulo, dizendo:

– O senhor está gostando da comida?

Walther admirou-se com a pergunta:

– Estou gostando muito, mas por favor, não me chame de senhor. Sou seu neto. Filho de Paulo e de Marta!

Lula percebeu que Walther estava nervoso por ver que o avô não entendera ainda quem ele era:

– Vovô, este moço é meu primo e seu neto. Lembra do filho de tia Marta?

O velho ficou calado, parecia não entender. Lula olhou para Walther e fez um sinal, que ele entendeu e não prosseguiu a conversa.

Terminaram de comer. Levantaram-se e foram para a sala ao lado. Sentaram-se todos em sofás. Maria, a mãe de Marta, disse:

– Meu cunhado já há algum tempo vem perdendo a consciência de tudo. Esqueceu-se de muitas coisas. O médico disse que é esclerose, mas eu me lembro muito bem de tudo o que aconteceu. Se é filho de

Marta, por que nunca apareceu aqui? Onde está ela? Não vou morrer enquanto não vê-la novamente. Preciso pedir-lhe perdão por não tê-la ajudado quando precisou.

Walther olhou para todos, principalmente para Lula, que parecia aflito, mas não podia esconder mais o que estava sentindo:

— Enquanto eu comia pensava justamente nisso. Por que não impediu que seu marido a expulsasse daquela maneira?

Maria tentou secar uma lágrima que escorria por seus olhos:

— Eu tentei, mas os homens em nossa família tinham sempre a última palavra. Meu marido era muito bom e muito honesto, por isso não admitiu o erro dela.

— Pois com esse gesto, minha mãe ficou sozinha neste mundo. Foi enganada e me separaram dela. Fui criado em outro país, com outros pais. Nunca soube disso até bem pouco tempo. Pergunta-me onde ela está? Também não sei. Vim até aqui na esperança de encontrá-la. Mas, infelizmente, isso não aconteceu. Estou feliz por conhecer a todos, por saber que tenho família, mas muito triste por não saber se minha mãe está viva ou morta.

— Sinto muito por tudo isso. Estou aqui nesta casa e ficarei até o dia que ela volte, ou até quando Deus me levar. Tenho sonhado muito com ela, por isso sei que está viva. Ela não morreu. Acredite nisso. Agradeço a Deus por este momento, por poder ver que você se transformou num homem muito bonito.

Branca, a mãe de Paulo, prosseguiu:

— Isso mesmo, Maria. Ele não parece o meu Paulo quando tinha essa idade?

— Parece mesmo. O mesmo porte e até o mesmo modo de falar.

— Sabe, meu filho, seu pai sempre sonhou muito e correu atrás dos sonhos. Sabia que encontraria uma pedra e a encontrou. Se for igual a ele, encontrará sua mãe. Como Maria disse, não acredito que ela esteja morta. Sinto que vai encontrá-la quando menos esperar.

— Esse é meu maior desejo, mas não sei como ou onde procurá-la.

— Vai encontrá-la, meu neto, sinto isso. E quando a encontrar, se eu não estiver mais aqui neste mundo, peça perdão por nós. Diga que nunca a esquecemos, que sempre estivemos aqui esperando sua volta. Por isso não nos mudamos para a cidade. Nosso medo era que ela voltasse e não nos encontrasse.

Walther ouviu sua avó Branca que acabava de dizer essas palavras. Olhou para ela, sentiu uma estranha ternura por aquela velhinha que falava de Marta com tanto amor e saudade. Sem perceber, aproximou-se e abraçou-a com um carinho sincero:

– Prometo-lhe, minha avó, vou procurá-la por todo este Brasil e assim que encontrá-la, a trarei até aqui. Como a senhora diz, ela tem que estar viva em algum lugar e eu encontrarei esse lugar.

A avó também o abraçou e, chorando, disse:

– Deus o abençoe e ilumine o seu caminho.

Lula percebeu que aquela conversa estava ficando muito triste e interrompeu-os:

– Nada sabemos sobre nosso futuro, ele a Deus pertence, mas podemos mudar algumas coisas. Por exemplo, eu e o meu primo vamos sair um pouco e andar por aí, antes que o Sol desapareça e surja a noite. Ainda poderemos ver um bom pedaço da propriedade. Que tal, primo? Aceita o meu convite?

Walther percebeu a intenção do primo. Com a cabeça, aceitou.

Já fora da casa, Lula disse:

– Apesar de ter nascido aqui, você viveu fora deste país. Por isso não entende algumas coisas que aqui acontecem.

– Por que diz isso?

– Notei que você julgou e condenou nossos avós por tudo o que aconteceu em sua vida.

– Claro que sim. Eles foram os responsáveis. Se tivessem abrigado minha mãe, eu teria nascido aqui e seria hoje como você. Não teria sido vendido como se fosse uma pedra, ou um escravo. Minha mãe não teria sofrido tanto como sofreu. Hoje ela estaria aqui ou em qualquer outro lugar, mas eu saberia que lugar era esse.

– Você tem razão em algumas coisas, mas não conhece nossa cultura. Hoje já é um pouco diferente, mas não mudou muito:

– Não entendo o que está querendo me dizer.

– Assim como não conhece nossa cultura, não conheço a sua. No país em que foi criado talvez tudo seja diferente, mas aqui a honra sempre foi, e é ainda, em alguns lugares, muito importante. Naquele tempo era mais rígida ainda. Para um sertanejo, a honra está acima de tudo. Percebeu que nossos avós são analfabetos, não entendem nada de leis. Só conhecem uma: a honra. Ao saberem que sua mãe engravidara e que o pai era o próprio primo, sentiram-se atingidos na honra. Como disse nossa Vó Maria, os homens dominavam e continuam dominando tudo. Ela, mesmo que quisesse, não poderia fazer nada.

– Mas não devia ser assim. Com essa ignorância mudaram minha vida e provavelmente destruíram a de minha mãe!

– Concordo com você, mas nada pode ser mudado. Só posso dizer-lhe que nada acontece nesta Terra sem um motivo ou a vontade de Deus. Sua lei é justa e verdadeira.

– É muito fácil para você dizer isso. Foi criado por seu pai e por sua mãe, nunca foi afastado deles. Mas eu não aceito!

– Aceitando ou não, não poderá mudar o passado. Tudo aconteceu do modo que foi planejado.

– Não estou entendendo. Quem planejou?

– Poderia explicar-lhe, mas com certeza não acreditaria. Por isso só posso dizer-lhe que siga seu coração, sua intuição. Se tiver que encontrar sua mãe, isso acontecerá. Se não, não adianta se atormentar.

– Você fala como se fosse tudo certo e natural.

– Por tudo que aprendi e acredito, realmente tudo é certo e natural. Acredito que esta vida não é nada diante de uma eternidade. Acredito que estamos neste planeta por muito pouco tempo, que nosso verdadeiro lar não é aqui.

– Lá vem você novamente com essa de religião. É muito fácil acreditar e aceitar em nome de uma religião qualquer, mas a realidade é outra. Fui vendido! Não sei se minha mãe está viva ou morta!

– Fique calmo, não se trata de religião. É a certeza de que, se existe um Deus, ele só pode ser bom, generoso e justo, e não tem filhos preferidos. Ama-nos a todos da mesma maneira. Não permitiria que uma injustiça fosse feita. Eu acredito nesse Deus.

– Acredita tanto nele que não se importou com a morte da mulher que amava?

– Claro que me importei. Ficamos casados por dois anos e foi o tempo mais feliz de minha vida. Eu a amava e era amado.

– Como, então, aceita com tanta naturalidade sua morte? Por que não questiona esse seu Deus? Não acredita que ele foi injusto com vocês?

– Quando ela morreu, eu sofri muito. Senti saudades, mas aprendera com ela mesma que a morte não existe. O espírito continua. Sei que ela está em algum lugar, em outra dimensão esperando por mim. Isso me faz sentir que devo continuar minha vida, até o momento que possa retornar e encontrá-la novamente.

– Algumas vezes chego até a acreditar que a religião é realmente o ópio do povo. Essa crença em Deus faz com que as pessoas não lutem por aquilo que acreditam. Por isso continua a ignorância e a pobreza neste mundo.

– Por tudo isso que há no mundo e por acreditar em Deus é que tenho certeza de que somos um espírito que vai e volta muitas vezes a nascer neste mundo, sempre se aperfeiçoando, sempre aprendendo.

– Não consigo entender isso que está dizendo. Não consigo aceitar ter sido vendido e afastado de minha mãe.

– Não sabemos de nada. Não sabemos quais foram os motivos.

– Sei muito bem qual foi o motivo. Paulo quis ter dinheiro.

– Não estou falando do motivo que levou tio Paulo a fazer aquilo. Estou falando do motivo que a vida o levou a agir daquela maneira.

– Que vida? Que motivo? Foi apenas ganância, nada mais que isso!

– Não sei, não. Eu realmente acredito que exista uma força maior que nos conduz...

– Quer dizer que minha mãe precisava passar por tudo isso? Foi isso que aprendeu com sua religião?

– Foi isso sim que aprendi, mas aprendi também que todos temos o livre arbítrio e que podemos, através de nossas escolhas, mudar tudo.

– Cada vez o entendo menos.

– É mesmo um pouco complicado, mas por tudo que aprendi e acredito, por um motivo qualquer que não sei qual seja, sua mãe precisava viver separada de você e de tio Paulo. Tio Paulo poderia ter usado seu livre arbítrio e ter mudado tudo, mas não usou. Por quê? Por dinheiro? Por acreditar que assim fazendo poderia dar a você uma vida diferente?

Walther ficou calado, não sabia o que responder. Lula prosseguiu:

– Se ele soubesse que encontraria a pedra, teria feito aquilo? Por que a encontrou assim que você foi levado? Ainda assim não acredita que existe uma força maior que conduz a tudo e a todos?

Walther permanecia calado tentando entender aquelas perguntas. O primo falava com tanta firmeza e sinceridade que sentiu-se confuso.

– Não sei... não sei o que pensar. Tudo é muito estranho.

– Sei disso. Não se preocupe, tudo tem sua hora. Falando em hora, já está anoitecendo, precisamos dormir. Amanhã vou levá-lo até a cidade, que fica a trinta quilômetros daqui. Vai conhecer meus pais e todo o resto da família que vive aqui. Você quer?

– É o que mais quero. Sabe que, apesar de tudo, estou feliz por ter uma grande família, e o melhor de tudo, por tê-lo conhecido.

– Também estou feliz, você é um bom homem. Um pouco perdido, mas vai encontrar seu caminho. Vamos entrar?

– Vamos sim, mas diga-me: você leu toda a carta de Paulo?

– Não, não tive tempo. Li somente até quando ele começou a contar que o havia trocado por dinheiro e encontrado a pedra. Aí você terminou de tomar banho e veio para o meu quarto.

– Está bem. Continue lendo, garanto que terá muitas surpresas.

Entraram. Os avós estavam tomando chá. Lula disse:

– Eles fazem isso todas as noites antes de dormir. Tomam o chá e se despedem.

Ele ia continuar, mas a avó Branca disse:

– Está na hora de irmos nos deitar. Podem ficar conversando aqui, mas não se esqueçam de tomar o chá. Com ele dormirão melhor. Boa noite!

Os três se aproximaram e beijaram Lula e Walther, que espantado retribuiu os beijos.

– Boa noite... durmam bem...

– Você também, meu neto, durma bem. Esta casa é sua.

– Obrigado...

Walther e Lula seguiram-nos com os olhos. Walther disse:

– Não sei por que, mas sinto-me estranho na presença deles. Estou feliz por tê-los encontrado, mas não consigo esquecer que eles um dia me expulsaram desta casa.

– Eles não o expulsaram, apenas tentaram defender a honra ferida! Hoje estão velhos e já sofreram muito por isso. Não devemos julgar ninguém, pois não sabemos de nada. Vamos também nos deitar? Amanhã você terá um dia de muitos encontros. Sei que sua presença vai trazer muita felicidade a todos. Principalmente a meu pai, que era muito amigo de tio Paulo. Ele, como todos os outros, ajudou a procurar por sua mãe, mas ela não quis ser encontrada.

– Ou morreu quando voltava desiludida e triste para esta casa.

– Talvez. Bem, agora precisamos dormir. Vou acompanhá-lo até a porta do seu quarto. Aqui faz muito calor. Leda deve ter deixado um short sobre sua cama. Não conseguirá usar nada além disso.

Walther acompanhou Lula. Deu boa noite e entrou naquele que seria seu quarto. Lula tinha razão, sobre a cama havia um short, uma camiseta e uma toalha de banho. Olhou para sua maleta. Foi pegar a foto da mãe, mas não a encontrou. Lembrou-se que a entregara a sua avó:

Ela não a devolveu. Mas não posso deixar a foto com ela. Antes de ir embora vou pedi-la de volta.

Talvez minha mãe tenha dormido um dia neste quarto. Sinto que alguém me observa.

Levantou-se, foi até a janela e verificou se estava bem fechada. Fez o mesmo com a porta. Depois de ter certeza de que tudo estava bem trancado, tornou a deitar-se. Fechou os olhos, tentando dormir. As imagens de Paulo, Lula e os avós passavam por sua cabeça:

Quem poderia imaginar que esses bondosos velhinhos um dia fizeram uma maldade como aquela? Lula diz que é a cultura, mas não consigo aceitar. Em meu país será dessa mesma forma? Não sei, nunca soube de uma moça que houvesse tido um filho solteira... não sei... nunca prestei atenção nisso. Quando penso que todos são meus parentes, fico emocionado... com Lula, principalmente... sinto-me muito bem conversando com ele. Essa sua crença será verdadeira? Ele me parece bem seguro a respeito... acredita realmente que haja outra vida após a morte, que haja mesmo um Deus que comanda a tudo e a todos. Será verdade? Não, é verdade! Quantas guerras hoje estão sendo travadas por este mundo? Sem propósito, só pelo poder! Quantos não estão morrendo por nada! Onde está esse Deus que permite que isso aconteça? Se perguntar a Lula, saberá me responder? Com certeza inventará uma desculpa qualquer e dirá que tudo é vontade de Deus...

Ficou pensando, mas estava cansado. Não só pela longa viagem que fizera, mas por todas as emoções que vinha vivendo:

Desde que aqui cheguei, sinto que minha vida está mudando cada vez mais rapidamente... além de descobrir que sou um homem muito rico, conheci pessoas que me receberam com muito carinho, descobri que não estou só no mundo... além dessas idéias nas quais Lula e os outros acreditam. Só não encontrei minha mãe... queria tanto que isso acontecesse, só assim poderei voltar com tranqüilidade...

Pensou muito, virou-se, ajeitou o corpo e adormeceu. Sonhou que estava novamente diante daquela casa com muitas janelas. Via Marta por trás da janela. Correu para perto dela, mas acordou.

Com os olhos abertos, viu-se novamente no quarto em que dormia. Olhou para a janela e percebeu que o dia já estava nascendo.

194

Tentou dormir novamente, mas não conseguiu. Sentiu sede, levantou-se e foi até a cozinha beber água. Assim que entrou, percebeu que Leda estava junto ao fogão esperando que a água fervesse para fazer o café. Ela assustou-se quando ele entrou, não esperava que ninguém aparecesse.

Walther, ao ver que a assustara sem querer, disse:

– Desculpe! Não quis assustá-la, só vim até aqui para beber um pouco de água.

– Não tem importância. Assustei-me, mas já passou. Perdeu o sono?

– Ontem fui dormir muito cedo, não estou acostumado. Tive um sonho estranho, acordei sentindo muita sede.

– Vou dar-lhe água, mas se quiser esperar um pouco, logo vai sair um café fresco.

– Vou esperar sim, não sinto nem um pouco de sono.

– Isso é bom, assim poderemos conversar. Desculpe, sou apenas a empregada da casa, mas já vivo aqui há muitos anos. Ouço diariamente seus avós falarem de sua mãe. Eles não a esqueceram e carregam até hoje a culpa do que fizeram. Principalmente sua avó Maria. Ela se culpa por não ter lutado contra o marido e impedido que ele fizesse aquilo. O que mais a atormenta é não saber o que aconteceu com a filha. Diz que vai ficar aqui até que ela volte.

Como já percebeu, eles não precisariam mais estar aqui. Poderiam viver tranqüilos na cidade junto com os outros filhos ou numa casa própria, mas não saem daqui dizendo que, se Marta voltar, não os encontrará e não saberá onde eles estão. Esperam por ela o tempo todo.

Enquanto o senhor passeava ontem com Lula, disseram-me o quanto estavam felizes com sua chegada. Para eles foi como um perdão de Deus. São pessoas simples. Percebeu que eles não sabem falar muito bem e que são analfabetos, mas têm bons sentimentos. São pessoas que viveram de acordo com aquilo que aprenderam. Quando jovens, trabalharam muito para criar os filhos. Está vendo esta terra, que hoje está verde e bonita? De repente tudo isso pode se transformar em terra pura. Quantas vezes eles viram a plantação secar e os animais morrerem por falta de água? Mas nunca desistiram, esperavam a chuva voltar e começavam tudo novamente. São uns heróis! Uns vencedores!

Walther ouviu tudo calado. Seguia com seu pensamento tudo o que ela dizia. Imaginava seus avós moços e cuidando de todas aquelas crianças. Lembrou-se de Isaias quando lhe dissera que não devemos julgar ninguém, não sabemos de nada.

Leda parou de falar. Ele ficou olhando para aquela mulher que não tinha mais de quarenta anos, mas que falava com muita sinceridade e defendia seus patrões com muito ardor. Ficou olhando para ela e, depois de alguns instantes, disse:

— Parece que gosta muito deles!

— Gosto e muito. Foram mais que meus pais. Quando cheguei aqui, também havia sido expulsa de minha casa e trazia uma barriga. Tinha quinze anos e fora abandonada pelo homem a quem amara. Isso aconteceu logo depois da vinda de seu Paulo, quando encontrou a pedra e veio procurar Marta. Eles me receberam como se eu fosse a filha que abandonaram. Já haviam entendido que não agiram certo com ela, mas não sabiam como encontrá-la.

Minha filha nasceu e foi criada aqui nesta casa. Seu Paulo também me ajudou. Ela se formou, hoje está casada e tenho três netos. Sou uma mulher feliz e devo toda essa felicidade a esta família. Ficarei ao lado deles enquanto precisarem. É a forma que encontrei para agradecer-lhes.

— Nunca mais se casou?

— Não... aqui, uma moça solteira com filho dificilmente encontra um homem que a queira como esposa. Mas isso não me preocupou nunca. Sofri muito com meu primeiro amor. Fiquei com medo de ter que passar por tudo aquilo novamente.

— Obrigado por ter me contado tudo isso. Estou começando a entender a atitude deles. Não aceito, mas entendo. A única coisa que quero agora é encontrar minha mãe, mas parece impossível. Paulo tentou e não conseguiu. Acredito que se ela não voltou para cá foi porque morreu. Não tinha outro lugar para ir. Segundo Paulo, ela saiu do garimpo com pouco dinheiro.

— Não conheci sua mãe, mas sei que foi muito amada por seu Paulo e por todos aqui. Foi a ignorância que os separou.

— Dos meus avós pode ter sido a ignorância, mas de Paulo foi somente a ganância.

— Percebo que sente um certo rancor por ele.

— Para ser sincero, não sei se rancor, ódio ou pena. Ouvi algumas idéias desde que cheguei a este país que estão me fazendo pensar.

— Já sei, conversou com Lula sobre vida espiritual.

— Não só com ele, mas com muitas pessoas que conheci no Brasil. Chego até a pensar que aqui todos acreditam nisso! Você também pertence a essa crença?

– Deus me livre! Isso é coisa do demo! Mas gosto muito de Lula. Quando ele casou com a menina Noemia, sabia que ela estava doente e que não viveria muito, mas mesmo assim se casou. Viveram aqui por dois anos. Foi o tempo que tiveram. Eles viveram esses dois anos com muita intensidade. Nos últimos dias, quando ela ficou bem mal, ele ficou a seu lado cuidando dela e fazendo-lhe carinho. Ela era muito doce e acreditava que não morreria, apenas iria para outra dimensão. Eu não entendia muito o que ela dizia, mas ele parecia entender e concordar com ela, dizendo que logo mais iria a seu encontro.

– Ele pensava em suicídio?

– Não! Quando lhe perguntei o que queria dizer com aquelas palavras, respondeu:

– *Por que o espanto? Um dia todos não vamos morrer? Ela foi na frente porque era um anjo que passou rápido pela Terra. Eu, ao contrário, devo ter algo para fazer. Não se preocupe, não vou fazer loucura alguma. Vou viver e esperar minha hora. Nessa hora eu a encontrarei novamente. Temos toda a eternidade para nos amar...*

– Ele me pareceu muito feliz e tranqüilo. Nunca pensei que poderia passar por um drama como esse!

– Não só parece, mas é feliz e tranqüilo. Adora tudo aqui. Levanto mais cedo porque logo mais chegarão alguns homens que o ajudam na plantação e a cuidar dos animais. Assim que chegarem, terão café e bolo para comer antes de começar o trabalho. Lula os ajuda plantando e cuidando dos animais. Vive em cima do cavalo indo de um lado para outro. Está sempre rindo e feliz.

– Não acha que essa reação não está certa?

– Por que pergunta isso?

– Depois de tudo que me contou, ele deveria ser uma pessoa triste e infeliz. Eu, ao menos, seria.

– Ele acredita na espiritualidade, por isso vive a vida com felicidade. Também não entendo muito bem, mas é verdade. Ele não está mentindo, vive realmente feliz.

– Quantos anos ele tem?

– Uns vinte e cinco ou vinte e seis, não sei bem. Casou-se assim que se formou e veio para cá. Não sei se o senhor sabe, mas ele é advogado.

– Sei, sim, isso ele me contou.

— Bom dia! Que é isso primo? Caiu da cama?

— Bom dia, Lula. Ontem fui dormir muito cedo. Acordei com sede, vim até a cozinha e encontrei Leda. Estávamos aqui conversando.

— É bom que já esteja acordado. Assim que os empregados chegarem vamos tomar nosso café e, se quiser, poderemos ir conhecer o resto da família que está na cidade.

— Quero sim. Preciso voltar para casa, por isso não poderei ficar aqui muitos dias.

— Terminei de ler a carta de tio Paulo. Sei agora o que quis dizer com as surpresas que eu teria. Sei que hoje é um homem muito rico. Nunca pensei que ele não venderia a pedra e que ela pudesse existir até hoje.

— É verdade. Ele queria que eu a mostrasse a minha mãe, quando a encontrasse.

— Mesmo assim, com tanto dinheiro, ainda quer voltar para os Estados Unidos?

— Quero, pois embora eu tenha nascido aqui, não me sinto brasileiro. Tudo me é estranho e diferente. Fui criado de uma outra maneira, com outra cultura. Tenho lá minha casa e meus amigos, além do meu trabalho.

— Entendo o que sente. Mas com todo esse dinheiro que herdou poderá vir para cá sempre que quiser. Será sempre bem-vindo a esta casa e a nossa família!

— Sei disso. Voltarei muitas vezes. Apesar de não me sentir brasileiro, estou gostando muito deste país, principalmente das pessoas. São todas muito afetuosas. Gostam de abraçar e beijar. Não estou acostumado com essa forma de atenção. Em meu país, só as pessoas muito próximas têm esse comportamento. Aqui não, todos se abraçam e se beijam.

Lula não respondeu, apenas sorriu. Leda os interrompeu:

— Se quiserem, já podem tomar o café. Está pronto, e fiz um bolo de fubá que está uma delícia.

Lula aproximou-se dela e beijou sua testa, dizendo:

— Toda a comida que você faz é muito boa, porque coloca nela muito carinho e faz de boa vontade. Sabe, Walther, essa mulher está nesta casa há muito tempo. Eu a adoro! Faz uma das melhores comidas deste mundo.

— Nisso você tem razão. Adoro cozinhar e fazer pratos diferentes. Nem imaginam o que vou preparar para o almoço.

— Prepare com carinho e sirva meus avós. Eu e Walther vamos para a cidade, não sei quando voltaremos, pois todos vão querer conhecê-lo.

— Se ele for em todas as casas, voltarão só daqui a quinze dias.

— Não posso ficar tanto tempo!

— Não se preocupe, meu primo. Voltará quando quiser. Iremos para a casa de meu pai e avisaremos aos outros que você está aqui. Quem quiser que venha visitá-lo.

Sentaram-se. Walther experimentou o bolo de fubá e realmente gostou muito. Estavam comendo quando apareceram na porta cinco homens. Assim que Lula os viu, disse:

— Entrem, sentem-se e tomem café. Quero que conheçam meu primo, que está nos visitando. Seu nome é Walther.

Walther levantou-se, estendeu a mão para aqueles homens simples e apresentou-se.

Eles, com um pouco de vergonha, como é comum aos homens nascidos no interior, também estenderam as mãos e disseram, cada um, seu nome. Depois entraram e sentaram-se ao lado de Lula. Leda os serviu. Walther analisava aquela cena, pensando:

Nunca veria em minha casa uma cena como esta. Meu pai jamais permitiria que um empregado se sentasse à mesa junto conosco. Este povo é realmente muito estranho...

Lula, sem imaginar o que Walther pensava, disse:

— Josias, eu e meu primo vamos daqui a pouco para a cidade. Vou levá-lo para conhecer o resto da família. Deixo tudo nas mãos de vocês. Sei que cuidarão muito bem de qualquer problema que surgir.

Josias balançou a cabeça. Leda acrescentou:

— Pode ir tranqüilo, não vai acontecer nada. Mas se acontecer, mando chamá-lo.

Lula sorriu. Walther terminou de tomar seu café e disse:

— Estou pronto. Se quiser podemos ir agora mesmo. Mas, e meus avós, não vão tomar café? Preciso despedir-me deles.

— Eles acordam mais tarde, sabe como é. Gente de idade demora muito para dormir à noite e por isso acorda tarde. Vamos embora, a viagem não é muito longa, mas você tem muito para ver e pouco tempo. Eles sabem que vamos sair. Não se preocupe com as despedidas. Ainda vai ficar por aqui alguns dias. Terá tempo para falar com eles.

Saíram acompanhados pelos empregados. Lula deu as últimas instruções e entrou no jipe de Walther. Depois de se acomodar, e enquanto Walther ligava o motor e saía, ele disse:

— Este jipe é mesmo uma beleza. Um dia ainda teremos, aqui no Brasil, indústrias automobilísticas com carros iguais a este.

— Acredito nisso, mas esse dia parece ainda estar longe. De São Paulo até aqui, a viagem foi muito longa. Passei por vários estados, vi muitas cidades, umas grandes, outras menores. Vi também muita pobreza e terras sem plantação. Acredito que este país tem um grande futuro, e isso só depende dos homens que o governarem, pois seu povo é muito bom e afetuoso.

— Trabalhador também! Por isso sei que ainda seremos uma grande nação! Pelo menos espero.

Walther dirigia com cuidado.

— Quando vi lá de longe a casa com muitas janelas, fiquei tão ansioso que nem percebi que havia tantos buracos. Pensava em encontrar minha mãe por detrás de uma das janelas, como no meu sonho. Agora, que a ansiedade passou, estou vendo os buracos da estrada com mais clareza.

— Sua mãe não está aqui, mas por outro lado, encontrou toda uma família. Sabe agora que tem muito do seu sangue espalhado por aqui.

— Tem razão. E para ser sincero, estou muito feliz por tê-lo conhecido. Nem parece que acabamos de nos conhecer. Assim que o vi, pensei já tê-lo visto em algum lugar, embora isso seja impossível.

— Para você pode ser impossível, mas eu acredito piamente que já nos encontramos várias vezes.

— Impossível. Cheguei ao Brasil há poucos dias.

— Não estou falando desta vida, mas de outras. Antes que me contradiga, não me contou sobre o sonho que teve. Pode contar?

Walther pensou por um instante; respondeu:

— Posso contar, mas não foi um sonho. Foram dois.

— Conte, estou curioso.

Contou os sonhos que tivera, e nas condições que estava quando sonhou. Quando terminou de contar, Lula disse:

— Foram dois sonhos incríveis. Foram como um aviso. Ou pode ter sido somente resultado de tudo o que estava vivendo. De tudo o que havia descoberto.

— Isaías também disse isso, mas foi muito real. Foi por causa deles que resolvi vir até aqui para encontrar minha mãe.

– Quem sabe a encontre. A viagem ainda não terminou.

– Não acredito mais, perdi as esperanças. Mas, como dizem em sua religião, Deus é quem sabe, não é?

Lula soltou uma gargalhada. Disse:

– Está aprendendo, primo! Está aprendendo.

O Confronto

Chegaram à estrada principal que os levaria até a cidade. A estrada era asfaltada, o que deu mais tranqüilidade a Walther para dirigir. Assim que entraram nela, Lula retomou a conversa:

— Será que veio para cá só por esse motivo? Só por causa do sonho?

— Claro que foi. Quando terminei de ler a carta de Paulo, só pensei em ir embora. Estava muito chocado com tudo o que descobrira. Não pode imaginar o que senti ao ver que toda minha vida havia sido uma mentira. Mas por que está perguntando isso?

— Não sei, mas acredito que esse não tenha sido o verdadeiro motivo. Você não encontrou sua mãe.

— Tem razão, mas ao menos poderei voltar sem peso na consciência. Eu a procurei. E vou deixar Isaias, amigo de Paulo, encarregado de contratar alguém que faça isso. Se ela estiver viva, eu a encontrarei. Mas não adianta eu continuar aqui. Esse trabalho tem que ser feito por um profissional. Não sou investigador. Meu trabalho é só com números.

— Nisso você está certo.

Seguiram viagem. Foram conversando sobre outras coisas, Lula foi mostrando a ele a paisagem e falando sobre ela. Walther notava que havia casas simples perdidas no meio de pequenas plantações. Outras eram grandes e pareciam pertencer a fazendas.

Respondia às perguntas de Lula, mas seu pensamento estava muito distante dali.

Não entendo como, de repente, minha vida mudou. Eu, que vivia tranqüilo sem saber de nada, apenas vivendo uma vida normal como tantas outras, hoje estou aqui num lugar tão longe da minha terra, conhecendo pessoas que, apesar de serem meus parentes, são completos estranhos. Não entendo como Lula pode viver numa situação tão simples sendo advogado e podendo ter uma vida melhor. Vive aqui no meio do nada e parece muito feliz... perdeu a esposa ainda jovem, mas parece não sentir essa perda. Não se lastima, nem reclama...

Chegaram à cidade. Como todas as outras cidades grandes que ele já conhecera, tinha muito movimento de pessoas indo e vindo. Lula foi mostrando o caminho que Walther deveria seguir. Enquanto passavam, ele acenava para algumas pessoas. Fez com que Walther parasse o jipe em frente a uma casa. Walther olhou a placa na parede que dizia: "Dr. Luiz de Almeida – Advogado".

Desceram do jipe e entraram na casa. Entraram numa sala decorada de modo austero, mas confortável. Lula olhou para uma porta fechada. Disse:

— Meu pai deve estar com algum cliente. Quando aquela porta está fechada é sinal de que não deve ser interrompido. Vamos nos sentar aqui e esperar até que fique livre.

Sentaram-se. Walther olhava tudo a sua volta. Num quadro pendurado na parede viu uma foto com muitas pessoas. Perguntou a Lula:

— Quem são aqueles?

— São todos os nossos tios e avós. Essa foto foi tirada por tio Paulo quando voltou depois de ter encontrado a pedra.

Walther levantou-se e aproximou-se da foto. Examinou o rosto de cada um, querendo reconhecê-los. Reconheceu apenas seus avós que conhecera há pouco. Os outros eram totalmente estranhos.

A porta se abriu, um senhor saiu da sala acompanhado por um outro. Luiz, enquanto acompanhava seu cliente, ia dizendo:

— Ficamos combinados. Vou entrar com toda a papelada e assim que houver uma novidade mando lhe avisar.

— Está bem, doutor, estarei esperando notícias.

Assim que o cliente saiu, o doutor Luiz voltou-se para o filho, dizendo:

— Bom dia, meu filho. A que devo esta visita tão cedo? Aconteceu alguma coisa com seus avós? Está me trazendo um cliente?

Lula aproximou-se do pai e beijou-o. Explicou:

— Bom dia, pai, não aconteceu nada com meus avós e não estou lhe trazendo um cliente. Este é Walther, filho de tio Paulo.

Luiz olhou para Walther, ficou branco, quase caiu. Aquilo assustou aos jovens. Lula ajudou seu pai a se sentar. Disse:

— O que houve, papai? Por que ficou assim?

Luiz ficou sem falar, apenas olhava para Walther. Depois de alguns segundos recompôs-se, dizendo:

— Muito prazer, meu sobrinho. Desculpe minha reação, mas sei que sua presença aqui significa que meu irmão morreu...

Lula não entendeu. Olhou para Walther e depois para o pai:

— Como sabe?

Luiz levantou-se, aproximou-se de Walther e abriu os braços. Um pouco desajeitado, abraçou o sobrinho. Começou a chorar compassivamente.

Os jovens preocuparam-se com aquela reação.

Luiz acalmou-se e pediu que se sentassem. Obedeceram, olhando para ele com curiosidade, Lula perguntou?

— Papai! O que aconteceu? Por que ficou tão nervoso?

— Recebi há dois meses uma carta de meu irmão Paulo. Nela ele pedia que eu fosse visitá-lo. Estava numa clínica. Pedia também que eu não comentasse com ninguém. Não entendi, mas fiz o que me pedia. Encontrei-o muito magro e abatido. Assim que me viu, disse:

— Olá, meu irmão! Estou feliz que tenha atendido a meu pedido. Como pode notar por meu aspecto, não estou bem e logo voltarei para o Pai.

Não queria admitir, mas sabia que ele estava com razão:

— O que aconteceu com você, meu irmão?

— Não sei... estava bem, mas de repente comecei a tossir sem parar. O médico pediu alguns exames e constatou que tenho tuberculose. Ela está num estágio muito adiantado. Embora os médicos queiram me enganar, sei que não há como detê-la. Mas isso não me preocupa, já há muito tempo sei que não existe mais nada para fazer neste mundo.

— Que bobagem está dizendo? Você ainda é jovem e tem muito para fazer.

— Não, não tenho. Encontrei minha pedra, tenho muito dinheiro, mas minha consciência não me deixa em paz. Não consigo esquecer o mal que fiz a Marta. Meu filho sei que está muito bem, tem uma vida normal, mas e Marta? O que fiz com ela? Onde estará?

— Não deve se atormentar com isso. Talvez tenha errado, mas já resgatou seus erros. Ajudou-nos a todos! Hoje nossa família vive totalmente diferente daquela maneira que vivíamos antes. Nossos filhos e sobrinhos estão todos muito bem de vida, com seus diplomas, e tudo graças a você.

– Era o mínimo que poderia fazer. Estou feliz por eles e por todos nós. Vou partir em breve, mas não quero que comente nada com a família. Quero que pensem que estou muito bem e que a qualquer momento aparecerei. Principalmente os velhos. Não quero que venham visitar-me. Prefiro que guardem na lembrança aquele Paulo cheio de saúde e alegria, não este no qual me transformei. Estou nestes últimos dias pensando em algo, preciso de sua opinião.

– Pode falar, mano. Farei tudo o que me pedir.

– Recebi uma carta de Walther.

– Seu filho? O que ele queria?

– Nada, apenas comunicar-me que Geni morrera e que ela pedira que me contasse.

– Será que ela contou tudo a ele?

– Acredito que não. Na carta ele foi muito educado, mas também muito breve. Apenas comunicou o acontecido.

– O que pretende fazer?

– Já sei que minha vida aqui na Terra vai terminar em breve e que meu filho está só. Vou mandar uma carta pedindo que venha. Quero eu mesmo contar tudo, como e por que aconteceu. Você sabe, possuo hoje uma enorme fortuna e tudo é dele. Vou pedir perdão. Só assim poderei partir em paz...

– Acredita mesmo que sua doença não tem mais cura?

– Acredito. Tenho visto muitas pessoas morrerem desde que aqui cheguei. Quando descobri, a doença já estava muito adiantada.

– Não sei o que dizer. Você foi sempre muito obstinado em tudo que queria. Por isso conseguiu realizar seu sonho. Encontrou a pedra e fez fortuna. Não quis nos acompanhar quando voltamos para casa. Acreditou que encontraria a pedra e realmente a encontrou.

– Tem razão, consegui tudo o que sonhei. Só que para isso fiquei afastado da mulher que amava e ainda amo, e do meu único filho. Procurei por ela durante todos esses anos, mas foi em vão. Sei que meu filho teve uma vida normal, que cresceu sendo muito amado e feliz, mas e Marta? Que aconteceu com ela? Estará viva ou morta? Essas dúvidas não saem da minha cabeça. Queria tanto encontrá-la para pedir-lhe perdão...

– Meu irmão, não deve se preocupar com isso. Tenho certeza que não vai morrer. Esta clínica me parece ser muito boa. Eles certamente encontrarão um meio de curá-lo.

– Não se engane. Conheço o meu corpo. Sei que ele está cansado, mas não é minha morte que me preocupa. Tenho conhecimento dos meus erros e acertos, sei que terei que prestar contas. Estou preparado, pois *hoje sei também que existe um Deus que é bom e generoso, que nos dá sempre novas chances e que perdoa sempre.*

— Não sei, não, mas acho que meu filho Lula acredita nessas mesmas coisas. Perdeu a esposa que amava muito, mas até hoje nunca se desesperou. Diz que vai encontrá-la, que ela não morreu, apenas vive em outra dimensão.

— É isso mesmo, meu irmão. Não vou morrer. O que vai morrer é este meu corpo velho e cansado. Mas meu espírito, se preferir, minha alma estará viva em algum lugar.

— Tem certeza do que está dizendo?

— De todo o meu coração. Por isso preciso conhecer meu filho. Vou escrever pedindo que venha. Se eu não conseguir pessoalmente contar tudo a ele, deixarei uma carta, mas preferia eu mesmo contar.

— Você é quem sabe como deve agir. Nós, a família, estaremos sempre a seu lado. Devemos muito a você e o amamos muito.

— Pois bem, se um dia meu filho for sozinho até o Piauí, será o sinal de que não estarei mais neste mundo. Caso contrário, irei com ele. Quero que o receba com muito amor e carinho. Ajude no que for preciso se ele quiser encontrar a mãe.

— Jamais deixaria de atender a um pedido seu. Muito menos um tão simples como esse, mas acredito que você irá com ele, cheio de saúde!

Enquanto Luiz ia falando, Walther lembrava-se de Paulo sentado naquele sofá tentando contar-lhe tudo.

Aquele homem estava ali tentando confessar seu crime e querendo meu perdão. Hoje, talvez, eu até possa perdoá-lo, depois de ter conhecido tantas pessoas que só têm bem a falar dele. Mas se me tivesse contado pessoalmente, não imagino qual teria sido minha reação...

Luiz continuava falando:

— Por isso, meus filhos, quando soube quem era Walther, soube que meu irmão estava morto. Senti um aperto no coração. Walther, meu sobrinho, ele pode ter errado em sua vida, como todos nós erramos, mas redimiu-se o máximo que pôde e sofreu muito procurando sua mãe. Por isso peço que o perdoe e não guarde ressentimento.

Walther ficou olhando para aquele estranho, que na realidade não era tão estranho assim. Era seu tio, irmão de seu pai. Para ele tudo aquilo era novo. Não conseguia situar-se muito bem em tudo o que estava acontecendo. Lula percebeu que o primo estava confuso:

206

– Meu pai, devemos entender a situação do primo. Ele, até pouco tempo, não sabia nada disso. Nunca imaginou que não era filho legítimo do casal que o criou. Em poucos dias tomou conhecimento de uma realidade nunca sonhada. Vamos dar tempo ao tempo. Não podemos exigir que ele entenda e perdoe tudo assim de repente. Esse perdão terá que nascer de dentro do seu coração. Nosso Pai Divino fará com que esse dia chegue na hora certa, e quando isso acontecer, será um perdão profundo e sincero.

– Tem razão, meu filho. Por enquanto vamos embora, sua mãe ficará feliz em recebê-lo em nossa casa. Ela está me esperando para o almoço. Terá uma enorme surpresa! Vamos?

Walther permanecia calado o tempo todo, apenas pensava, não sabia o que dizer. Lula pegou em seu braço, dizendo:

– Vamos sim, meu pai. O primo vai comer uma comida deliciosa que só minha mãe sabe fazer.

Walther sorriu para o primo. Não entendia como gostava dele daquela maneira. Conhecera-o no dia anterior, mas parecia conhecê-lo há muito tempo.

Os três saíram. Luiz pegou no braço de Walther:

– Nossa casa é perto, vamos a pé. Será bom, porque poderá apreciar a cidade, que deve ser bem diferente daquela onde foi criado.

– O senhor tem razão, este país é totalmente diferente do meu. Não só na arquitetura, mas também em seu povo. Aqui são todos muito afetuosos, mesmo com quem não é da família. Conheci uma senhora, Vó Zu, que mesmo sem saber quem eu era, acolheu-me e tratou-me com muito carinho. Desculpe-me se estou um pouco desajustado, mas como disse Lula, é tudo muito novo pra mim. Estou tentando entender.

– Não se preocupe com isso. Depois do almoço não poderei sair com você porque tenho alguns clientes para atender, mas Lula vai levá-lo para conhecer o resto da família que vive aqui. Verá como ficarão felizes em conhecer o filho de Paulo. São todos muito gratos a ele. Mas mesmo que não fossem, o receberiam com carinho. Nossa família é muito unida. Mesmo os que estão longe sempre escrevem para dar e receber notícias.

Walther apenas os acompanhou. Ia prestando atenção nas pessoas que passavam por ele. Como em toda cidade grande, havia muitas.

Lula e o pai iam conversando com ele, que só respondia com sim ou não. Fingiram não notar sua abstração, sabiam que ele estava com seus pensamentos e conflitos.

Em dado momento, Luiz parou em frente a uma padaria, entrou e saiu com um pacote de pão. Seguiram caminhando. Andaram por uns quinze minutos. Luiz, tentando agradar ao sobrinho, disse:

– Walther, quer saber por que tenho essa boa saúde?

– Não! Por quê?

– Faço essa caminhada quatro vezes ao dia. Além de rever meus amigos, caminhando faço com que meu coração ande bem.

– O senhor tem razão. Faz uma atividade física sem esforço. Eu, ao contrário, nunca tenho tempo para isso, vivo correndo, e sempre de carro.

Chegaram em frente a uma casa não muito grande, mas que possuía uma boa aparência e um jardim muito bem tratado. Lula tocou a campainha e foram entrando. Uma senhora saiu sorrindo da casa, acompanhada por mais duas moças e um rapaz. Abriu um largo sorriso ao ver que era o filho:

– Lula, meu filho. Assim que ouvi a campainha, sabia que era você me visitando.

Ao ver Walther, parou de falar. Lula abriu os braços, sorrindo:

– Foi por isso que toquei a campainha, precisava anunciar a chegada do seu filho preferido!

Os irmãos fizeram uma cara de deboche. Ele continuou:

– Não adianta vocês ficarem com essa cara, sabem que sou o preferido mesmo!

Uma das moças respondeu:

– É porque não vive sempre aqui, só vem como visita.

– Ora, Neuza. Não precisa ficar com ciúmes! Sabe que no coração de nossa mãe há lugar para todos.

Percebendo que estavam curiosos para saber quem era aquele estranho, apresentou-o:

– Quero lhes apresentar Walther, nosso primo, filho de tio Paulo!

Walther sentiu-se contagiado com a alegria que sua presença causou. Por momentos esqueceu os pensamentos que o confundiam e foi abraçando a todos.

Luiz notava a alegria da esposa, dos filhos e do próprio Walther, que se parecia muito com Paulo. Sentiu uma saudade imensa do irmão:

Meu irmão querido. Ao menos um dos seus desejos foi atendido. Seu filho está conhecendo seus primos e toda nossa família. Começa a se tornar um de nós. Descanse em paz. Por aqui tudo está muito bem.

208

Assim abraçados, os jovens entraram em casa. Dona Cinira, esposa de Luiz, aproximou-se dele, dizendo:

— Aconteceu o que estou pensando? Paulo morreu?

— Sim. Mas antes de morrer conseguiu conhecer o filho. Não estranhe as atitudes desse moço. Ele está confuso com tudo o que está acontecendo em sua vida!

— Fique tranqüilo. Em breve esse momento de crise passará e ele ficará feliz por saber que tem uma família imensa.

— Espero que assim seja. Vamos entrar. Tem comida para todos?

— Claro que sim.

Entraram. Os jovens estavam sentados. Enquanto dona Cinira terminava de preparar o almoço, Neuza colocou na vitrola um disco de baião. Walther ficou encantado com o ritmo, que não conhecia. Enquanto Luiz Gonzaga cantava, todos dançavam. A princípio, como não sabia dançar, Walther ficou só olhando. Mas logo Neuza pegou-o pela mão e começou a ensinar-lhe os passos da dança. Ele logo aprendeu e começou também a dançar, ora com um, ora com outro. Naquele momento esqueceu-se completamente de seus tormentos e divertiu-se a valer.

Dona Cinira saiu da cozinha e aproximou-se do marido, que acompanhava a alegria dos jovens. Luiz disse:

— Veja! Ele não nega o sangue. Já esta dançando bem.

— Parece que faz parte da família desde sempre.

Ela foi até a vitrola e abaixou o volume, dizendo:

— A música e a dança estão muito boas, mas a comida já está pronta. Vamos almoçar, depois poderão dançar.

Sob protestos, os jovens a seguiram em direção à cozinha. A mesa era imensa. Todos se sentaram. Lula, sorrindo, disse:

— Walther, meu primo. Você agora vai conhecer a melhor comida do mundo. A da minha mãe! Ninguém cozinha como ela.

— Desde que aqui cheguei já ouvi essas frases muitas vezes! Parece que todas as mulheres cozinham muito bem.

— Mas nenhuma igual a ela. Você vai ver.

Começaram a comer. Todos falavam enquanto comiam.

Walther sentia muita fome. Não sabia se por causa da terra, ou por estar junto com aquelas pessoas alegres e felizes. Já se acostumara com o arroz e o feijão. Sabia agora que aquela era a comida preferida de todos. Comeu com apetite e sentiu o sabor, que realmente estava muito bom. Da carne assada saía um aroma sem igual.

Terminaram de comer. Dona Cinira trouxe, em seguida, um pudim feito com milho verde. Walther comeu e deliciou-se.

Assim que terminaram o almoço, as moças ajudaram a mãe com a louça e Luiz e os rapazes voltaram para a sala. O primo Jeremias perguntou:

— Quer dizer que você foi criado nos Estados Unidos?

— Fui, sim.

— Como é lá? Como aqui?

— Não, existem muitas diferenças. Estamos um pouco mais adiantados na tecnologia. Passei pelo Rio de Janeiro, vi muitos barracos pendurados nos morros. Lá isso seria impossível. As construções são diferentes porque temos neve. Os telhados têm que ter uma inclinação maior para que a neve possa cair. Se não fosse assim, o telhado não suportaria o peso.

— A neve é muito bonita! Deve ser lindo ver tudo branco!

— É muito bonita, mas também muito fria e perigosa.

— É muito fria mesmo?

— Muito! Não se pode andar sem estar muito bem agasalhado.

— Gostaria muito de conhecer a neve.

— Poderá conhecer quando quiser. Moro lá e terei muito prazer em recebê-lo em minha casa.

— Está falando sério?

— Claro que sim. Se estou sendo tão bem recebido por todos aqui, qual seria a razão para que não os recebesse da mesma forma? Serão todos muito bem-vindos.

As moças terminaram de arrumar a cozinha e voltaram para a sala. Neuza dirigiu-se para a vitrola para aumentar o volume quando Luiz disse:

— Walther, como lhe disse, não poderei acompanhá-lo nas visitas que fará hoje à tarde. Preciso voltar para o escritório, tenho hora marcada com alguns clientes. Mas, assim que terminar, voltarei. Temos muito para conversar.

— Não se preocupe. Cumpra com suas obrigações. Estou muito bem acompanhado. Seus filhos são muito gentis.

— Não se iluda, logo estarão brigando. Pode não acreditar, mas brigam por qualquer coisa. Se não fosse Cinira para colocar ordem, isso viraria um campo de batalha.

— Em todas as casas onde existem muitos irmãos deve ser assim. Eu cresci sozinho, por isso nunca passei por uma experiência dessas.

– Pois aqui isso tem de sobra.

Olhando para os filhos, disse:

– Espero que se comportem diante do primo. Ele tem que levar uma boa impressão de todos.

Os filhos riram, aproximaram-se do pai e o beijaram.

Walther ficou prestando atenção. Pensou em seu pai, Alan:

Ele era muito atencioso, mas nunca permitiu uma aproximação física dessa maneira. Só quando eu era criança. Mas depois que cresci, nunca mais me beijou ou simplesmente me abraçou.

Depois que Luiz saiu, todos se prepararam para levar Walther a conhecer os parentes. Alguns moravam perto, por isso foram caminhando.

Em todas as casas por onde passou, foi sempre muito bem recebido, parecia uma festa. Foi tratado como se fosse um velho conhecido. O tempo todo só ouviu elogios a Paulo. Ele ouvia e pensava:

Como ele conseguiu agradar a todos, mesmo tendo cometido aquele crime, separando-me de minha mãe? Claro. Comprou a todos com dinheiro, assim como está tentando fazer agora comigo, deixando-me aquela fortuna. Será que poderei um dia perdoá-lo?

Embora pensasse assim, não podia deixar de admirar a todos, pois o recebiam com muito carinho. Sentia que estavam sendo sinceros.

Visitou várias casas. Conheceu tios e primos, conversou e respondeu a muitas perguntas. Queriam saber como era o país onde fora criado. Ele respondia, mas não conseguia fazer uma comparação com o Brasil:

– Lá é muito bom para se viver. As pessoas se preocupam com suas casas e famílias. As crianças vão para a escola, os pais trabalham e as mães tomam conta da casa.

Um dos primos, irmão de Lula, disse:

– É como aqui?

– Creio que sim. Deve ser assim em todas as casas do mundo. A única coisa ruim lá é o clima. Lá, as estações do ano são bem definidas. Nos estados do Centro, Norte e Nordeste, faz muito frio no inverno, neva e tudo congela. No verão o calor é intenso. Mas, de qualquer maneira, cresci lá e adoro meu país. Claro que estou gostando muito do Brasil, também. Aqui a natureza é pródiga. Já vi muitos lugares maravilhosos, o povo é muito amável, e apesar da pobreza, todos parecem sempre felizes. Porém, não consigo me ver morando aqui para sempre.

Lula, ao perceber a tristeza no rosto do irmão, disse:

– Geraldo. Não precisa ficar triste. O importante foi conhecer Walther. Agora sabemos que somos primos. Ele poderá voltar quando quiser e nós poderemos visitá-lo. Não é, Walther?

Ele, um pouco desconcertado, respondeu:

– Claro que sim. Quando quiserem.

– Bem, está quase anoitecendo, papai já deve estar em casa esperando-nos para o jantar. Walther, você vai ficar aqui por mais alguns dias, não vai?

– Infelizmente, não. Preciso voltar para o meu país, aliás, hoje já deveria estar lá. Tenho compromissos.

– Sendo assim, vamos para casa. Dormiremos aqui esta noite e amanhã bem cedo voltaremos para o sítio. Todos sentiremos muitas saudades.

– Também sentirei. Encontrei uma família imensa e sou obrigado a confessar que são todos maravilhosos.

Voltaram caminhando e conversando muito. Walther notou que Neuza era uma moça muito bonita. Ao passarem por um armazém, ele percebeu que ela olhou e sorriu de um modo especial para um rapaz que estava baixando a porta, e que foi por ele correspondido. Lula não notou, ou fingiu não ter notado. Continuaram caminhando. Walther estava feliz acompanhando todos aqueles jovens. Era o mais velho deles, mas sentia-se como se tivesse a mesma idade.

Luiz já estava em casa, voltara havia muito tempo. Estava sentado num sofá na sala, ouvindo rádio e lendo um livro.

Assim que ouviu as vozes, saiu para a porta. Ficou feliz ao ver os jovens chegando. Percebeu a felicidade estampada em seus rostos. Vinham brincando e sorrindo. Viu Walther no meio deles e mais uma vez pensou ver seu irmão. Tristemente pensou:

Meu irmão, sinto muito por você não ter conseguido viver ao lado desse seu filho. Ele é um bom rapaz. Sentiria muito orgulho dele, assim como sinto do meu Lula.

Os jovens entraram como um furacão. Todos queriam falar ao mesmo tempo, contar ao pai como haviam sido recebidos pelos parentes, principalmente Walther. Ao ouvir aquele alarido, dona Cinira saiu da cozinha para ver o que acontecia. Ao ver os filhos alegres, sorriu e voltou aos seus afazeres. Estava terminando de preparar o jantar. Enquanto mexia com as panelas, pensava:

Conheci muito pouco Paulo. Eu morava aqui quando eles moravam no sítio. Só quando Luiz voltou da capital, depois de ter se formado, foi que nos conhecemos. Paulo veio algumas vezes, mas sempre com muita pressa. Visitava os pais e ia embora. Almoçou e jantou algumas vezes aqui, mas nunca tivemos oportunidade de conversar sozinhos. Só sei que fez muito por essa família. Gostaria de tê-lo conhecido melhor. Gostei de seu filho assim que o vi. Espero que ele também tenha gostado de todos nós...

Na sala, Neuza já havia ligado a vitrola e colocado o disco. Walther aproximou-se de Luiz, dizendo:

– Sua família é muito bonita. Hoje sinto que minha vida teria sido diferente se tivesse sido criado com mais irmãos. Existe tanta alegria! Fui criado sozinho, só com meus pensamentos. Meu pai não mantinha diálogo comigo. Só falava o necessário. Minha mãe, embora me tratasse com muito carinho, ficava às vezes calada, olhando-me sem me ver. Parecia que seu pensamento estava muito distante. Aquilo me preocupava, mas hoje sei no que ela pensava...

– Talvez tenha razão. Nesses momentos devia estar pensando no distante Brasil e no que havia acontecido com sua verdadeira mãe. Parece que ela sempre teve um sentimento de culpa muito grande em relação a Marta...

– Entendo hoje o que sentia. Seus pensamentos e sentimentos, pois desde que tomei conhecimento de toda essa história, não consigo deixar de pensar em minha mãe Marta e no quanto sofreu. Por isso farei o possível e o impossível para encontrá-la. Quanto a Paulo, guardo um sentimento de mágoa muito grande.

– Sei que para você está sendo muito difícil assimilar tudo, mas deve ter notado que todos da família gostavam muito dele.

– Isso não é difícil de entender. Ele comprou com seu dinheiro esse amor. Como está tentando fazer agora comigo. Deve ter acreditado que com o dinheiro que me deixou compraria o meu perdão!

Luiz ficou nervoso ao ouvir aquelas palavras:

– Não repita e nem pense uma coisa dessas. Nossa família foi sempre unida e nem sempre tivemos dinheiro! Quando houve ne-

213

cessidade de nos separarmos para evitar a fome, foi muito doloroso! Assim que as chuvas voltaram, retornamos para junto dos nossos!

— Menos Paulo! Ele não voltou.

— Não voltou porque tinha um sonho e foi atrás dele. Admiro muito meu irmão por isso. Você não sabe nada da vida! Hoje, se é quem é, foi porque ele tomou a decisão de afastá-lo da miséria em que viviam!

— Mas ele se tornou um milionário! Eu poderia ter sido criado aqui e ser feliz como meus primos! Poderia ter tido outros irmãos! Poderia estar ao lado de minha mãe! Ela não precisava ter sofrido tanto!

— Realmente, tornou-se milionário, mas e se isso não houvesse acontecido? Como teria sido? Quem seria você hoje? Mais um sertanejo envelhecido aos trinta anos? Desesperado sem saber como conseguir dinheiro para alimentar seus filhos? Meu irmão Paulo tomou a decisão que lhe pareceu certa. Jesus disse: "Quem não tiver pecado, atire a primeira pedra!". Com isso ele quis dizer que ninguém é perfeito! Por isso não devemos julgar ninguém, todos temos nossas fraquezas.

— Já ouvi essas palavras muitas vezes, mas quem está sem mãe? Eu! Quem não sabe se ela está viva ou morta? Eu!

Lula, a distância, via, mas não ouvia o que conversavam. Pela expressão dos rostos percebeu que a conversa não estava sendo agradável. Aproximou-se, dizendo:

— Papai, estou muito triste!

Luiz voltou-se para o filho, agradecendo intimamente aquela interrupção:

— Por que, meu filho?

— O primo disse que vai embora amanhã. Gostaria que ele ficasse mais tempo!

— Também gostaria, mas ele deve ter seus motivos. Não podemos impedir. Não sabemos o que pensa a respeito de nossa família. Talvez tenha tido uma impressão errada. Ele disse que todos o receberam bem e falaram muito bem de Paulo por causa do dinheiro que ele nos deu. Disse que todos fomos comprados!

Lula percebeu com que tristeza seu pai repetia aquelas palavras. Olhou para Walther, que parecia desconsertado:

— Papai, não deve dar atenção. Essas palavras foram ditas sem pensar. Walther foi criado num mundo diferente do nosso. O dinheiro, para ele, talvez não tenha o mesmo valor que para nós. Ele me disse que está feliz por saber que tem uma família grande.

– Disse isso só para agradá-lo, mas no fundo pensa que somos todos uns vendidos.

Walther percebeu que ofendera muito aquele homem que o recebera com tanto carinho. Olhou para Lula, depois para o tio, tentando desculpar-se:

– Por favor, senhor, perdoe-me. Não sabia o que estava dizendo. Como disse Lula, estou feliz por conhecer a todos. Quando minha mãe morreu, lá nos Estados Unidos, pensei estar só na vida, mas hoje sei que tenho família e isso me faz muito feliz mesmo.

– Acredita mesmo, do fundo do coração, que somos sua família?

– Claro que sim.

– Então por que até agora sempre me chamou de senhor? Não sou para você um senhor! Sou seu tio! Irmão de seu pai!

Walther, mais uma vez ficou sem saber o que dizer. Lula interferiu novamente:

– Papai, fique calmo. Tem que entender que para o primo tudo está ainda muito recente. Ele precisa de um tempo para entender e aceitar tudo o que se passou com ele. Não adianta querermos obrigá-lo a nos chamar de tios ou primos. Deixemos o tempo passar, chegará o dia em que ele o chamará de tio. Nesse dia, será com sinceridade e do fundo do coração. Agora acredito ser melhor mudar o rumo dessa conversa. Vamos jantar. Amanhã ele irá embora e, sozinho, terá muito para pensar. Não sabemos nada sobre a vida, nem quais os motivos que nos levam a fazer ou não fazer algo. Vamos daqui a pouco jantar. Se o primo não se sente parte da família, isso agora não tem importância. Vamos recebê-lo como uma visita muito especial. Tenho fé em Deus que um dia ele retornará chamando-nos de primos e ao senhor de tio.

Luiz, agora mais calmo com as palavras do filho, disse:

– Meu filho, como sempre você sabe o que diz. Walther, seja bem-vindo a minha casa. Eu o recebo como o filho do meu irmão muito querido. Você nos receba do modo que acreditar ser o certo.

– Só posso retribuir da mesma maneira. Estou realmente feliz por tê-los conhecido e por saber que não sou sozinho no mundo. Peço desculpas se o ofendi de alguma maneira, essa não era minha intenção.

– Está bem, não vamos estragar o nosso jantar. Sei que vai ter muito o que pensar, mas um dia, se Deus quiser, voltará a minha casa e me chamará de tio. Nesse dia entenderei que compreendeu e perdoou Paulo. Ele era um irmão muito querido.

Walther ia responder, mas dona Cinira veio até eles:

– O jantar está pronto. Podem ir para a mesa, já vou servir.

Luiz, acompanhado por Walther, levantou-se. Lula, que estava em pé ao lado, acompanhou-os. As moças estavam na cozinha ajudando a mãe, os rapazes sentaram-se e ficaram esperando, tentando adivinhar a comida que a mãe fizera naquela noite.

Walther, embora estivesse feliz, sentia uma certa tristeza por ver toda aquela alegria de família grande que um dia lhe roubaram.

Dona Cinira e as moças terminaram de colocar várias iguarias sobre a mesa e em seguida sentaram-se. Começaram a comer.

Walther percebeu que seu tio estava diferente de quando o conhecera. Sentia que estava distante, não prestando muita atenção ao que acontecia a sua volta. Percebeu que fora o responsável por aquilo.

Os jovens, alheios à conversa difícil que Luiz e Walther haviam mantido, comiam e falavam muito. Queriam contar para a mãe como haviam sido recebidos à tarde visitando os parentes.

Dona Cinira tentava ouvir a todos, mas percebeu que algo acontecera com seu marido. Olhando para ele e para Walther, pensava:

Algo aconteceu entre os dois. Luiz não está bem e Walther também parece um pouco triste. Não está participando da conversa. Não é o mesmo que aqui chegou pela manhã. Que terá acontecido entre os dois?

Apesar disso, o jantar prosseguiu com todos elogiando a comida. Walther também foi obrigado a reconhecer que, embora nunca houvesse comido carne seca, era muito boa. O feijão e o arroz também muito bem-feitos e com um tempero especial. Percebeu que todos colocavam farinha sobre a comida. Um suco de caju acompanhava a refeição. Depois de terminarem de comer, os pratos foram tirados, dona Cinira foi até a cozinha e voltou com uma bandeja cheia de quindins. Todos avançaram sobre ela. Walther encantou-se com o sabor daquela iguaria.

Diante da alegria dos primos, sentiu-se culpado por ter, sem querer, ofendido seu tio. Enquanto comia, olhava para ele com o canto dos olhos. Percebia que embora se esforçasse, não estava bem. Não era o mesmo homem que o recebera com tanto carinho. Pensou em pedir-lhe perdão, mas sentiu que não adiantaria, pois na realidade pensava mesmo tudo aquilo que dissera. Paulo comprara a todos com dinheiro.

Depois do jantar voltaram para a sala. Novamente colocaram um disco na vitrola. Os jovens dançavam e cantavam ao ritmo da música. Walther tentou ser o mais natural possível. Tentou dançar, mas ele também não era o mesmo que chegara pela manhã. Vendo toda a felicidade que Paulo proporcionara àquela família e às outras que conhecera, ficava com mais raiva e magoado por ter sido privado dessa mesma felicidade:

Onde estará ela? Como será sua vida?

Lula prestava atenção ao primo. Podia até adivinhar seus pensamentos. Aproximou-se, dizendo:

— Se quiser, pode deitar-se. Amanhã acordaremos cedo novamente. Logo mais todos se deitarão também, pois pela manha terão que ir para a escola.

Walther agradeceu em pensamento. Realmente queria sair dali, queria deixar de ver aquela família feliz e deixar de pensar na sua própria, que fora sempre tão austera. Olhou sorrindo para o primo, enquanto respondia:

— Estou um pouco cansado. Andamos muito hoje, não estou acostumado. Queria mesmo dormir.

Lula, sorrindo, foi até a vitrola. Baixou o volume, dizendo:

— Bem, pessoal! Se quiserem, podem continuar, mas eu e Walther vamos nos deitar. Precisamos dormir. Quero que todos se despeçam dele, pois amanhã quando sairmos ainda estarão dormindo.

Foram todos se aproximando e se despedindo com abraços calorosos, demonstrando uma afeição sincera. Todos desejando que ele voltasse em breve.

Walther também os abraçava e sinceramente recebia aqueles abraços. Dona Cinira aproximou-se:

— Fiquei muito feliz por tê-lo recebido em minha casa. Espero que volte em breve, ou nos escreva.

— Muito obrigado por tudo, escreverei sim.

Luiz permanecia sentado numa cadeira com o rosto voltado para a janela. Olhava o céu muito estrelado e a lua crescente. Estava tão absorto em seus pensamentos que não percebeu que o volume da música baixara, nem que os filhos se despediam do primo. Seu pensamento estava no passado e em tudo o que ouvira do sobrinho. Lembrava-se de seu irmão dizendo:

Não vou com vocês. Vou ficar e encontrar minha pedra. Com ela mudarei a vida de todos nós. Não teremos mais que nos preocupar com a chuva ou com a seca!

Dona Cinira aproximou-se e tocou com carinho em seu ombro:
— Luiz, Walther vai se deitar, quer despedir-se de você.

Luiz, ao ouvir aquilo, voltou de seus pensamentos. Levantou-se da cadeira. Olhou para Walther, que também o olhava com um sentimento de culpa por involuntariamente tê-lo ofendido.

Luiz o abraçou, dizendo:
— Fiquei muito feliz em conhecê-lo e em perceber que, apesar de tudo, transformou-se num homem de bem. Vejo em você a imagem de meu irmão. Principalmente em seu olhos. Desejo de coração que tenha as respostas que procura e que um dia possa compreender e perdoar meu irmão, e quando voltar consiga chamar-me de tio e a Paulo de pai. Faça uma boa viagem e não nos esqueça.

— Obrigado por tudo. Quero pedir-lhe perdão se, de alguma forma, eu o magoei. Tenha certeza de que estou muito feliz por conhecê-los. Estou um pouco confuso, mas logo me encontrarei e, quem sabe, entenda tudo com mais tranqüilidade.

— Não me peça perdão. Disse o que sentia. Essa é uma prova de que realmente tem um bom caráter. Vá em paz.

Abraçaram-se. Lula acompanhava a cena. Sabia que tanto um quanto outro estava dizendo o que realmente pensava. Assim que se separaram, dona Cinira disse:

— Walther, acompanhe-me, vou indicar-lhe o quarto.

Ele a acompanhou. Ela abriu uma porta e Walther entrou. Mostrou-lhe a cama, dizendo:

— Este quarto era de Lula antes que ele fosse morar no sítio. Mantive-o assim porque de vez em quando ele vem passar alguns dias conosco.

— Mas onde ele vai dormir?

— Não se preocupe. Temos muitas camas. Ele dormirá muito bem. Aqui há toalhas, se quiser pode tomar um banho. Já sabe onde fica o banheiro.

— Obrigado por tudo. Sinto ter ofendido seu marido, não tive mesmo essa intenção. Falei algo sem pensar e parece que ele sentiu muito. Sinceramente, não queria que isso acontecesse. A senhora e todos aqui são maravilhosos.

– Não se preocupe com Luiz. Ele ficará bem, e posso garantir que está muito feliz por tê-lo conhecido. Ele adorava o irmão, e você é muito parecido com ele. Na verdade, não foi algo que você tenha dito. Ele apenas está se lembrando do irmão, triste por saber que ele morreu e que nunca mais o verá.

– Lula não pensa dessa maneira.

– Sei disso. Ele tem outras idéias, outra religião, que aliás, foi sua fortaleza. Percebi que tudo aquilo em que acredita lhe faz muito bem. Li alguma coisa. Bem, agora vá se deitar. Quando acordar amanhã, estarei em pé para me despedir, e com um bom café fresco.

– Não se preocupe. Já fez muito para me agradar.

– Você é quem não deve se preocupar. Levanto cedo todos os dias. As crianças vão para a escola na parte da manhã. Boa noite.

– Boa noite, e mais uma vez, muito obrigado.

Ela não respondeu, apenas sorriu e saiu. Ele ficou sozinho. Pegou a toalha e dirigiu-se ao banheiro. Era verão e o calor fez com que transpirasse muito. Mas, apesar do calor, havia sempre uma brisa agradável. Abriu a torneira do chuveiro. A água caía morna, quase fria, mas fez com que se sentisse muito bem. Enquanto se banhava, pensava em todos os rostos que conhecera. Todos eram seus parentes. Ao mesmo tempo que se sentia feliz por tê-los conhecido, sentia-se também vazio por não ter tido uma família como aquela, nem mesmo um irmão. Antes, a falta de um irmão nunca o incomodara, mas agora sim, pois sentia que lhe fora roubada essa felicidade.

Terminou de tomar banho e voltou para o quarto. Deitou-se, procurou o porta-retratos, mas lembrou-se de que o havia deixado com sua avó. Pensou no rosto de Marta:

Como era bonita. Preciso encontrá-la. Se não conseguir, nunca mais terei paz...

Pensando em Marta, adormeceu.

Pela manhã, acordou antes que alguém viesse chamá-lo. Olhou para um relógio que havia no criado-mudo. Eram cinco e quinze. Levantou-se e em silêncio foi até o banheiro. A casa estava toda às escuras e silenciosa. Fez o mínimo de barulho possível, não queria acordar as pessoas. Voltou para o quarto, pegou sua maleta e colocou nela as roupas que havia tirado na noite anterior. Colocou outras também que pertenciam a Lula.

Ficou deitado esperando que alguém se levantasse. Notou que o quarto era muito simples, como todos aqueles em que dormira. Percebeu que, embora a casa fosse confortável, não era rica. Seus móveis eram simples, como simples eram as pessoas que ali moravam. Pessoas que o receberam com muito carinho e que eram sua família. Lembrou-se das coisas que dissera ao tio Luiz:

Fiz mesmo uma coisa horrível! Mas é o que sinto. Se Paulo não tivesse dado a eles tanto dinheiro, teriam o mesmo sentimento por ele? Eu estaria aqui, agora, se não fosse o dinheiro que me deixou? Claro que não! Deveria estar trabalhando. Mas por causa do dinheiro, não vou perdoar tudo que me fez, e principalmente com minha mãe Marta. De todos nós, foi ela quem mais sofreu. Eu, apesar de tudo, tive uma vida feliz ou normal. Mas, e ela? O que fez de sua vida? Onde estará?

Ouviu o barulho de uma porta se abrindo e alguns passos pelo corredor. Não conhecia muito bem a casa, por isso não soube identificar quem acordara. Olhou novamente para o relógio. Marcava seis horas. Deduziu que fosse dona Cinira. Esperou mais um pouco e, em seguida, também saiu do quarto e foi em direção à cozinha.

Acertara. Era ela quem se levantara e esperava a água ferver para fazer o café. Bateu suave na porta para que ela não se assustasse.

Ela se voltou, sorrindo:

– Bom dia! Já está acordado?

– Bom dia! Acordei já há algum tempo. Ouvi quando a senhora saiu do quarto.

– Sente-se, o café já vai sair. Ainda é cedo para acordar os outros. Isso é bom, pois poderemos conversar um pouco a sós.

Walther sentou-se. A água ferveu e ela a passou pelo coador de tecido. Um aroma delicioso se fez presente. Ele aspirou aquele perfume.

Ela colocou o café num copo de vidro e ofereceu-lhe. Em seguida, sentou-se em frente a ele. Olhou bem dentro de seus olhos:

– Entendo, ou procuro entender tudo o que está passando por sua cabeça. Ontem à noite Luiz me contou o que conversaram.

– Percebi que o magoei, mas juro que não foi minha intenção.

– Sei disso, e conversei muito com ele. Você tem o direito de estar confuso e até revoltado. Vivia tranqüilo sem imaginar que haviam mudado sua vida, seu destino, sem consultá-lo. De repente tomou conhecimento de tudo. Sente que de uma certa maneira foi roubado, mas não somos ninguém para julgar os atos das outras pessoas e os desígnios de Deus. Ele está presente em nossas vidas a todos os momentos, antes e após a nossa morte. Quando nascemos, trazemos conosco nosso destino traçado por nós mesmos. Algumas coisas poderemos mudar. Algumas escolhas poderemos fazer, mas o essencial, não. Tudo será conforme o planejado.

– A senhora está falando como Lula! É da mesma religião que ele?

– Não! Sou católica fervorosa, mas vi com que tranqüilidade meu filho passou por momentos difíceis – deve saber que ele perdeu a esposa muito jovem. Mas a certeza que ele tem de que ela está viva faz com que viva em paz. Por mais que eu não acredite nessa religião e seja católica, não posso deixar de reconhecer que ela faz muito bem a meu filho.

– Ele não estará se alienando? Fingindo acreditar nisso para não sofrer? Para poder aceitar realmente a morte da esposa? Não gosto muito de religião. Acredito que ela faz com que o homem se entregue e deixe de lutar por aquilo que deseja. Fica pensando e pedindo a um Deus distante que está lá no céu, lugar que nem sabemos se realmente existe, que resolva nossos problemas.

– Acredito que o céu e o inferno existam, sim. Mas Deus está em toda parte, está aqui, agora, ao nosso lado. Quanto a se alienar, não acredito nisso. Meu filho é realmente muito feliz.

– A senhora acredita ser lógico deixar de advogar e viver lá naquele lugar, pobre e desconfortável?

– Ele nunca quis estudar, desde pequeno sempre gostou do sítio e da vida que tem lá.

– Eu gostei de Lula assim que o vi. Não posso dizer qual foi o motivo, mas senti que já o conhecia!

– Por isso estou lhe dizendo que nada acontece por acaso. Li isso num dos livros que Lula me deu. Pense comigo, por que você, nascendo aqui, foi obrigado a ir embora para outro país? Por que voltou agora? Só pode ter sido a vontade de uma força maior, vontade de Deus.

– Isso não foi vontade de Deus! Foi a ganância de um homem!

– Talvez tenha razão, mas muitas crianças nascem no mundo todos os dias. Naquela época, ali mesmo no garimpo, muitas crianças devem ter nascido, mas você foi o escolhido. Por quê?

– Não sei. Talvez porque eu estivesse mais perto. Porque outros pais não aceitaram o pedido do americano e não quiseram vender seus filhos.

– Pode ser, mas se acreditarmos naquilo que Lula diz, tudo estava certo, havia um motivo maior.

– Não consigo acreditar nisso. Que motivo seria esse? Só sei que roubaram minha vida. Hoje, depois de ter conhecido todos os meus primos, fico pensando que poderia ter sido criado como seus filhos, com muitos irmãos e uma mãe como a senhora.

– A mãe que o criou não foi boa?

– Foi, e muito. Não posso me queixar de nada com relação a ela. Eu a amava e sentia ser muito amado.

– Então não tem do que se queixar. Se tivesse continuado aqui, não teria o mesmo destino. Provavelmente seria mais uma dessas crianças que crescem desnutridas e analfabetas, isso se conseguisse crescer. Muitas dessas crianças morrem muito cedo. Quando adultos, a maioria é analfabeta e não tem oportunidade de ter uma vida melhor. Casam-se muito cedo e seus filhos seguem o mesmo destino. Assim vão se passando as gerações.

– A minha vida seria diferente. Paulo encontrou a pedra, mas como me vendeu, nem precisou dela para conseguir uma fortuna.

– Encontrou a pedra, sim, mas se não tivesse encontrado? Ele acreditava que a encontraria, mas nunca teve certeza disso, era um sonho que talvez nunca se realizasse.

– Mas se realizou. Só que foi tarde para minha mãe. Pode mesmo imaginar o que sinto, sabendo que ela existiu e sem saber se ainda vive? Uma mulher que sofreu muito por ter sido afastada de seu filho. O que a senhora faria se um de seus filhos fosse roubado?

– Deus me livre, não quero nem pensar nisso!

– Então, como pode me dizer que tudo estava certo?

Ela ia responder, quando ouviram:

– Bom dia! Acordaram cedo.

Olharam para Lula que entrava na cozinha, já se sentava e se servia de um copo de café. Dona Cinira respondeu:

– Assim que me levantei, Walther veio até aqui. Estamos conversando enquanto tomamos café.

– Conversavam sobre o quê?

– Sobre várias coisas, inclusive sobre sua religião.

– Espero que não tenham falado muito mal dela.

– Não! Eu estava dizendo a Walther que você sempre diz que tudo está certo na vida. E que tudo tem sua hora. Ele argumentava que não acredita nisso.

– As coisas estão sempre certas diante de Deus. Existe até o momento certo para que o homem aceite essa verdade. E esta não é a hora certa para Walther entender. A hora agora é de irmos embora. Quando chegar o momento certo, ele saberá. Verá que tudo acontece sempre para o nosso bem. Entenderá que aquilo que costumamos chamar de destino se faz presente e o que tem que ser, será.

Walther ouviu aquelas palavras e admirou-se, pois pensou que ele se alongaria na tentativa de convencê-lo de que suas idéias eram certas. Lula prosseguiu:

– Mamãe, temos que ir. Vamos comer alguma coisa antes de sair. Walther não conversou muito com nossos avós. Eles são simples. Embora queiram fazer muitas perguntas, não sabem como. Vou fazer o possível para que entendam o que Walther representa em suas vidas. O vovô já não entende muito bem, mas as avós são espertas. A avó Maria, sem que Walther percebesse, guardou o retrato de tia Marta. Vamos ter que convencê-la a devolver.

Walther olhou nervoso para o primo. Disse:

– Que está dizendo? Ela não vai querer devolvê-lo? Eu não o dei a ela, apenas mostrei! É a única foto que tenho de minha mãe!

– É também a única foto que ela tem da filha. Será difícil pegá-la de volta

– Eu posso mandar fazer uma cópia e mandá-la depois!

– Tente convencê-la disso. Pode também deixar com ela, e eu prometo que mando tirar uma cópia e lhe envio pelo correio.

– Não posso fazer isso. Como saberei reconhecer minha mãe se a encontrar sem o retrato?

– Quando sua mãe tirou esse retrato era muito jovem. Hoje deve estar mudada. Mas não se preocupe, assim que a vir saberá que é ela. Não precisará do retrato. Acredito que, se a encontrar, entenderá a justiça de Deus.

– Se a encontrar, realmente serei o homem mais feliz deste mundo. Se ela estiver bem, aí sim, acreditarei nessa justiça que está dizendo.

– Vamos esperar. Agora precisamos nos preparar para a viagem...

Dona Cinira colocou sobre a mesa leite, pão e um bolo que havia preparado na noite anterior. Comeram. Walther permaneceu calado o tempo todo. Lula falava muito com a mãe, mas ele não ouvia. Pensava em sua vida e na mãe que não sabia como encontrar.

Terminaram de tomar o café. Walther foi até o quarto e pegou sua maleta. Lula fez o mesmo. Quando voltaram, a casa ainda continuava em silêncio. Todos dormiam. Despediram-se de dona Cinira. Ela abraçou Walther, dizendo:

— Vá com Deus. Fiquei feliz por tê-lo conhecido e por recebê-lo em minha casa. Espero que volte outras vezes e que consiga realizar seu sonho de encontrar sua mãe.

— Obrigado, também gostei muito de tê-la conhecido. Depois de conhecer toda essa família, jamais vou esquecê-los. Pretendo voltar muitas vezes. De preferência com minha mãe.

— Desejo de todo o meu coração que isso aconteça.

Lula também se despediu da mãe, abraçando-a e beijando:

— Até logo, mamãe. Voltarei na semana que vem. Não se preocupe com o primo, ele encontrará o caminho a seguir. Embora não acredite, Deus está a seu lado encaminhando-o. Primo, vamos embora?

Walther sorriu. Afastaram-se acenando para dona Cinira, que correspondia. Entraram no carro e saíram. Walther dirigia com cuidado. Lula não dizia nada, apenas pensava na angústia do primo.

Durante o caminho conversaram sobre a paisagem e a família. Walther disse:

— Seus irmãos são muito alegres.

— Sim. Eles estão começando a vida. Todos foram criados por uma grande mulher. Dona Cinira, minha mãe. Ela é fabulosa!

Mais uma vez Walther lembrou-se de Geni, a mãe que o criara e amara. Disse:

— Também fui criado por uma grande mulher. Ela também foi maravilhosa. Ensinou-me a sempre ser honesto e viver do meu trabalho. Tudo estaria bem em minha vida se não tivesse descoberto toda essa história.

— Devemos sempre ver as coisas pelo lado bom. Descobrindo essa história, descobriu também que é hoje um homem com muito dinheiro. Poderá mudar completamente sua vida. Já imaginou o que fará com todo esse dinheiro?

— Para ser sincero, ainda não. Vi alguns números, mas não consigo imaginar o quanto realmente representam. Sinto que esse dinheiro foi ganho de uma maneira não muito certa.

— O que está dizendo? Tio Paulo trabalhou muito. Deu emprego a muitas pessoas. Esse dinheiro é limpo. Pode usá-lo sem se preocupar com nada. Com ele poderá ter tudo o que sonhou.

— Isso é que está sendo difícil. Nunca sonhei com nada que não pudesse conseguir com meu trabalho.

– Mas agora pode sonhar e conseguir tudo o que quiser. Esse dinheiro é seu. Ele lhe pertence desde o início.

– Está dizendo que se eu não houvesse sido vendido, talvez ele não existisse?

– Isso mesmo. Tio Paulo encontrou a pedra, mas não a vendeu. Isso é um sinal de que com apenas o que recebeu de seu pai americano e com sua inteligência e trabalho fez com que aquele dinheiro se multiplicasse. Portanto, ele é todo seu e deve usá-lo para fazer a sua felicidade!

– Minha felicidade seria encontrar minha mãe!

– Talvez ele sirva para isso. Acredite que a vida nos conduz pelos caminhos que teremos que seguir.

– Está bem. Só me resta isso mesmo a fazer.

Lula não respondeu, apenas sorriu. Chegaram ao sítio. Assim que o jipe entrou na pequena estrada, Walther viu os avós na varanda. Quando chegou perto, pôde ver o sorriso naqueles rostos enrugados. Parou o jipe, desceram. Lula correu para os avós e abraçou-os com carinho. Walther seguiu-o, também abraçou-os, mas não com o mesmo entusiasmo de Lula. No fundo, culpava-os por terem expulsado sua mãe de casa. Enquanto os abraçava, pensava:

Se eles não a tivessem expulsado, nada daquilo teria acontecido. Hoje eu estaria ao lado de minha mãe.

Entraram em casa. Lula, segurando a mão de sua avó Maria, disse com carinho:

– Vovó, Walther, seu neto, tem que ir embora.

– Mas ele mal chegou!

– É verdade, mas ele tem muito para fazer, não pode ficar mais tempo. Ele vai, mas volta. Não é, Walther?

Walther não tinha intenção nenhuma de voltar, mas vendo o olhar de Lula e da avó, respondeu:

– Claro que sim.

– Sabe, meu neto, ficamos felizes com sua visita e por saber que minha filha Marta conseguiu ter seu filho, apesar de tudo.

– Conseguiu, sim. Estou aqui.

– Não consigo deixar de pensar nela. Hoje, depois de tanto tempo passado, não me perdôo por não ter evitado que o pai a expulsasse desta casa que era dela. Peço a Deus todos os dias que eu tenha notícias dela antes de morrer. Preciso saber o que aconteceu com sua vida.

— Também quero muito encontrar minha mãe. Não sei se a condeno por não ter evitado. Não sei qual era o poder de uma mulher naquele tempo.

— Não tínhamos poder algum, como ainda não temos. Os homens decidem, nós apenas obedecemos.

Walther emocionou-se com o modo como a avó falava. Realmente aquela cultura era diferente da sua, embora não muito. Lá também as mulheres ficavam em casa apenas cuidando da família. Os homens traziam o dinheiro. As funções eram bem divididas.

— Vovó, quero que saiba que embora eu já a tenha condenado por não ter ajudado minha mãe, entendo também a sua situação. Quem sabe um dia a mulher consiga ter os mesmos direitos que os homens. Consiga trabalhar e ter o seu próprio dinheiro para poder decidir o que seja bom para elas.

— Deus lhe ouça, meu filho. Deus lhe ouça. Já está quase na hora do almoço. Vai almoçar antes de partir, não vai?

Lula interveio:

— Vai sim, e precisa ser logo, ele tem uma longa viagem. Já são dez horas, e ele precisa sair antes do meio-dia. Mesmo assim, chegará na próxima cidade grande quando estiver escurecendo. Pelo menos terá onde passar a noite. Outra coisa, vó. Precisa devolver-lhe o retrato que ele trouxe.

— Que retrato?

— Vovó, não se faça de tola. Sabe muito bem do que estou falando. Sei que está com o retrato de tia Marta. Ele pertence a Walther.

— Mas é o único retrato que tenho de minha filha!

— É também o único retrato que ele tem da mãe. Ele prometeu mandar fazer uma cópia e mandará para a senhora, mas precisa desse.

— Também preciso. Você pode mandar fazer uma cópia pra ele.

Lula olhou para Walther, que permanecia calado:

— Você é quem sabe. Se quiser, eu a convencerei, mas será justo?

Walther não respondeu. Em seu íntimo queria muito aquele retrato. Já se acostumara a olhá-lo todas as noites antes de dormir. Era a única imagem que possuía de sua mãe. Temia que, se não o tivesse, não conseguisse reconhecê-la, caso a encontrasse.

Lula, vendo que o primo não respondia, disse:

— Sei o valor desse retrato para você, mas sei também o quanto vovó precisa dele. Prometo que mandarei fazer uma cópia amanhã mesmo. Vai ficar ainda alguns dias em São Paulo, não vai?

– Não pretendo ficar mais do que o necessário, preciso voltar para o meu país. Não posso simplesmente abandonar tudo o que deixei para trás.

– Assim que a cópia ficar pronta, eu telefono. Se ainda estiver lá, mando no mesmo dia. Pode deixar-me seu endereço nos Estados Unidos. Se não estiver mais aqui no Brasil, eu enviarei para lá. Você é quem sabe...

Walther olhou para a avó. Em seus olhos via uma angústia muito grande. Aquele retrato para ele era muito importante, mas ela já estava tão velhinha... não teve coragem de dizer não:

– Está bem, vou deixar o retrato com você. Faça uma cópia maior. Assim que estiver pronta, mande-me essa original que está com nossa avó. Nessa, minha mãe colocou as mãos. É essa que eu quero.

– Pode ficar tranqüilo. Mandarei essa de volta assim que a cópia ficar pronta.

A velha senhora acompanhava a conversa dos dois sem interferir. Assim que Walther concordou em lhe dar o retrato, abraçou-se a ele, chorando:

– Muito obrigada, meu neto. Não imagina a felicidade que está me proporcionando. Penso nela sempre, mas agora poderei olhar para seu rosto e pedir perdão.

Walther não sabia o que responder. Não estava acostumado com aqueles abraços. Lula entendeu a situação dele:

– Está bem, vovó, ele já entendeu tudo. Vamos entrar agora. Vá até a cozinha ver como está o almoço.

A senhora entrou, mas não foi para a cozinha, foi para seu quarto. Olhou para seu criado-mudo, onde havia colocado o porta-retrato. Pegou-o em suas mãos, dizendo:

– Minha filha, não sei onde está neste momento, nem o que aconteceu com sua vida. Só quero que saiba que nunca a esqueci, e que rezarei todos os dias para que seu filho a encontre. Que Deus permita que eu a encontre também antes de minha morte.

Colocou o porta-retrato de volta ao criado-mudo. Sorriu e saiu, indo então para a cozinha. Lá chegando, disse a Leda:

– Sinto que agora tudo vai ficar bem. Meu neto deu-me o retrato de Marta. Vou poder olhar para seu rosto e pedir perdão todos os dias...

– Ainda bem, dona Maria, que a senhora está se sentindo assim! Agora pode parar de ficar chorando pelos cantos. Seu neto é um moço muito bonito.

— Sei, mas também com ele eu faltei. Não o protegi quando ainda estava na barriga de minha filha. Se o pai não a tivesse mandado embora, ele nasceria aqui e os dois estariam a meu lado. Em vez disso, foi criado num lugar distante e minha filha nem sei por onde anda. Bem, vamos agora servir o almoço, ele quer partir hoje mesmo.

— Tão cedo? Pensei que ficaria mais alguns dias.

— Ele não encontrou aqui o que veio procurar. Sua mãe.

— Mas encontrou toda sua família. Conheceu os avós! Será que não ficou feliz?

— Acredito que sim, mas sinto que tem uma mágoa muito grande em relação a nós. Sinto que nos culpa por tudo que aconteceu.

— Ele disse isso?

— Não, foi muito carinhoso, mas eu sinto...

— Deve ser sua imaginação. Ele me pareceu ser muito bom.

— Tomara. Vou ajudá-la com o almoço.

Lula estava nesse momento mostrando a Walther onde eram beneficiados a mandioca e o milho plantados no sítio.

— Veja, com esses pequenos moinhos a mandioca se transforma em farinha e o milho em fubá.

— Nunca vi um moinho e nem imaginava que fosse assim. O que fazem com a farinha e o fubá?

— Usamos o necessário aqui no sítio e o restante vendemos na cidade. Esses alimentos são essenciais para o nosso povo. O feijão e o arroz jamais serão comidos sem farinha. Com o fubá fazemos bolos, doces, e até alimento para as crianças, junto com o leite. É um alimento muito rico em vitaminas.

Saíram do moinho. Lula mostrou a plantação de milho e de mandioca. Walther, criado na cidade, nunca vira uma plantação de perto. Apenas ia ao mercado e comprava tudo embalado. A plantação estava muito verde e viçosa:

— Essa plantação parece que vai dar resultado. Está muito bonita!

— Sim! Graças a Deus temos tido chuva durante muitos anos. Esperamos que continue assim, pois se não chover a seca voltará e tudo isto se tornará um deserto...

— Não há como planejar algum tipo de irrigação?

— Bem se vê que não sabe o que é uma seca. A água desaparece completamente. Com o tempo, talvez surjam meios de se conseguir água, mesmo sem as chuvas, mas acredito que esse dia ainda está muito distante.

– Talvez não esteja tão longe assim. A tecnologia está evoluindo muito. Hoje temos aviões, carros. Alguém vai encontrar um meio de trazer água para cá.

– Deus lhe ouça. Se isso acontecer, o Nordeste brasileiro será uma das melhores terras para se viver.

– Acredito que isso vai acontecer.

Assim conversando, voltaram para casa. A mesa grande já estava posta. Os avós somente os esperavam para começar a comer. Walther e Lula sentaram-se. Começaram a comer, mas não diziam nada. Avó Maria olhava para Walther, pensando:

Tenho tanta coisa para lhe dizer, meu neto... Mas não sei como fazer. Sei que me culpa por tudo o que aconteceu, mas eu era muito ignorante, e ainda sou, muito covarde...

Avó Branca, mãe de Paulo, também se sentia culpada por não ter insistido mais com o cunhado na época em que ele expulsara Marta grávida. Mas pensava:

Sinto que não fiz tudo o que poderia ter feito. No íntimo, eu também culpava Marta pelo passo errado que dera, por ter-se perdido, ainda mais com meu filho. Eu achava que ela o enganara. Como consegui agir daquela maneira? Como consegui deixar que meu neto fosse expulso junto com a mãe?

Terminaram de almoçar. Walther voltou ao seu quarto. Em cima da cama estava toda sua roupa, limpa e passada. Tirou a roupa de Lula que estava usando, dobrou-a e colocou-a em cima da cama, no lugar em que estavam as suas. Vestiu-se, guardou o resto na maleta e voltou para a sala onde seus avós se encontravam com Lula. Despediu-se de todos, dizendo:

– Fiquei muito feliz em conhecê-los e a este lugar. Vou embora porque preciso, mas voltarei assim que for possível.

Dizia aquilo, mas sabia que jamais voltaria. Aquele lugar trazia-lhe muitos pensamentos, num misto de raiva e de carinho. Ao abraçar Lula, disse as mesmas palavras. Só que Lula lhe respondeu:

– Sei que não quer mais voltar, mas não sabemos nada desta vida. Estarei esperando por você, e quando voltar será muito bem recebido.

– Por que diz isso?

— Porque você conheceu este lugar e nunca mais vai esquecê-lo. Porque aqui estão suas raízes, e elas são poderosas! Quem sabe até volte com sua mãe!

— Sabe de alguma coisa que eu não sei? Sabe, por acaso, onde está minha mãe?

— Não sei de nada. Se soubesse onde está sua mãe, claro que o levaria até ela. Só sei que Deus é um pai misericordioso que nos dá sempre a oportunidade de realizarmos nossos sonhos. Sei também que seu sonho é encontrar sua mãe, por isso sinto que a encontrará. Se não for nesta vida, será na outra. Mas vamos torcer para que seja nesta mesmo.

— Também espero, mas ao mesmo tempo temo que seja impossível.

— Para Deus nada é impossível, ele pode tudo! Vamos confiar e entregar nossa vida a Ele. Continue sua caminhada. Resolva o que vai fazer com sua vida daqui para a frente. Tem agora condições de ser outra pessoa, dinheiro suficiente para viver muito bem. Aproveite bem desse dinheiro, você merece. Fiquei muito feliz mesmo em conhecê-lo. Seguindo o que acredito, poderia até dizer em reencontrá-lo.

— Como, reencontrar-me? Só nos conhecemos agora!

— Nesta vida, meu primo... mas sinto que nos conhecemos há muito tempo e que sempre fomos amigos.

— Lá vem você novamente com essa conversa.

— Tudo bem, não precisa acreditar. Mas não pode impedir que eu acredite. Vá com Deus, e tenha certeza de que, independente de nossas crenças, nunca estamos sós. Deus está sempre a nosso lado, mostrando-nos o caminho que devemos seguir. Venha, vou acompanhá-lo em meu cavalo até a estrada.

Walther, sorrindo, entrou no jipe:

— Será uma honra! Vamos?

Olhou para a varanda, lá estavam os avós e Leda. Acenou, no que foi correspondido. Lula montou no cavalo e seguiu a sua frente.

Novamente estava voltando por aquela estradinha cheia de buracos. Buracos que, quando chegou cheio de ansiedade, não viu. Dirigiu com cuidado. Sabia que aquele jipe era potente, só não sabia se haveria peças para trocar, caso alguma se quebrasse. Sabia que a viagem de volta para São Paulo seria longa, mas agora sabia também onde pernoitar. Dormiria na casa de Vó Zu. Contaria a ela que não conseguira encontrar a mãe.

Assim que chegaram à estrada principal, Lula desmontou e foi até o jipe:

— Bem, aqui estamos. Esta estrada o levará de volta, basta apenas seguir as placas. Não se esqueça de escrever, quero saber tudo o que fizer com sua vida. Vá com Deus! Procure tirar do seu coração toda a mágoa que sente. Recomece sua vida em paz. Que Jesus o abençoe.

Walther sentiu um aperto no coração por despedir-se daquele que até poucos dias era um estranho, mas por quem tinha um sentimento desconhecido. Apertou a mão do primo, dizendo:

— Estou emocionado. Tenho certeza que encontrei um amigo, mas nesta vida mesmo, não em outra. Espero revê-lo antes de partir para a outra. Se quiser me visitar e conhecer meu país, será muito bem-vindo!

— Seu país é este, mas se eu quiser conhecer os Estados Unidos, irei sim. Pode me esperar. Quanto à outra vida, não se preocupe, é ainda muito jovem e tem muito para viver. Estou feliz por tê-lo conhecido, ainda mais por sentir que você, apesar de tudo que descobriu, está fazendo o possível para entender e está tentando nos aceitar como sua família. Siga seu caminho e lembre-se de que nossa caminhada, embora às vezes não pareça, é sempre para o melhor.

Walther sorriu, soltou a mão do primo, acelerou o jipe e saiu com um aperto na garganta.

Estava novamente na estrada. Conhecia todos os lugares por onde teria que passar. Voltava triste por não ter encontrado sua mãe. Sentia em seu coração que não a encontraria. Lembrou-se de Paulo:

Todos falaram muito bem dele. Os daqui até pode-se dizer que tiveram motivo para isso, mas Isaias, quando me falou a seu respeito, ainda não sabia que ele lhe deixara a casa. Vó Zu também não o conheceu, mas disse que eu devia perdoar porque tudo estava certo sobre esta Terra. Não sei o que pensar. Não vou mesmo conseguir encontrar minha mãe. Se Paulo não conseguiu durante todos esses anos, como eu, um estrangeiro, conseguiria? O melhor que tenho a fazer é, como disse Lula, recomeçar minha vida. Ver o destino que vou dar a todo esse dinheiro. Quem sabe posso ter até meu próprio negócio de seguros. É isso mesmo que vou fazer. Assim que chegar a São Paulo, verei se o dinheiro está liberado, pegarei o primeiro avião que houver e voltarei para minha terra. Lá recomeçarei.

O Acidente

Já estava há algum tempo na estrada praticamente vazia. Passou por algumas carroças, um ou outro cavaleiro e algumas pessoas que seguiam andando pela margem. Não vira até então nenhum carro. Desviou os olhos para olhar o relógio que estava em seu braço esquerdo. Marcava doze horas e cinqüenta minutos. Fazia mais de uma hora que saíra do sítio. Quando voltou novamente os olhos para a estrada, percebeu que alguém a atravessava. Pisou no freio com toda a força, mas não conseguiu evitar a batida. Sentiu o impacto e percebeu que alguém caíra. Apavorado, desceu do carro e foi ver o que acontecera. Viu uma moça deitada tentando se levantar. Aproximou-se e ajudou-a a sentar:

— Desculpe, tentei frear, mas não consegui evitar a batida!

A moça levantou a cabeça e ele pôde notar que era muito bonita. Morena, com longos cabelos negros e uns olhos grandes e assustados. Seus olhos se cruzaram. Ficaram assim por alguns segundos, olhando-se calados. Ele, desesperado, voltou à realidade:

— Você está bem? Está sentindo dor?

Ela tentou levantar-se e ficar em pé, mas não conseguiu. Sua perna doía muito:

— Minha perna está doendo, mas não se preocupe, o senhor não teve culpa. Eu atravessei a estrada sem olhar. Estava distraída.

— Por aqui deve haver algum hospital. Vamos até lá para ver se tudo está bem com sua perna.

— Não, estou bem. Preciso ir para casa, meus irmãos estão sozinhos. Foi só uma batida, não quebrou nada.

Walther olhou para a perna da moça e percebeu que não havia se quebrado:

– Onde você mora?

Ela, apontando com o braço, respondeu:

– Ali naquela casa.

Ele olhou e viu outra estradinha igual à do sítio e uma casa pequena e muito simples. Percebeu que a distância era longa:

– É muito longe, será melhor que entre no jipe e eu a levarei até lá.

– Não precisa! Não é tão longe! Já estou acostumada a andar.

Tentou andar, mas não conseguiu. Encostou-se no jipe:

– Acho que o senhor tem razão. Com essa dor vou demorar muito para chegar...

– Vamos até um hospital. Deve haver algum aqui por perto.

– Há sim, na cidade. Estou voltando dele agora. Fui visitar minha mãe, ela está lá já há seis dias. Por isso preciso voltar logo para casa. Meus irmãos estão sozinhos, e se eu não voltar ficarão assustados.

– Vamos fazer o seguinte: você entra no jipe, vamos até sua casa, contamos para seus irmãos o que aconteceu, depois vamos até o hospital. Se quiser, pode levar um deles com você. Quantos são?

– Doze.

– Doze? Você tem doze irmãos?

Ela, vendo o espanto dele, sorriu:

– Não, tenho onze. Doze comigo!

Ele percebeu que ela se acalmara e que sorrindo ficava mais bonita ainda. Também sorrindo, disse:

– Não consigo imaginar uma casa com doze irmãos. Sou filho único, fui criado sozinho. Deve ser uma atrapalhação. Como uma pessoa pode ter doze filhos?

Ela disse:

– Na realidade, meus pais tiveram apenas três filhos. Eu e mais dois irmãos. Os outros são crianças que minha mãe acolheu.

– Disse minha mãe. Seu pai, onde está?

– Ele morreu quando eu era ainda criança, não me lembro dele. Desde então, minha mãe tem cuidado de todos nós e de muitas outras crianças.

– Sua mãe cuida de doze crianças? Como ela faz?

– Meu pai nos deixou este sítio, onde plantamos mandioca, milho e feijão. Temos várias galinhas e duas vacas que garantem o leite, manteiga e queijo. Algumas pessoas da cidade ajudam. Meus dois irmãos, assim que fizeram dezoito anos, não encontrando emprego aqui, foram para São Paulo. Hoje estão casados, trabalham numa empresa e todos os meses nos mandam dinheiro. Outras crianças que minha mãe criou também cresceram e foram embora, mas sabem que ela precisa de dinheiro para dar a outras crianças o mesmo que deu a eles, por isso também mandam dinheiro.

— Isso é suficiente?

— Vivemos muito bem, não nos falta nada. Mamãe costura para algumas pessoas na cidade, eu a ajudo cuidando da casa e das crianças. Nossa! Conhecemo-nos há poucos minutos e já lhe contei quase tudo de minha vida!

— Por que está a pé? Não tem uma condução?

— Temos uma carroça, mas ontem quebrou, meu irmão a está consertando. Precisava ir ao hospital ver minha mãe.

Walther não respondeu. Ela tentou dar um passo, mas não conseguiu. Ele a amparou, dizendo:

— Entre no jipe, vou levá-la até sua casa. Falaremos com as crianças e depois iremos até o hospital.

Ela percebeu que não poderia andar. Só lhe restou entrar no jipe. Depois de tê-la acomodado, Walther recolheu sua sacola e alguns alimentos esparramados pelo chão. Pegou tudo, colocou de volta na sacola, deu a volta e entrou também. Ligou o jipe, fez uma manobra e entrou na pequena estradinha.

Dirigia devagar, pois havia muitos buracos que faziam com que ela soltasse alguns gemidos. Chegaram a um pequeno riacho onde havia uma ponte feita com dois troncos de árvore e algumas madeiras. Walther passou por ela com cuidado. A casa ficava um pouco distante da ponte. Para se chegar até ela, havia mais uns dez metros. Walther disse:

— Não vai conseguir chegar andando até a porta de entrada.

— Consigo sim. Só precisa me amparar de um lado. Irei pulando.

Ele, com ar de quem não estava acreditando, abriu a porta do jipe e ajudou-a a descer. Ela, com dificuldade, desceu. Segurou-a pela cintura, ela passou o braço por suas costas e começou a pular numa perna só. Andaram por alguns metros. Ele era bem mais alto que ela, precisava ficar curvado, logo estava com as costas doendo. Ela também se cansou rapidamente. Pararam.

Walther olhou em direção à casa e notou que ainda faltavam muitos metros. Na porta apareceu um rapazinho. Ela começou a gritar, acenando. O rapaz, quando a viu, foi correndo em sua direção. Logo apareceram mais crianças, que o seguiram.

Assustaram-se primeiro com aquele carro e com o homem desconhecido, depois por vê-los abraçados. O rapazinho que parecia ser o mais velho, sem perceber que ela estava machucada, disse:

– Laura! O que aconteceu? Quem é esse homem?

Ela olhou para Walther sem saber o que responder, pois até então não sabia seu nome. Ele, percebendo que realmente não se haviam apresentado, disse:

– Meu nome é Walther, houve um acidente e Laura está com a perna machucada. Estávamos tentando chegar até a casa para avisá-los, mas parece que vai ser impossível.

– Está machucada?

– Estou, e está doendo muito. Acho que vou precisar ir até o hospital. Não sei quanto tempo vou demorar, por isso quero que volte para casa e cuide de tudo. Dentro do carro há uma sacola com carne e algumas frutas. Leve e prepare alguma coisa para as crianças comerem, mas não chegue perto do fogão.

Walther estava abismado com tantas crianças, que admiradas olhavam para ele e para o jipe. Percebeu que eram de todas as idades, alguns morenos, outros louros, outros negros. Ele acompanhou Denilson até o jipe, abriu a porta, retirou a sacola e a entregou a ele. Laura, preocupada, disse:

– Quem ficou tomando conta dos bebês?

– A Lurdinha e a Téa. Não se preocupe, estamos todos bem. É melhor que vá logo para o hospital, sua perna está inchando.

Ela e Walther olharam para sua perna e notaram que estava mesmo vermelha e um pouco inchada. Walther, ajudado por Denilson, cada um de um lado levaram-na até o jipe e a colocaram no banco traseiro com a perna estendida sobre ele. Com muito custo, pois a estrada era estreita, Walther conseguiu manobrar o jipe e colocá-lo de frente para sair.

Laura fez mais alguma recomendações para Denilson. Bem devagar, Walther colocou o jipe em movimento.

Ao chegarem ao hospital, ele entrou e pediu uma cadeira de rodas. Laura sentia muitas dores. Uma enfermeira o acompanhou. Ficou abismada ao ver aquele carro tão bonito. Por aqueles lados era muito difícil ver um carro, muito menos como aquele. Ficou mais abismada ainda ao ver Laura.

— Laura! O que houve?

— Sofri um acidente, minha perna está doendo muito...

— Vamos logo lá para dentro. O doutor Moraes vai atendê-la.

Com muito carinho, Walther retirou-a do carro e colocou-a na cadeira. A enfermeira conduziu-a com cuidado, mas com rapidez para dentro. Levou a cadeira até um consultório. O médico, ao vê-la, disse espantado:

— Laura! Que aconteceu? Acabou de sair daqui agora mesmo!

Antes que Laura respondesse, Walther disse:

— A culpa foi minha, eu a atropelei com meu jipe quando ela atravessava a rodovia.

— Não! A culpa não foi dele! Eu estava distraída, pensando em minha mãe e em como faria para cuidar das crianças sozinha e atravessei sem olhar. Ele não teve como desviar.

— Isso agora não importa, precisamos ver essa perna. Vai tirar uma radiografia para ver se está quebrada, depois conversaremos.

A enfermeira a conduziu até outra sala, onde tiraria a radiografia. Walther ficou esperando sentado num banco. Enquanto esperava, seu pensamento corria solto:

Como isso foi acontecer? Embora ela diga que não, sei que a culpa foi minha. Estava envolvido em meus pensamentos e não prestei atenção na estrada. Tomara que não tenha sido nada grave. É uma moça tão bonita! Não é mais uma menina, mas seus olhos são como se fosse. Que sensação estranha senti quando a vi pela primeira vez, quando nossos olhos se encontraram. Ela não me pareceu ser uma estranha, parece que já a conheço de algum lugar...

Ficou assim pensando por algum tempo, até que a porta se abriu e Laura saiu conduzida pela enfermeira, que disse:

— Vamos esperar um pouco até a radiografia ficar pronta. Quer que avise sua mãe que está aqui?

— Não, por favor. Ela ficaria muito nervosa ao saber que sofri um acidente. Vamos ver o que o doutor Moraes diz, depois falarei com ela. Você a conhece, sabe como é preocupada com todos nós.

— Tem razão, e no momento, o que Eunice menos precisa é de preocupação.

Enquanto as duas conversavam, Walther olhava a sua volta, pensando:

Como Laura pode dizer que isto aqui é um hospital? Em meu país não seria mais que um pequeno centro médico. Tudo é tão pobre, embora seja muito limpo. Este país e tão diferente dentro dele mesmo. São Paulo, Rio de Janeiro, lugares por onde passei e vi tanta riqueza, enquanto neste lado do país só existe pobreza. Qual será o motivo de ser assim?

Não parava de pensar, querendo entender e conhecer a terra na qual nascera. Seus olhos corriam por tudo. De repente pararam em Laura, que ainda conversava animadamente com a enfermeira sem prestar atenção nele. Ele a olhou, mas desta vez viu-a diferente:

Por que tudo isto está acontecendo? Só vai me atrasar. Preciso voltar para casa. Puxa, só agora depois de ter passado o susto foi que comecei a prestar mais atenção nela. É mesmo muito bonita.

Realmente, Laura possuía lindos cabelos negros, levemente ondulados, presos para trás por uma presilha. Seus olhos eram de um castanho-escuro muito brilhante. Sua pele era morena, mas não chegava a ser escura. Dentes e boca perfeitos. Formava um conjunto muito bonito. Ele a olhava sem conseguir desviar os olhos. Sua saia estava levantada até a altura dos joelhos, e ele pôde notar que suas pernas também eram bem-feitas e bonitas.

Estava distraído olhando quando viu o médico se aproximar, dizendo:

– Não há nada quebrado, foi apenas uma luxação. Mas, mesmo assim, será preciso imobilizar por alguns dias.

– Imobilizar? Não pode! O senhor sabe que lá em casa há muitas crianças! Minha mãe está aqui! Como farei para cuidar delas?

– Eunice terá que ficar aqui por mais alguns dias, não está bem. Alimenta-se muito mal e trabalha muito. Ficando aqui, poderá descansar e se alimentar. Quando voltar estará como nova.

– Quantos dias mais ela terá que ficar?

– Deveria ficar no mínimo mais dois dias, mas diante da situação... Vou dar-lhe um medicamento através do soro. Depois disso ela poderá ir embora, mas terá que continuar o tratamento em casa. Se não se cuidar, da próxima vez que tiver outro ataque como aquele poderá ser fatal.

– Deus me livre! Não diga isso, doutor. Não posso imaginar minha vida sem ela. Por isso mesmo é que não posso ficar imobilizada.

– Mas precisa. Embora não tenha quebrado, se não imobilizar sentirá muitas dores e poderá complicar.

– Não sei como farei...

– Terá que se organizar. As crianças maiores terão que ajudá-la com os menores. Amanhã bem cedo poderá vir buscar Eunice, mas mesmo assim ela terá que ter muito cuidado e alimentar-se bem.

Walther prestava atenção na conversa dos dois. Percebeu que Laura estava mesmo muito aflita. Pensou um pouco e interrompeu-os:

– Com licença. Sei que sou o culpado por toda esta situação. Quero ajudar. Posso ficar durante o dia com vocês, ajudar de alguma maneira e à noite dormirei em algum hotel. Assim que sua mãe voltar, eu irei embora.

Laura e o médico entreolharam-se e não conseguiram evitar um sorriso. Foi ele quem disse:

– O senhor não deve ter prestado muita atenção à cidade. É muito pequena, praticamente tem três ou quatro ruas. Não temos um hotel, nem sequer uma pensão!

– Realmente, estava tão aflito que não prestei atenção. Mas precisamos encontrar uma maneira de eu ficar e ajudar no que for preciso.

Laura olhou para ele e percebeu que estava nervoso. Pensou um pouco, e sabendo que precisava de ajuda, disse:

– Embora não o considere culpado, preciso de ajuda. Se quiser, pode ficar lá em casa. É muito simples, mas arrumaremos um modo de acomodá-lo.

– Boa idéia, Laura! Garanto ao senhor que ficará muito bem, embora vá ter muito trabalho. Aquelas crianças são um terror.

Laura sorriu:

– Nem tanto, doutor. São apenas crianças que querem brincar e viver sem preocupações.

Walther pensou mais um pouco. Aquilo não estava em seus planos. Queria chegar logo a São Paulo, terminar de arrumar sua vida e voltar o mais rápido possível para os Estados Unidos. Muita coisa acontecera desde que chegara ao Brasil. Sua cabeça estava muito confusa. Sabia que tinha dinheiro para recomeçar uma vida nova em seu país. Sabia também que sozinho não conseguiria encontrar sua mãe. O que mais desejava era voltar. Esquecer tudo o que se passara em sua vida, sua origem, e usufruir do dinheiro que lhe pertencia por direito. Dinheiro que sua mãe pagara com muitas lágrimas e sofrimento.

Tudo isso passou por sua cabeça, mas, por outro lado, aquela jovem precisava de sua ajuda. Olhou para os dois, dizendo:

– Tenho que viajar, mas posso adiar por alguns dias. Ficarei o tempo que for preciso.

Laura e o médico sorriram. No íntimo, ela ficou feliz. Precisava de ajuda e ele certamente a ajudaria. O médico disse:

– Assim está muito bem. Vou imobilizá-la, irão embora e amanhã voltarão para levar Eunice.

Assim fez. Laura teve que pôr uma tala que pegava a perna toda, desde a coxa, envolvendo os pés. Walther acompanhou a enfermeira até o jipe. Ela empurrava a cadeira de rodas. Com cuidado, colocou Laura no banco de trás. Depois de acomodá-la, entrou no jipe, despediram-se e ele foi dirigindo bem devagar. Laura o observava por trás:

Ele é um moço bonito! Quem será? De onde terá vindo?

Walther prestava atenção na cidade. Realmente era muito pequena. Pelo retrovisor, olhou para trás.

Laura no mesmo instante também olhou, e seus olhos se encontraram. Os dois sentiram como se um raio os houvesse atingido. Uma corrente elétrica passou por seus corpos. Ficaram calados, olhando-se por alguns segundos, sem conseguir desviar os olhos. Depois, meio sem graça, desviaram o olhar. Ficaram calados, não sabiam o que dizer. Sentiam que o coração batia mais forte. Walther respirou fundo, querendo voltar ao normal. Laura ficou olhando para fora, apreciando a paisagem, tentando não demonstrar o que sentia. Foi um momento mágico para os dois, e cada um, a seu modo, tentava disfarçar.

Ficaram assim calados por alguns minutos. Walther interrompeu o silêncio:

– O doutor tinha razão, não percebi como a cidade era pequena!

Ela, ainda um pouco encabulada, disse:

– O senhor ficou muito assustado com tudo o que aconteceu, por isso não deve ter notado.

– Deve ter sido isso mesmo o que aconteceu, mas por favor, não me chame de senhor. Não sou tão velho assim. Meu nome é Walther. O seu é Laura. Um bonito nome.

– Obrigada, também gosto dele. Estou pensando que não devia ter aceitado sua ajuda. Parece ser muito ocupado e deve estar com pressa para seguir seu caminho.

239

— Não sou muito ocupado, aliás, no momento, não sei muito bem quem sou. Preciso sim voltar ao meu destino, mas isso pode esperar.

Ela não disse nada, apenas sorriu. Logo chegaram à pequena estrada que os levaria até a casa de Laura. Com cuidado, ele entrou e foi dirigindo bem devagar, tentando ao máximo evitar os buracos, o que era quase impossível. Chegaram a uma pequena clareira, onde existia um corredor rodeado por uma cerca baixa de madeira:

— Não podemos seguir de carro. Daqui para a frente, creio que será preciso que eu a carregue.

— É muito longe! Sou pesada! Deve haver uns dez metros de distância! Será que vai conseguir?

— Não é tão longe assim. Também não precisa se preocupar, as crianças já nos viram e estão correndo para cá. Vou pegá-la em meus braços, você é magrinha. Não deve pesar muito, mas se me cansar, paramos um pouco.

— Está bem, vamos tentar. De qualquer maneira, não poderei andar.

Logo as crianças chegaram. Estavam todos curiosos e preocupados com Laura. Denilson aproximou-se:

— Parece que quebrou mesmo. Como fará para chegar até a casa?

— Vou carregá-la. Talvez demoremos um pouco, mas chegaremos.

Saiu do jipe, deu a volta e abriu a porta. Laura esforçou-se e conseguiu ficar mais perto da porta. Ele a segurou pela cintura e vagarosamente a retirou. Com ela em seus braços, seguiu acompanhado pelas crianças, que corriam a sua volta. Laura segurava em seu pescoço, dizendo:

— Para elas tudo que é diferente se transforma em festa. É muito bom ser criança!

— Tem razão. A criança não se preocupa com nada. Só com o que vai comer, onde vai dormir e do que vai brincar.

Ele continuou andando por alguns metros, mas logo se cansou. Parou e, vagarosamente, ajoelhou-se, colocando-a no chão. Enquanto fazia esses movimentos, os rostos se encontraram. Por um segundo as peles se tocaram e novamente aquela corrente elétrica percorreu seus corpos. Novamente tentaram disfarçar o que sentiam. Mas foi uma tarefa quase impossível. Seus rostos ficaram vermelhos, seus olhos se encontraram e não conseguiram desviar. Ficaram olhando-se como se somente então houvessem se encontrado realmente. As crianças também se sentaram, curiosas para saber quem era aquele homem.

Walther, disfarçando, começou a brincar ora com uma, ora com outra. Aos poucos, elas começaram a rir. Logo viu-se rodeado por rostinhos que o olhavam curiosos. Laura, sorrindo, disse:

– Elas estão estranhando sua presença, nunca viram um homem aqui em casa.

– Disse que seu pai morreu, mas você, não é casada?

– Não, nunca me interessei por rapaz algum.

– Disse que seus irmãos, assim que atingiram uma certa idade, foram embora. Você, por que não foi?

– Nunca quis deixar minha mãe sozinha. Nunca senti vontade ou necessidade de ir embora daqui. Adoro este lugar e as crianças. Mamãe está muito cansada, precisa de minha ajuda.

Ele sorriu. Levantou-se, dizendo:

– Bem, vamos andar mais pouco?

Ela também sorrindo, levantou os braços para que ele a pegasse no colo novamente. Ele a segurou carinhosamente. Sentia um prazer enorme em tê-la em seus braços. Sentia o calor de seu corpo e uma vontade imensa de apertá-la junto a si, mas não o fez. Segurou-a normalmente. Ela também queria encostar-se a ele, mas se conteve.

Caminharam até a casa. Entraram numa sala grande, onde havia uma mesa imensa rodeada por muitas cadeiras. Walther olhou a sua volta e percebeu que havia um corredor com quatro portas. Imaginou que fossem os quartos, mas estranhou a falta de janelas; apenas duas.

Olhou para o alto. Não havia forro, podia-se ver as telhas que cobriam a casa feita de tijolos e pintada toda de branco. No chão, cimento vermelho e brilhante.

Denilson apressou-se e colocou diante de Laura uma cadeira. Walther, com muito cuidado, sentou-a. Téa já estava com um banquinho em suas mãos e colocou-o em frente à cadeira. Walther levantou a perna de Laura e colocou-a em cima do banquinho.

Viu que quatro crianças ainda bebês brincavam no chão, em cima de uma colcha. Não conseguiu esconder a curiosidade:

– Quem são essas crianças? De onde elas vieram?

– Alguns, como Denilson e Téa, são irmãos legítimos. Seus pais pediram a minha mãe que cuidasse deles por algum tempo. Foram para São Paulo prometendo voltar para buscá-los. Já faz cinco anos. Outros, ou os pais morreram ou foram abandonados. Sabendo que mamãe não se recusa a cuidar de nenhuma criança, as pessoas as mandam para cá.

Lurdinha saiu de um dos quartos trazendo nos braços uma criança. Ao vê-la, Laura sorriu:

— Essa é Ritinha, tem apenas dois meses de vida. Sua mãe a deixou aqui. Ela é também uma menina, tem quinze anos. Seus pais não a quiseram mais em casa desde que descobriram que estava esperando uma criança. Mamãe a recolheu e cuidou dela até a criança nascer. Certa manhã, logo depois que Ritinha nasceu, encontramos uma carta de sua mãe na qual pedia que mamãe cuidasse da menina, pois ela iria tentar a vida em outro lugar. Assim que ficasse bem, voltaria para buscá-la.

— Acredita que ela voltará?

— Para ser sincera? Não. Isso já aconteceu com outras crianças. Seus pais nunca mais voltaram. No fundo, não os culpo, pois sabem que aqui a criança será muito bem cuidada. Bem melhor do que se ficassem com eles.

— Fico abismado com isso. Não entendo como pais podem abandonar seus filhos.

— Por estes lados isso é comum. A miséria é muito grande. Eles precisam tentar a vida em outro lugar. São obrigados a sair de sua terra, procurar sustento.

— Isso é lamentável. Tem que existir uma solução para isso!

— Talvez algum dia ela seja encontrada. Mas enquanto esse dia não chega, vamos fazendo a nossa parte.

— Esperemos que sim. Acredito que tenha razão. Está confortável?

— Muito! Não sei como agradecer tudo o que está fazendo!

— Não tem o que agradecer, afinal tenho minha parte de culpa. Se não a houvesse atropelado, não estaria precisando de minha ajuda.

— Se eu não estivesse atravessando a estrada tão distraída, você não teria me atropelado.

— Isso agora é o que menos importa. Fique quieta aí e diga-me o que devo fazer. Tenho que confessar. Nunca estive numa situação igual a esta! Nunca me vi no meio de tantas crianças! Não sei por onde começar ou o que fazer.

— O meu maior problema será preparar a comida. As panelas são grandes e as crianças não têm força nem altura para cozinhar. Denilson é o mais velho. Está com doze anos, mas ainda não alcança.

— Não sei cozinhar!

— Não é difícil, vou ficar a seu lado ensinando.

— Está bem, mas não sei se vai dar certo.

– Claro que vai. Só precisa levar-me até a cozinha. Terá que me carregar novamente...

Ele sorriu. Ela parecia muito segura de si. Denilson, ao lado, acompanhava a conversa. Walther olhou para ele, afastou o banquinho e colocou o braço em volta da cintura de Laura. Ela levantou os braços e passou-os por seu pescoço. Ele a levantou e caminhou em direção à cozinha seguindo Denilson, que carregava a cadeira.

Entraram na cozinha. Denilson colocou a cadeira em frente a uma mesa menor do que aquela que havia na sala. Walther acomodou Laura. Em seguida, olhou para o fogão. Nunca vira um igual. Era enorme, feito de tijolo, com um buraco onde era colocada a lenha. Por cima, uma chapa de ferro que ficava quente o tempo todo, enquanto a lenha queimava por baixo. Num canto havia um tipo de pedestal, onde panelas brilhantes estavam penduradas. Em outro canto, um armário forrado com papel rosa recortado em forma de flores, onde estavam pratos, xícaras e copos. No meio da cozinha estava a mesa. Ao lado havia uma pia. Reparou que não havia torneira:

– Não tem torneira? Como consegue água?

– Lá fora há um poço. Denilson vai lhe mostrar. A água é carregada aqui para dentro num balde que está ao lado do poço. Cada um de meus irmãos mandou um pouco de dinheiro e mamãe mandou colocar uma bomba manual. Já deve ter percebido que não temos luz elétrica...

– Não, eu não havia notado. Como fazem à noite?

– Temos alguns lampiões a querosene e lamparinas pel a casa.

Ele não acreditava no que via. Nunca pensou que pessoas pudessem viver daquela maneira. Mas notou também que para elas era natural. Que não eram infelizes por isso. Saiu de casa acompanhado por Denilson. Foi até o poço. Começou a baixar e levantar uma alavanca. De repente, uma quantidade muito grande de água saiu por um cano. Denilson havia colocado o balde embaixo e logo ele estava cheio de água fresca e cristalina. Walther apanhou o balde e voltaram para a cozinha. Laura estava com Lurdinha escolhendo feijão e colocando-o dentro de um caldeirão grande. Assim que ele entrou, ela disse:

– Pode colocar o balde em cima da pia. Assim que terminar de escolher o feijão, vamos colocar água dentro do caldeirão e levá-lo ao fogo para cozinhar.

Walther obedeceu a todas as ordens. Logo o caldeirão com feijão estava sobre o fogão. Em seguida, fez o mesmo com outra panela, onde, seguindo as instruções de Laura, temperou o arroz.

Ele, particularmente, estava adorando tudo aquilo. Outra panela foi colocada com um pedaço de carne, que ele foi virando de um lado para outro. Laura, sorrindo, seguia todos os seus passos. Quando ele terminou de colocar todas as panelas sobre o fogão, disse:

— E agora? Que mais preciso fazer?

— Só temos que prestar atenção para não deixar queimar. Logo estará tudo pronto. Vamos conhecer o sabor do seu tempero.

— Confesso que estou curioso. Nunca fiz uma comida como essa. Em meu país gostamos muito de sanduíches. Minha mãe de vez em quando cozinhava assim, mas papai não gostava. Por isso, aos poucos ela também foi se acostumando com os sanduíches, pastas e batatas.

Laura não respondeu, estava encantada olhando para ele. Notou que ele tinha dentes perfeitos. Quando falava, em seu queixo aparecia um furinho que lhe dava um charme especial. Não entendia por que sua presença lhe fazia tanto bem. Na realidade, ela nunca antes se interessara por homem algum. Todos que conhecera eram sempre sem atrativos. Mas com ele, desde o início foi diferente. Tudo nele a agradava. Estava distraída quando Denilson disse:

— Laura, não está na hora tomarmos banho?

— Está sim. Walther, preciso de mais um favor seu.

— Já disse que não estou fazendo favor. O que é?

— As crianças precisam tomar banho. Sabe aquele pequeno riacho onde está aquela ponte? É lá que todos os dias a esta hora vamos tomar banho. Não é fundo e a água é cristalina. Hoje não posso ir, e só Denilson e Téa sozinhos não conseguirão dar banho nas crianças. Poderia ir com eles?

Walther olhou para as crianças que brincavam na sala. Notou que havia louros, morenos e duas negras. Mais uma vez viu-se diante de uma situação inesperada. Nunca estivera perto de tantas crianças, muito menos dera banho em alguma. Olhou para Laura, respondendo:

— Estou vivendo experiências diferentes. Já cozinhei, agora não sei se conseguirei, mas tentarei isso também.

— Claro que conseguirá. Não tem segredo. Basta ficar olhando para ver se elas realmente se lavam, pois gostam de ficar brincando e esquecem-se da higiene.

Walther olhou para Denilson, que acompanhava a conversa:

— Pois se tem que ser, que seja! Vamos embora.

Foram até o riacho. Walther seguia-os prestando atenção nos movimentos das crianças. Assim que chegaram, elas foram se despindo e entrando na água, que parecia estar fria. Mas como o calor era muito grande, devia estar muito boa. As crianças passavam sabonete pelo corpo. Riam e jogavam água umas nas outras. Walther ficou na margem prestando atenção em todas elas. Percebeu que ali não havia perigo algum. Era raso e a água descia calma. Sentiu muito calor. Tirou as calças e a camisa, e somente com a roupa de baixo, entrou na água e começou a lavar as crianças e a brincar com elas, também jogando água. Aquele banho transformou-se numa grande brincadeira. Todos riam.

Estava tão bom que nem viram o tempo passar. Lurdinha, que ficara em casa com Laura, chegou à margem do rio e ficou olhando toda aquela algazarra. Gritou bem alto para que ele pudesse ouvir:

– Seu Walther! Seu Walther!

Ele a ouviu e voltou a cabeça:

– Que foi? Aconteceu alguma coisa?

– Não! Estão demorando muito, Laura está preocupada. Pediu para eu vir ver se aconteceu alguma coisa.

– Nossa! Nem vi o tempo passar. Esta água está muito fresca. Com todo esse calor, não poderia haver algo melhor. Crianças! Vamos sair. Precisamos ajudar Laura com o jantar.

As crianças não queriam sair da água, divertiam-se muito. Protestaram, mas saíram. Vestiram a roupa por cima do corpo molhado. Walther, mais uma vez, admirou-se:

– Não trouxeram toalhas? Não vão se enxugar?

Foi Lurdinha quem respondeu:

– Não é preciso. Com esse calor todo, em poucos minutos estarão secos. Vamos, crianças!

Enquanto ela seguia com as crianças, Walther foi até o jipe, abriu a maleta, tirou uma calça e uma camisa limpas. Enquanto se vestia, olhava para as crianças indo para casa. Olhou para o céu:

Lurdinha tem razão, está muito quente mesmo. Não há nenhuma nuvem no céu. Não posso negar que aqui é muito bonito e tranqüilo. Estou conhecendo paisagens diferentes das que estava acostumado. Há algum tempo, jamais poderia imaginar que estaria num país tão longe do meu e totalmente diferente. Que conheceria pessoas das quais desconhecia a existência. Mas hoje sei que são toda a família que tenho. Olavo, Isaias, Ismenia, Vó Zu e Lula disseram-me tantas coisas a respeito de destino, de Deus e de outras vidas... Será que tudo que disseram é verdade? Será que já vivi outras vezes?

Por que tenho a impressão de já conhecer Laura? Isso é impossível! Nunca estive aqui e ela nunca saiu daqui... Por que tive que vir para este lugar tão distante da minha terra? Minha mãe. Será que ainda está viva? Onde estará?

Estava tão distraído olhando para o céu, tão absorto em seus pensamentos que custou a ouviu alguém chamando seu nome. Olhou para a frente. Era Denilson que gritava e acenava. A princípio assustou-se, mas logo percebeu que não estava acontecendo nada grave. Ele apenas o chamava.

Terminou de abotoar a camisa, penteou seus cabelos e andou em direção à casa. Sabia que tinha um dever de consciência. Fora ele quem atropelara Laura, não poderia deixá-la sozinha com todas aquelas crianças.

Ao entrar na sala, percebeu que sobre a mesa estavam pratos e canecas de alumínio. As crianças já estavam sentadas. Olhou para a cozinha. Laura estava com Lurdinha, que com uma colher de pau tentava mexer numa panela, mas ela era muito baixa, por mais que tentasse não conseguia alcançar. Sorrindo, aproximou-se:

— Não lhe disse que eu faria isso?

— Disse, mas estava se divertindo tanto com as crianças que não quis interromper. Com a ajuda da Lurdinha consegui preparar tudo. Agora precisa apenas ajudar-me a levar as panelas para a mesa.

— Pode deixar que eu levo. Antes, vou colocá-la perto da mesa para que possa comer também.

Ela sorriu enquanto erguia os braços para que ele a levantasse. Foi o que ele fez, e levou-a até perto da mesa. Em seguida voltou para a cozinha. Com a ajuda de dois panos de prato, carregou para a sala uma panela com arroz, outra com feijão e outra ainda com carne cozida. Serviu as crianças e por último a ele próprio e a Laura. Em seguida sentou-se.

Comeram em silêncio. Ritinha, a menina recém-nascida, começou a chorar. Lurdinha levantou-se e foi atendê-la.

Depois do jantar as crianças saíram da mesa. Os maiores ajudaram a tirar os pratos e lavar a louça. Laura colocou Ritinha sobre a mesa e trocou sua fralda. Lurdinha trouxe uma mamadeira e Laura deu a ela. Em seguida puseram-na num berço que havia no quarto onde Laura e sua mãe dormiam.

Do lado de fora da casa havia uma cobertura cujo chão também era recoberto com cimento vermelho. As crianças começaram a brincar. Mais uma vez Walther pegou Laura em seus braços e carregou-a para fora.

Anoitecera. Como não havia luz elétrica, alguns lampiões de querosene foram acesos e espalhados por toda a casa. Walther sentou-se ao lado de Laura, e enquanto as crianças brincavam, eles conversavam:

— Fiquei impressionado com o modo como as pessoas a trataram no hospital.

— Por quê?

— Parece que todos a conhecem.

— Realmente me conhecem. Aliás, conhecem minha mãe. Ela é muito querida em toda a cidade. Todos sabem do carinho com que ela cuida das crianças. Sabem também que qualquer pessoa que precise de ajuda será atendida.

— Sua mãe parece ser uma grande mulher.

— Também acho. Aliás, todos acham a mesma coisa. Alguns dizem até que ela é uma santa.

— De acordo com algumas coisas que ouvi, ela deve ser um espírito iluminado.

— Deve ser mesmo... Às vezes penso que veio a este mundo só para ajudar...

— Disseram-me que todos temos uma missão para cumprir. Parece que ela está cumprindo a dela muito bem.

Laura não disse nada, apenas ficou pensando em sua mãe. Ela também a admirava muito. Por isso nunca quisera deixá-la. Seus irmãos foram embora, mas ela sentia que precisava ficar ali.

Agora estava preocupada. Eunice estava doente, e ela não sabia como seria sua vida sem a mãe.

Walther percebeu que uma nuvem de tristeza envolvera o rosto de Laura:

— Parece que está preocupada.

— Estou mesmo. Minha mãe não está bem. Sei que precisa de tranqüilidade, está com um problema muito sério no coração. Por um instante imaginei o que faria caso lhe acontecesse algo mais grave. Não sei se conseguiria seguir com seu trabalho... não sei se conseguiria continuar cuidando das crianças do modo como ela cuida...

— Acredito que não deva se preocupar com isso. O médico disse que ela poderá voltar para casa amanhã. É sinal de que está bem, senão ele não permitiria. Talvez precise só de um pouco de atenção.

247

— Desejo do fundo do meu coração que realmente seja assim. Falando nisso, não quero abusar, mas poderia ir amanhã com Denilson buscá-la?

— Claro que irei. Quero muito conhecer sua mãe. Parece-me uma pessoa extraordinária!

— E é! Tenho certeza que vai adorá-la. Bem, já é tarde, está na hora das crianças irem para a cama.

— Você também deve estar cansada. Seu dia hoje não foi fácil.

— Estou mesmo cansada. Crianças! Por hoje chega! Está na hora de dormir.

Embora protestando, as crianças pararam de brincar. Um atrás do outro, foram beijando Laura, sorrindo para Walther e entrando em casa. Os mais velhos iam encaminhando os menores.

Walther acompanhou-os. Na casa havia três quartos. Num havia duas camas de casal e duas de solteiro. Lurdinha levou para lá e acomodou algumas crianças que dormiam juntas nas camas de casal. Nas duas de solteiro dormiam ela e Téa.

Denilson entrou em outro quarto, que como o primeiro possuía também duas camas de casal, mas só uma de solteiro. Acomodou as outras crianças e deitou-se.

Três bebês, inclusive Ritinha, foram colocados em outro quarto com dois berços e duas camas de solteiro. Walther deduziu que aquele deveria ser o quarto de Laura e sua mãe.

Depois de todas as crianças estarem acomodadas, ele voltou para junto de Laura, que ainda estava fora de casa. Sentou-se ao lado dela:

— Já estão todos deitados. Brincaram tanto que devem estar exaustos. Logo dormirão.

— São umas crianças adoráveis. Muito obedientes. Mamãe tem verdadeira adoração por todas, e elas também por ela.

— Estou curioso para conhecer sua mãe. Fiquei olhando tudo por aqui. Notei que precisam de muitas coisas. Por que não têm energia elétrica?

— Só há luz na cidade. Ficaria muito caro trazê-la até aqui. Mas já estamos acostumados. Isso não nos preocupa. Os lampiões iluminam muito bem.

— Com energia elétrica poderiam ter uma geladeira, rádio...

— Gostaria muito de ter um rádio. Sempre que vou à cidade fico escutando as músicas que tocam nas lojas. Adoro música, mas isso está muito longe de acontecer. A prioridade aqui em casa é a alimentação e o bem-estar das crianças. Ela agradece todos os dias o que Deus nos dá....

Walther não disse nada, apenas pensou:

Será que Deus realmente existe? Enquanto essas mulheres vivem com tanto sacrifício, cuidando de todas essas crianças, eu tenho tanto dinheiro que ainda não consegui imaginar o quanto vale na realidade. Será que Isaías, Vó Zu e Lula tinham razão quando falaram em reencarnação?

Laura percebeu que ele estava distante, perdido em seus pensamentos:

— Em que está pensando?

— Na vida e em como ela joga conosco...

— Por que diz isso?

— Estou pensando em como você e sua mãe vivem aqui com toda essa simplicidade e parecem tão felizes...

— E somos! Vivemos a vida que escolhemos!

— Mas vivem em completo estado de pobreza! Como diz que pode ser feliz?

— Esta é a vida que sempre conhecemos. O importante para nós é termos saúde. Por isso estou preocupada com minha mãe. Com saúde, o resto se torna fácil. Temos o suficiente para viver. As crianças crescem saudáveis. Não precisamos de mais nada. Deus nos dá tudo que precisamos.

Walther continuava intrigado com a passividade com que ela encarava a vida. Não entendia como podia existir uma pessoa com tão poucos sonhos.

Sua mãe o ensinara a nunca colocar o dinheiro acima de tudo. Ele era importante, mas não a prioridade da vida, mas naquele caso, ele sentia que o dinheiro era vital. Tinha muito, poderia facilitar a vida daquelas mulheres. Poderia aumentar a casa, colocar móveis novos e trazer energia elétrica. Muita coisa poderia fazer por elas. Ele pensava:

Se tudo que as pessoas me disseram sobre um Deus justo for verdade, talvez tenha sido por esse motivo que atropelei Laura e parei aqui neste lugar.

— Estou um pouco cansada. Poderia me fazer mais um favor?

Ele voltou de seus pensamentos:

– Claro, o que é?

– Poderia me levar para o quarto?

– Claro que sim.

Levantou-se e aproximou-se dela, que já estendia os braços para que ele a carregasse novamente. Agora os dois já haviam se acostumado com aquela situação.

Ela mostrou seu quarto. Enquanto caminhavam, dizia:

– Vou ficar naquele quarto. Lá no outro, onde Denilson dorme, há uma cama vaga. Poderá dormir ali. Espero que, embora simples, seja uma cama confortável.

– Não se preocupe, também estou cansado, dormirei logo.

Chegaram ao quarto. Ao debruçar-se para colocá-la na cama, seus rostos e olhos se encontraram. Novamente aquela estranha energia percorreu seus corpos, e antes que se dessem conta, estavam se beijando apaixonadamente.

Sem descolar os lábios, ele a deitou completamente na cama. Ela não resistiu, também entregou-se àquele beijo com paixão. Começaram a se acariciar e logo estavam completando aquele amor imenso que brotara em seus corações. Amaram-se com ardor e paixão.

A casa estava em silêncio, nada interrompeu aquele momento mágico. Saciados, continuaram abraçados. Permaneceram calados, ainda confusos com o que acontecera.

Ritinha chorou, e isso os trouxe de volta à realidade.

Laura afastou-se tentando esconder o rosto. O berço estava junto à cama. Ela sentou-se, colocou Ritinha sobre as pernas, pegou uma fralda que estava dentro do berço e trocou-a. Em seguida, pegou-a no colo e deu-lhe uma mamadeira, que também estava no berço.

Ritinha começou a mamar. Laura ficou o tempo todo de olhos baixos, sem coragem de olhar para Walther, que também atordoado, ficou calado, olhando para ela sem entender o que acontecera.

Ficaram assim com medo de dizer qualquer coisa. Ele quebrou o silêncio:

– Imagino como você deve estar confusa. Também não entendi o que aconteceu, só sei que desde que a vi, senti que a amava. Senti que para você não sou indiferente. Agora tenho certeza. Quero viver com você por toda minha vida. E você? O que sente?

Ela vagarosamente levantou os olhos:

– Não sei o que dizer... como deve ter notado, nunca tive outro homem antes... não devíamos ter feito isso...

— Tem toda razão, não devíamos ter feito, mas foi mais forte que tudo. Estou apaixonado, quero me casar com você e levá-la comigo.

— Não posso deixar minha mãe sozinha! Ainda mais agora que está doente.

— Daremos um jeito. Você não sabe, mas tenho muito dinheiro. Posso mandar arrumar esta casa, trazer energia elétrica ou comprar uma casa na cidade. Poderemos contratar quantas pessoas forem necessárias para ajudá-la.

— Não sei... não farei nada que a magoe...

— Amanhã, quando for buscá-la no hospital, conversarei com ela. Parece-me ser uma boa pessoa, entenderá nosso amor.

— Está bem. Também sinto que o amo e quero ficar a seu lado para sempre. Mas, por favor, não fale com ela antes de chegar em casa. Quero estar a seu lado quando falar. Preciso ver com meus próprios olhos qual será sua reação.

Eu a conheço muito bem, se pensar que concordando me fará feliz, concordará sem discutir, mas sei que sofrerá muito. Não quero magoá-la de maneira alguma...

— Está bem, farei como quiser. Agora já está tarde, vou para o outro quarto. Amanhã será outro dia e tudo será resolvido. Acredita que poderá cuidar de Ritinha sozinha?

— Sim. Ela agora está mamando e quando terminar dormirá em seguida. Se precisar, o chamo.

— Tenho uma idéia melhor. Vou me deitar nessa cama que deve ser de sua mãe. Ficarei mais perto e poderei ouvi-la se precisar. Assim ficarei mais tranqüilo.

— Está bem, também acho melhor.

Ele a beijou mais uma vez. Quando terminou de dar a mamadeira, acomodou Ritinha no berço.

Deitaram-se os dois. Pensavam em tudo o que se passara. Logo adormeceram.

Walther acordou com o choro de Ritinha. Abriu os olhos e viu Laura e Lurdinha cuidando dela. Olhou pela janela e percebeu que o Sol já raiara. Sorriu, dizendo:

— Bom dia! Parece que está mesmo um belo dia.

As duas se voltaram. Ele pôde perceber que os olhos de Laura estavam brilhantes e ela parecia feliz:

— Bom dia! Tem razão, o dia está lindo!

— Que horas são? A que horas vou buscar sua mãe?

– Agora são sete horas, mais ou menos. Creio que minha mãe só poderá sair lá pelas dez.

– Então vou até o riacho tomar um banho. Vou colocar uma roupa limpa, quero estar apresentável para poder impressioná-la.

– Não precisa fazer nada disso. Minha mãe é muito simples, não vai se importar com a roupa que vestir. Assim que olhar em seus olhos, entenderá tudo. É muito inteligente.

– Acredito nisso, mas a primeira impressão é a mais importante.

Laura não respondeu, apenas sorriu. Terminou de dar a mamadeira para Ritinha, dizendo:

– Pronto, Lurdinha, ela já está pronta. Pode levá-la para fora. Precisa tomar um pouco de Sol.

Lurdinha, calada, obedeceu. Pegou Ritinha e saiu do quarto. Laura olhou para Walther, que ainda continuava deitado:

– Preciso ir para a sala ver como estão as crianças. Devem estar com fome, preciso preparar o café.

Ele se levantou, esticou os braços para o alto e espreguiçou-se.

– Está bem, senhorita! Vou levá-la, mas antes terá que me dar um beijo de bom dia.

– Fiquei observando-o enquanto dormia. Não sei se sonhei, ou se tudo aquilo aconteceu mesmo.

– Claro que aconteceu. Descobri que a amo, e muito. Vou hoje mesmo falar com sua mãe e depois cuidaremos para que ela fique bem. Em seguida iremos embora. Vamos nos casar e seremos felizes para sempre, como nos contos de fadas.

Ela sorriu. Não podia acreditar que tudo aquilo estava acontecendo. Sentia que o queria muito. Sentia como ele que seriam felizes. Não conhecia aquele homem, mas confiava nele.

Ele se debruçou sobre ela e beijou-a carinhosamente. Ela levantou os braços e, dessa vez, abraçou-o e correspondeu ao beijo.

Ele a levou nos braços até a sala. A mesa já estava colocada e as crianças sentadas esperando. Lurdinha entrou com um bolo que assara num forno de barro que havia no quintal.

Denilson entrou trazendo um balde com leite. Walther pegou o balde, colocou o leite num caldeirão de alumínio e levou ao fogão para ferver. Enquanto fazia aquilo, pensava:

Ainda estou um pouco tonto com tudo o que me aconteceu. Que mais estará reservado para mim?

– Agora que colocou o leite para ferver, já pode tomar seu banho. Quando voltar, estará fervido.

– Você é maravilhosa. Eu a amo muito.

Denilson e Lurdinha, ao ouvirem aquilo, arregalaram os olhos. Walther percebeu e, sorrindo, prosseguiu:

– É isso mesmo, eu amo Laura e vamos nos casar.

Os dois arregalaram mais ainda os olhos. Denilson disse:

– Casar? Como? Conheceram-se ontem! A mãe já sabe disso?

– Não, a mãe ainda não sabe, mas saberá quando voltar do hospital. Walther e você irão buscá-la.

– Como isso aconteceu?

Foi Walther quem respondeu:

– Não sabemos como aconteceu, por isso não sei como responder, mas estamos apaixonados e pretendemos nos casar. Não diga nada a sua mãe até chegarmos em casa. Quando ela estiver aqui bem instalada e tranqüila, falarei com ela.

– E se ela não concordar?

– Creio que vai concordar, ao menos farei tudo para convencê-la.

– Não sei não... não estou entendendo nada...

Laura, sorrindo, disse:

– Também não estou entendendo, só sei que gosto de Walther e quero ficar com ele para sempre.

– Não sei não...

– Vou até o riacho tomar um banho, não quer ir comigo?

Denilson estava um pouco desconfiado daquele estranho que chegara do nada e agora queria levar sua irmã embora. Com o rosto fechado, respondeu:

– Não, não vou. Preciso cuidar dos animais.

Walther percebeu que ele estava bravo. Resolveu não insistir:

– Está bem, vou sozinho. Quando voltar poderei ajudá-lo.

– Não precisa, já estou acostumado...

Walther olhou para Laura, que sorriu balançando a cabeça. Pediu com os olhos que tivesse paciência. Walther sorriu para ela, também balançando a cabeça.

Saiu em direção ao riacho. Já fora da casa, parou e ficou olhando a sua volta. O lugar era isolado, não havia casas por perto. Estavam completamente afastados da cidade que ficava do outro lado da rodovia.

Viu alguns caminhões que passavam pela estrada. O mato era rasteiro, com uma ou outra árvore. Apesar disso, o lugar era bonito e agradável. Denilson saiu da casa e passou calado por ele. Walther seguiu-o com os olhos, viu ao longe uma vaca que pastava sossegada:

Deve ter sido dela que tirou o leite. Nunca pensei que alguém pudesse viver dessa maneira. O mais impressionante é que parecem felizes...

Dirigiu-se ao riacho, tirou a camisa e entrou na água. O Sol estava quente, apesar de ser ainda cedo, o calor já era imenso. Ficou naquela água fresca sentindo um prazer como nunca sentira antes. Olhando o céu muito azul e sem nuvens, lembrou-se de tudo que acontecera na noite passada entre ele e Laura:

Foi maravilhoso! Não sei como aconteceu, mas foi maravilhoso! Conheci muitas mulheres, mas nunca uma igual a ela. Nosso encontro foi puro e sincero. Senti como se já a conhecesse há muito tempo. Será que todos tinham razão? Existiriam mesmo outras vidas?

Estou feliz! Sinto que minha vida daqui por diante será diferente. Muita coisa já mudou, mas agora sei que, além de todo o dinheiro que recebi, encontrei também o amor de minha vida.

O único problema será a mãe dela, mas saberei como falar-lhe. Mostrarei que meu único desejo é a felicidade de sua filha.

Já pensei em tudo: darei a ela uma casa nova com muito conforto e dinheiro para que possa cuidar dessas crianças e de outras, se quiser. Farei qualquer coisa para ter Laura a meu lado.

Farei isso mesmo. Falarei com ela e sei que a convencerei. Agora vou para casa tomar café. Estou com fome.

Saiu da água. Foi até o jipe e pegou outras roupas limpas. Pensou:

Ainda bem que Leda lavou minhas roupas. Preciso apresentar-me bem diante de minha futura sogra...

Ao entrar na sala viu Laura sentada no mesmo lugar em que a deixara. Foi até ela, beijou-a na testa e dirigiu-se até a cozinha. Lurdinha estava atrapalhada. Com uma concha tentava tirar leite de um caldeirão e colocar numa leiteira menor. O caldeirão era muito alto, por isso estava com tanta dificuldade.

Ele se aproximou, e tirando a concha de sua mão, começou a encher a leiteira. Levou para a mesa primeiro a leiteira, depois o bule com café. Com a ajuda de Laura serviu as crianças, que comiam caladas, mas felizes.

Quando terminaram, saíram correndo para o quintal. Walther seguiu-as com os olhos. Laura também, dizendo:

– O dia está apenas começando, elas têm muito para brincar.

– Estou me lembrando de quando era criança. De como é bom ser criança. Não existe preocupação alguma...

Lurdinha, Téa e Denilson retiraram da mesa as canecas e levaram para a cozinha. Walther levou a leiteira e o bule. Voltou para a sala:

– Aqui dentro está muito quente, não quer que a leve para fora?

– Gostaria muito, se não for muito trabalho...

– Trabalho? Trabalho? Estou louco de vontade de pegá-la no colo novamente.

A felicidade estava estampada em seus rostos.

Sonhos Desfeitos

Ela sorriu, levantando os braços. Ele a pegou carinhosamente no colo, beijou seu rosto, seus cabelos e conduziu-a para fora. Sentou-a na mesma cadeira em que estivera sentada na noite anterior. De onde estavam, podiam ver as crianças brincando:

— Vendo todas essas crianças, pergunto-me: o que faz uma pessoa dedicar sua vida a cuidar de crianças que não são suas?

— Também não sei, só sei que desde que me conheço por gente, sempre estive rodeada por irmãos. Alguns cresceram, foram embora, mas sempre chega um novo.

— Disseram-me que todos temos uma missão para cumprir. Talvez seja essa a missão de sua mãe.

— Talvez seja mesmo. Ela é uma santa. Orgulho-me muito de ser sua filha.

— Já deve estar na hora de irmos buscá-la. Estou ansioso para conhecê-la e pedir sua mão em casamento.

— Tem mesmo certeza de que quer fazer isso? Não terá sido apenas um entusiasmo de momento?

— Eu tenho certeza! Amo você! E você? Foi entusiasmo? Está arrependida?

— Não! Sinto que também o amo, só não sei como isso aconteceu tão de repente...

— Também não sei, mas isso não tem importância. Vamos conversar com sua mãe. Tudo vai dar certo.

— Está bem, apenas prometa que não falará nada até chegar em casa. Eu mesma quero contar tudo...

— Farei tudo da maneira que desejar. Prometo que não direi nada. Vou lá dentro falar com Denilson. Desde a manhã, quando soube de minha intenção de levá-la embora, ele não está com cara de bons amigos.

Laura sorriu:

— Isso é natural! Você não passa de um estranho que chegou e mudou nossas vidas. Está preocupado com mamãe e também não está entendendo nada. Não o culpo, pois eu também estou confusa com tudo o que está acontecendo.

— Eu já fiquei confuso, mas agora não estou mais. Sei que a amo e que a quero a meu lado para sempre!

Levantou-se da cadeira em que estava sentado, beijou-lhe a testa e entrou na casa para falar com Denilson. O menino estava terminando de ajudar as irmãs com a louça do café:

— Denilson, está na hora de irmos ao hospital buscar sua mãe.

— Já vou, estou terminando meu trabalho.

Walther percebeu que ele ainda estava contrariado, mas não disse nada. Não queria complicar mais a situação.

Entraram no jipe e seguiram para o hospital. Denilson seguiu o caminho todo sem dizer uma palavra, apenas respondia com monossílabos a qualquer comentário de Walther.

Chegaram ao hospital. A enfermeira que atendeu Laura no dia anterior estava lá. Ao vê-los, veio sorrindo:

— Bom dia! Ainda bem que chegaram! Eunice está ansiosa, perguntando a todo momento se já chegaram.

Walther correspondeu ao sorriso, dizendo:

— Bom dia! Pode avisá-la que estamos aqui.

— Podem acompanhar-me até o quarto. Ela até agora não sabe do acidente com Laura. Precisamos falar com cuidado, o coração dela não está bem. Não pode sofrer emoções.

— Não se preocupe, falaremos com calma. Ademais, Laura está muito bem.

— Tem razão, o acidente não foi muito grave. Venham.

Ela entrou no corredor que levava aos quartos. Os dois a seguiram. Denilson foi na frente, estava também ansioso para que sua mãe voltasse para casa.

A enfermeira entrou. Eunice estava com a cabeça baixa, guardando numa sacola algumas roupas. A enfermeira entrou, dizendo:

— Pronto, Eunice. Eles chegaram.

Ela levantou os olhos. Não vendo Laura, perguntou:

– Onde está Laura? Quem é o senhor?

Walther estava parado na porta. Ao vê-la, seu coração disparou. Não sabia se entrava ou saía. Não podia acreditar no que via. Não ouviu o que ela disse, apenas ficou ali parado, sem conseguir acreditar e desejando do fundo do coração que estivesse enganado. A enfermeira, sem nada perceber, respondeu:

– Não precisa ficar nervosa. Laura sofreu um pequeno acidente, mas está bem. Teve apenas uma pequena luxação na perna. Por isso está imobilizada, e também por isso não pôde vir. Mas está bem.

– Acidente!?! Ela está bem mesmo?

Começou a ficar muito nervosa. Denilson tentou acalmá-la:

– Está sim, mãe! Queria muito vir buscá-la, mas não poderá andar por alguns dias.

– Se você está me dizendo, acredito. Jamais mentiria para mim.

– Estou dizendo a verdade. Agora, vamos embora? Poderá ver com seus próprios olhos.

– Vamos sim, mas o senhor, quem é?

A enfermeira e Denilson olharam para Walther que, petrificado, estava ainda encostado na porta sem conseguir dizer uma palavra. A enfermeira, julgando que ele estivesse constrangido, tentou ajudar, dizendo:

– Este é o senhor que por acidente atropelou Laura, mas a está ajudando muito. Ele possui um jipe, veio para levá-la até sua casa.

– O senhor a atropelou? Como foi isso?

– Mãe! Isso agora não tem importância. Vamos para casa. Todos estão sentindo muito sua falta. Laura está bem.

– Vamos sim, mas quero saber toda essa história.

A enfermeira ajudou-a a descer da cama. Walther pegou a sacola que ela tinha nas mãos. Denilson abraçou-a de um lado, a enfermeira do outro. Saíram do quarto.

Walther seguiu-os em silêncio. Estava confuso, sem entender o que estava acontecendo. Seu coração batia acelerado:

Não pode ser! Devo estar louco! Não! Não estou louco! É ela mesma! Vi aquela fotografia muitas vezes! É ela sim! Um pouco mais velha, mas é a mesma da fotografia! Meu Deus! Ela é Marta... minha mãe. Aquela a quem estou procurando desde que aqui cheguei. Procurei por tanto tempo! Já havia perdido a esperança de encontrá-la!

Mas se isso for verdade, quer dizer que Laura é minha irmã? Não!
Isso não pode ser verdade... eu amo Laura... quero casar-me com ela...
não pode ser verdade! Não pode!

Os três caminhavam a sua frente sem sequer imaginar a agonia que ele vivia naquele momento. Chegaram junto ao jipe. Walther, tentando manter-se o mais calmo possível, correu na frente e abriu a porta para que Eunice entrasse. Ela agradeceu, sorrindo, e entrou.

Walther aproveitou esse momento para olhá-la mais uma vez. Encarou-a de tal maneira que chamou sua atenção:

– Por que está me olhando assim? Parece que está muito nervoso.

– Desculpe, senhora...

Fechou a porta rapidamente e foi para o lado do motorista. Entrou e ficou esperando Denilson sentar-se atrás. Ele afastou a maleta para o canto e sentou-se. Olhou para Walther, que perdido em seus pensamentos, não percebeu que estavam prontos para partir:

– Pronto, o senhor já pode ir.

Walther ouviu, olhou para ele e saiu em direção à casa.

Dessa vez ele foi calado, com a cabeça mais uma vez confusa, julgando estar sonhando.

Enquanto Eunice e Denilson conversavam, ele pensava:

Não pode ser ela... devo estar sonhando... seu nome é Eunice... minha mãe chama-se Marta. Não pode ser ela! Na fotografia ela era jovem! Devo estar enganado... preciso estar enganado!

Como não prestava muita atenção na estrada, nem percebeu quando chegaram junto à pequena estrada que os levaria até a casa.

Entrou na estradinha. Assim que chegaram ao local onde ele carregara Laura nos braços, Denilson disse:

– Mãe, terá que andar até a casa com muito cuidado...

– Que é isso, Denilson! Está acreditando naquela história que o médico disse, que estou doente? Acredita mesmo que não posso andar até minha casa? Estou louca para ver as crianças e principalmente Laura. Abra a porta para que eu possa descer.

Denilson, sorrindo, saiu do jipe, abriu a porta e estendeu a mão para ajudá-la a descer. Walther permaneceu sentado, olhando pelo retrovisor, tentando descobrir alguma coisa que lhe mostrasse que estava errado.

Da porta da casa algumas crianças os viram chegar. Começaram a pular e gritar. Eunice caminhou sozinha em direção à casa e acenou para as crianças, que vieram correndo encontrá-la. Laura estava fora. Walther, ao sair, deixou-a sentada numa cadeira olhando os bebês deitados no chão sobre um cobertor. Ela não tinha como se locomover.

As crianças chegaram perto de Eunice, que se ajoelhou para abraçá-las. Walther continuou dentro do jipe. Não sabia o que fazer. Lembrou-se da noite que tivera com Laura:

Meu Deus! Não há dúvida nenhuma. É ela mesmo! Que farei? Como dizer a Laura o que está acontecendo? Como dizer a ela que cometemos um terrível pecado? Como dizer a ela que, apesar de tudo, eu ainda a amo?

– O senhor não vem?
Ouvindo Denilson, voltou à realidade:
– Pode ir na frente, irei em seguida...
Mãe e filho rodeados pelas crianças seguiram em frente. Walther os observava.

Esses cabelos encaracolados, embora tenham alguns fios brancos, são os mesmos da fotografia. Não tenho dúvida alguma. Só se for irmã gêmea!

Ficou ali sentado. Viu quando eles chegaram perto de Laura. Eunice abraçou a filha e beijou seu rosto:
– Ainda bem que você está aqui. Fiquei preocupada quando não a vi no hospital.
– Como pode ver, estou muito bem.
Eunice, ajudada por Denilson, levou Laura para dentro de casa.
Walther saiu do jipe. Olhou para aquela imensidão que o rodeava. O sol estava alto e muito quente. Percebeu que sua camisa estava toda molhada de suor. Não sabia o que fazer.
Olhou para o riacho, viu a água que descia tranqüila e muito fresca. Entrou de roupa e tudo. Deitou-se enquanto a água fria passava por sobre seu corpo.

Isso não pode estar acontecendo comigo! Desejei tanto encontrar minha mãe, percorri tantos quilômetros atrás dessa esperança... Agora que a encontro, desejaria que isso nunca tivesse acontecido! Todos dizem que tudo está certo, que existe um Deus verdadeiro e justo. Se ela for realmente minha mãe, estão completamente enganados! Se esse Deus existe, e é justo, não está sendo comigo. Permitiu que fosse separado de minha mãe quando eu era ainda criança e agora permite que me apaixone e me deite com minha irmã. Isso não é justo! Isso não pode ser coisa desse Deus que dizem ser tão sábio!

Não! Não existe Deus algum! Não existe nada! Só a maldade das pessoas. A maldade e a ganância de Paulo, que teve coragem de vender-me e separar-me de minha mãe! Que farei da minha vida agora?

Ficou ali por muito tempo, nem podia imaginar o quanto. Seu desespero e sua revolta eram imensos:

– Seu Walther, Laura pediu que eu viesse chamá-lo. Está contando para a mamãe como foi o acidente. Disse que o senhor tem que estar presente para continuar a conversa.

Walther olhou para Denilson, levantou-se e sentiu a roupa pesada em seu corpo. Foi em direção ao jipe, dizendo:

– Irei em seguida, só vou trocar esta roupa molhada por outra seca. Pode ir na frente.

– Vou mesmo, estou com muitas saudades de minha mãe. Ainda bem que ela está bem.

– Vá sim, aproveite a presença dela o mais que puder... irei daqui a pouco.

Denilson voltou correndo para casa. Walther acompanhou-o com os olhos. Sabia que teria que resolver aquela situação. Teria que contar a Laura tudo o que descobrira, só não sabia como fazer isso.

Trocou de roupa lentamente. Não tinha pressa. Chamaria Laura de lado, contaria tudo, depois iria embora.

Voltarei para minha terra. Vou aproveitar que tenho muito dinheiro, dinheiro que mereço, pois paguei com a separação de minha mãe. Estou pagando agora, com tudo o que estou passando. Com esse dinheiro, vou procurar ser o mais feliz possível. Sei que isso será impossível, pois nunca conseguirei esquecer Laura. Embora saiba que é minha irmã, não consigo deixar de amá-la, de desejá-la como mulher...

Vestiu-se e foi em direção à casa. Sabia que Eunice não podia sofrer emoções fortes, por isso decidiu que não diria nada. Precisava encontrar uma maneira de ficar a sós com Laura. Precisava contar tudo, não poderia simplesmente desaparecer.

Sentia o mundo inteiro sobre suas costas.

Em casa, Laura conversava animadamente com a mãe:

— Mamãe, a senhora sempre diz que temos um destino certo. Devo confessar que, a partir de agora, começo a acreditar.

— Por que diz isso?

— Só pode ter sido uma grande vontade do destino eu ter sido atropelada. Quando aconteceu, fiquei desesperada, pois com a senhora doente, precisava cuidar das crianças. Mas agora vejo que foi muito bom e que tudo estava certo.

— Não entendo...

— Quando Walther me atropelou, também ficou nervoso, mas depois olhamo-nos nos olhos e sentimos uma atração profunda. Mas esperemos que ele chegue, temos algo para lhe contar...

— Já estou adivinhando... vocês se apaixonaram?

Laura ia responder no exato momento em que Walther entrou. Olhou para ele e, sorrindo, disse:

— Ele está aqui e, juntos, vamos contar-lhe tudo. Não é?

Ele olhou para ela sentindo que, apesar de tudo, ainda a amava. Viu o modo como ela o olhava. Seu coração apertou-se. Disse:

— Sinto muito, Laura, mas não será possível.

— Como não? Você se arrependeu? Não me ama realmente?

— Não é isso... não me arrependi e amo-a mais do que nunca... apenas creio que agora nosso amor não será mais possível...

Eunice, ao ouvir aquilo, disse:

— Pelo modo como Laura estava me contado, pensei que estivessem apaixonados e que iria pedi-la em casamento...

— Desculpe, senhora, realmente minha intenção era essa, mas aconteceu algo que mudou tudo...

— Podemos saber o que foi?

Ele se aproximou de Laura, pegou suas mãos e beijou-as. Ela, com lágrimas caindo por seu rosto, disse:

— Você não pode ter-me enganado daquela maneira... senti que me amava. Por que fez essa maldade comigo?

— Não a enganei. Amei-a assim que a vi, e infelizmente a amo ainda, mas nosso amor é impossível...

— Impossível, por quê?

— Nós falamos muito a seu respeito, mas nada sobre mim. Não lhe contei por que estou tão longe de minha casa e o que estou fazendo neste sertão.

– Isso não pareceu ter muita importância...

– Não tinha mesmo, mas agora tem. Preciso contar tudo o que me aconteceu nesses últimos tempos. No final, compreenderão minha aflição...

– Espere, minha filha, tenha calma. O moço parece muito nervoso, precisamos ouvir o que ele tem para nos dizer.

Moço, como deve ter notado, minha filha é uma moça muito simples, criada aqui nesta terra. Não sabe nada da vida, sempre esteve a meu lado. Se ela fez qualquer coisa que tenha lhe parecido errada, garanto que não foi sua intenção.

Não sei o que aconteceu entre vocês, mas seja o que for, ela é minha filha, e eu a amo incondicionalmente. Por isso, não precisa dizer mais nada. Não precisa arrumar uma desculpa, inventar uma história qualquer. Pode ir embora que ficaremos aqui juntas, não se preocupe com nada...

– Não é nada disso! O que aconteceu entre nós foi maravilhoso! Eu a amo!

– Por favor, não diga mais nada. Como mamãe disse, pode ir embora! Ficarei bem.

– Vim para cá na esperança de encontrar alguém. Mas não consegui. Estava voltando frustrado para São Paulo. Minha viagem havia sido inútil... por isso estava distraído pensando em tudo o que me acontecera. Estava desiludido e triste. Foi aí que a atropelei. Agora tudo mudou.

Senhora, por favor, fique calma, sei que está doente e que não pode sentir emoções fortes. Não fique nervosa. Amo sua filha, só que tenho agora uma dúvida muito grande, e só a senhora poderá esclarecer tudo...

– Eu? Como posso esclarecer-lhe qualquer dúvida? Não o conheço!

– Estou com uma terrível dúvida, sim! Desejo do fundo do meu coração estar errado, mas sinto que não estou... por isso preciso contar, uma história... minha história...

Eunice levantou-se e aproximou-se de Laura, que chorava sentada numa cadeira.

– Minha filha, pare de chorar... se o moço tem uma história para contar, vamos ouvi-lo. Sempre lhe disse que Deus está a nosso lado e que tudo tem que ser da maneira que Ele achar melhor. Nada de mal pode nos acontecer enquanto estivermos juntas. Confie em Deus e em Sua bondade infinita.

Acalme-se. Moço, pode começar. Ou melhor, preciso saber se sua história é muito longa. Porque se for, teremos que deixá-la para depois. Está quase na hora do almoço e as crianças precisam comer alguma coisa.

— Laura, sua mãe tem razão. Pare de chorar, por favor... não a enganei, ainda a amo. Quando terminar de contar tudo, verá que nosso amor não é possível e que a culpa não é minha nem sua. O culpado de tudo é apenas o destino...

Senhora, acho que é melhor cuidarmos da alimentação das crianças primeiro, pois receio que minha história seja um pouco longa, sim. Gostaria de ajudá-la a preparar o almoço, se não se incomodar. Depois que as crianças estiverem alimentadas, poderei contar-lhes tudo com mais tranqüilidade.

— Obrigada por sua atenção, mas não preciso de sua ajuda. Preferia que enquanto eu e as meninas preparamos o almoço, saísse daqui. Se quiser, não precisa nem ficar, pode subir em seu carro e ir embora daqui para sempre.

Ele notou com que ressentimento ela dissera aquelas palavras. Sentiu que enquanto tudo não fosse esclarecido, sua presença naquela casa não seria bem-vinda.

— Desculpe, senhora, mas não posso ir embora antes de esclarecer tudo. Não quero que Laura continue pensando que a enganei. Vou ficar lá fora. Quando estiver livre, voltarei, contarei tudo, e se a senhora quiser, irei embora.

— O senhor é quem sabe.

Dizendo isso, ela foi para fora e chamou Lurdinha e Téa. Juntas foram para a cozinha. Laura olhou mais uma vez para ele, não conseguiu esconder a decepção e a tristeza que sentia. Baixou a cabeça, e uma lágrima ainda rolou. Ele, percebendo que nada mais tinha a dizer, saiu para o quintal.

Lá fora, respirou fundo. Não entendia por que o destino havia sido tão ingrato com ele. Por que lhe pregava tantas peças. Novamente lembrou-se de todas aquelas pessoas que lhe haviam falado sobre um Deus que era pai e justo.

Ele não foi pai nem justo comigo! Por que eu teria que ter vindo para cá e descoberto tudo isso? Tinha minha vida organizada. Era feliz em meu país sem saber que era adotado! Por que tudo isso? Pra que procurar intensamente minha mãe, e ao encontrá-la, não querer tê-la encontrado?

Tudo isso parece brincadeira. Se existe realmente esse Deus, ele gosta de se divertir com o sofrimento de seus filhos!

Foi até o riacho, sentou-se na margem e ficou vendo a água passar. Não conseguia acreditar que tudo aquilo estava realmente acontecendo.

Talvez eu esteja me precipitando, quem sabe esteja enganado. Se ela não for minha mãe? Pode ser alguém muito parecido! Mas se for? Não pode ser! Não é justo!

Ficou ali por muito tempo. Seus olhos presos na água, seu pensamento em seu passado. Sua vida toda passou por sua mente.

Que estou fazendo aqui? Por que tive que embarcar naquele avião?

– Seu Walther! Minha mãe mandou perguntar se o senhor não quer comer...

Ao ouvir Denilson, ele levantou a cabeça:

– Não, por favor, diga que não estou com fome. Peça que, assim que estiver livre, mande me chamar.

– Está bem.

Denilson afastou-se. Walther voltou novamente seus olhos em direção à água, que continuava seu curso sem se importar com o que acontecia com ele. Seu desespero era imenso, seu desânimo total. Sem conseguir se conter, permitiu que lágrimas lavassem seu rosto. Deixou que soluços saíssem do fundo de seu coração e aliviassem a angústia que sentia.

Novamente não viu o tempo passar. Novamente Denilson chamou-o. Novamente seus olhos voltaram-se para o menino:

– A mãe disse que já terminou o serviço e que o senhor já pode ir até lá. O que o senhor tem? Está chorando?

Walther passou as mãos sobre os olhos:

– Não, deve ser o Sol. Não estou acostumado.

O menino não respondeu, apenas fez uma careta demonstrando que não acreditava. Afastou-se, indo para o lado oposto da casa. Embora não soubesse o que estava acontecendo, sentia que alguma coisa mudara. Pela manhã, ao sair para o hospital acompanhado de Walther, percebeu que tanto ele como Laura estavam felizes. Agora os dois estavam chorando e sua mãe muito nervosa. Certamente algo estava errado.

Sua mãe pediu que cuidasse das crianças, pois ela, Laura e Walther precisavam conversar. Ele, como sempre fez, obedeceria. Tinha por Eunice verdadeira adoração.

Quando seus pais foram embora, foi ela quem os acolheu, a ele e a Lurdinha. Ela sempre foi para os dois uma verdadeira mãe.

Nós Propomos, mas...

Walther levantou-se e caminhou em direção à casa. Chegara a hora da verdade. Tudo seria esclarecido.

Seu coração batia forte, suas pernas tremiam. Estava confuso. Ao mesmo tempo que estava feliz por finalmente encontrar a mãe, queria que não fosse ela. Sentia por Laura um amor profundo. Lembrou-se de quando Isaias lhe falara sobre a outra metade da laranja.

Tenho certeza de que ela é minha outra metade. O que senti por ela é muito forte. Tomara que eu esteja errado. Que Eunice não seja Marta... mas eu preciso encontrar minha mãe. Meu Deus, se é que realmente existe, ajude-me neste momento...

Entrou em casa. Laura e Eunice estavam sentadas. Havia sobre a mesa uma jarra com suco e um bule com café. Lurdinha e Téa estavam no quarto com os bebês. Denilson foi encarregado de cuidar dos menores, que brincavam no quintal.

Assim que Eunice viu Walther, disse:

– O senhor poderia ter vindo almoçar. Percebo que está nervoso, mas se estiver com fome, ainda tem comida no fogão.

– Obrigado, mas não estou mesmo com fome. Preciso terminar logo para poder saber o que farei com minha vida.

– Sente-se. Pode começar quando quiser. Estamos ansiosas por saber o que está acontecendo.

Walther sentou-se. Olhou para a jarra com suco. Eunice, percebendo, disse:

— Sirva-se.

Ele encheu uma caneca de alumínio que estava a sua frente. Bebeu o suco e ainda com a caneca na mão, disse:

— Antes de tudo, preciso dizer que o que aconteceu entre mim e Laura foi algo bonito e deixou-me muito feliz. Hoje, quando fui ao hospital, minha intenção era trazer a senhora para casa. Assim que chegássemos, eu pediria a mão dela em casamento.

— Por que não fez isso? Por que mudou de idéia?

— Para começar, preciso dizer que não sou brasileiro. Aliás, sou, mas fui criado nos Estados Unidos. Cheguei ao Brasil há poucos dias. Vim até aqui atendendo ao pedido de meu tio.

Eunice e Laura prestavam atenção em tudo que ele dizia. Walther começou a contar tudo, desde o momento em que recebera a carta de Paulo. Não dizia nomes, apenas meu tio, mãe e pai. Enquanto falava, notava que o rosto de Eunice se transformava. Ela estava como que petrificada e com os olhos perdidos num passado distante. Mas permaneceu calada o tempo todo.

Walther, enquanto falava, prestava atenção na expressão do rosto dela. A cada palavra dita percebia que não estava enganado. Ela era mesmo sua mãe. Ela era mesmo Marta, e para sua tristeza, a mãe de Laura.

Contou da surpresa que teve ao descobrir ter sido adotado. Contou da surpresa maior ao receber a carta de Paulo. Da mãe, que só recentemente tomara conhecimento da existência. Da verdadeira adoração que sentiu pela moça do retrato. Contou da viagem que fizera para encontrá-la. Da tristeza que sentiu quando notou que essa mesma viagem havia sido inútil.

— Ao chegar hoje ao hospital e vê-la, reconheci-a imediatamente. Fiquei por muitas horas seguidas olhando aquela fotografia. Era a última coisa que fazia ao me deitar e a primeira ao acordar. Conheço todos os contornos de seu rosto, seus olhos e cabelos. Tudo enfim. Está, logicamente, mudada, mais velha, mas eu tive certeza de que é Marta, minha mãe. Por isso tudo que contei, pode imaginar como estou me sentindo em relação a Laura. Meu nome é Walther Soares Brow.

Eunice não conseguia mais guardar sua emoção. As lágrimas desciam livremente por seu rosto.

Ele terminou de falar, e ao ver que ela chorava, percebeu que não restavam mais dúvidas. Havia finalmente encontrado sua mãe. A moça do retrato. Aquela que muito devia ter sofrido com sua ausência.

Com lágrimas, levantou-se da cadeira em que estava sentado e vagarosamente andou em volta da mesa. Eunice também se levantou. Os dois, chorando, abraçaram-se sem conseguir parar ou mesmo se preocupar com as lágrimas que corriam.

Não diziam nada. Naquele momento as palavras seriam inúteis.

Eunice beijava todo o rosto de Walther, que retribuía com a mesma intensidade.

Laura, ao ver aquela cena, compreendeu tudo. Também chorava. Sabia agora o porquê do desespero dele. Sabia agora por que dizia que o amor deles era impossível. Sabia, mas não queria aceitar.

Vendo ali os dois se abraçando com tanto carinho, ficou calada. Sentia que não tinha o direito de interromper aquele momento tão esperado por eles.

Depois do abraço demorado, Eunice afastou-se e olhou-o nos olhos muito emocionada.

– Meu filho querido... não pode imaginar como sonhei com este momento... Não pode imaginar o quanto sofri quando soube que Paulo o havia vendido. Quando descobri, minha vida terminou. Meu desespero foi tão grande que saí sem rumo. Não me importava com mais nada. Você disse que ele morreu. Para ser sincera, não estou sentindo nada. Ele foi o homem a quem me entreguei com amor e sinceridade, mas foi também o homem que me causou um mal irreparável.

Sofri muito com sua ausência. Não o esqueci um dia sequer. Todos os dias eu pensava em você. Rezei, fiz promessa para poder um dia encontrá-lo. Obrigado, meu Deus, por este momento. Sempre confiei na Sua bondade. Tanto que tinha certeza que este dia chegaria.

Walther, ainda abraçado a Eunice, beijando sua testa, disse:

– Não sabia de sua existência, mas assim que soube, compreendi todo o sofrimento que deve ter passado e decidi que a encontraria. Mas cheguei a duvidar disso. Foi exatamente quando perdi as esperanças que atropelei Laura.

Só nesse momento os dois se lembraram dela, que olhava e chorava também. Eunice soltou-se de Walther e foi ao encontro de Laura:

– Minha filha, nunca lhe contei essa história pois não julguei ser necessário. Você ouviu tudo. Entendeu o que se passou em minha vida?

– Sim, mamãe! Ouvi e entendi. Deve ter sido muito triste perder seu filho de uma maneira tão sórdida. Deve ter sofrido muito...

– Sofri sim, mas a alegria que estou sentindo neste momento compensa tudo. Meu filho está um lindo moço. Não o conheço ainda, mas me parece ser uma boa pessoa também. Pelo visto, Geni e Alan o criaram muito bem.

– Disso não posso me queixar. Tive uma vida muito feliz. Eles foram maravilhosos. Nunca fizeram qualquer coisa para que eu sequer desconfiasse que era adotado.

– Isso era o mínimo que poderiam ter feito. Mas, mesmo assim, nunca os perdoarei, assim como jamais perdoarei Paulo...

– Entendo sua posição, mas Paulo também sofreu muito de remorso. Ele a procurou durante todos esses anos. Tenho lá no jipe uma carta que me deixou. Gostaria que a lesse. Só não entendo por que a senhora trocou de nome e se escondeu aqui. Por que não foi para a casa de sua família?

– Meu filho, já ouviu aquele ditado, "A gente propõe, mas Deus dispõe"? Hoje, com mais idade e vivendo tudo que vivi, posso afirmar que esse ditado é verdadeiro. Durante nossa vida, muitas vezes fazemos planos. Alguns desses planos dão certo, outros não. Ficamos nervosos ou tristes quando nossos planos não dão certo, mas logo adiante, com o passar do tempo, entendemos que o que havíamos planejado não era tão bom assim. Vamos entender que tudo está sempre certo nos planos de Deus.

– A senhora também faz parte dessa religião que acredita na reencarnação?

– Deus me livre! Isso é coisa do diabo! Não, meu filho, sou católica, acredito em Deus e em todos os santos. Isso de reencarnação é coisa do diabo.

– Engraçado, conversei com muitas pessoas que acreditam nessa religião e que disseram as mesmas coisas que a senhora disse a respeito da vida. Ao saber a verdade sobre minha vida, revoltei-me muito. Sempre houve alguém dessa religião que me dizia para não me revoltar, pois tudo estava sempre certo, que Deus era sábio e justo.

– Foi mesmo? Se essa religião fala sobre Deus, não pode ser do diabo, não acha? Agora estou com vontade de conhecer mais a respeito dela. Mas acredito que temos uma longa conversa pela frente. Agora que já estou mais calma, vamos nos sentar novamente? Você conhece um lado da história, deve estar curioso para conhecer o outro.

Walther soltou-se dos braços da mãe, deu um beijo em sua testa e voltou para seu lugar. Sentou-se ao lado de Laura e em frente a

Eunice. Olhou para Laura, que permanecia calada. Assim como ele, sentindo o mundo todo em suas costas. Seus sonhos haviam terminado. Eles nunca poderiam se amar, a não ser como irmãos, o que ela não conseguia aceitar.

Ainda com os olhos marejados, apenas sorriu.

Eunice, que agora pensava em tudo que passara em sua vida, não prestou atenção no desespero dos dois. Sentada em frente a eles, começou a falar:

Quando tomei conhecimento de que você estava sendo levado para fora do país, fiquei desesperada. Saí do garimpo com a esperança de poder ainda encontrá-lo e evitar que aquela trama combinada entre Paulo, Alan e Geni vingasse, embora soubesse que isso seria quase impossível. Tentei, mas não consegui.

Ao chegar à estrada principal, percebi que já era tarde demais. Eles haviam saído muitas horas a minha frente. Eu estava a pé, eles de jipe ou caminhão. Não sabia com qual carro haviam saído, só sabia que não estariam a pé como eu. Olhei para os dois lados da estrada, não sabia que caminho tomar. Era quase analfabeta, mal conseguia escrever meu nome. Fiquei ali parada sem saber que rumo tomar. Ajoelhei-me e comecei a chorar.

Entrei em desespero. Chorei muito, amaldiçoei a tudo e a todos. Não entendia por que Deus havia permitido uma maldade como aquela. Desesperada, pensava: "Isso não pode estar acontecendo comigo! Nunca fiz mal a ninguém! Sou católica, temente a Deus! Meu único pecado foi ter me apaixonado e entregado todo meu amor a Paulo! Por que Deus permitiu? Por quê?"

Eu chorava, xingava e praguejava contra tudo e contra todos os santos nos quais eu sempre acreditara: "Isso que está acontecendo comigo não é justo! Eu não mereço. Deus não pode ter-me dado um filho para depois tirá-lo dessa maneira. E Paulo? Por que me enganou? Por que me traiu?"

Ali, ajoelhada, com o rosto entre as mãos, chorei por muito tempo. Cansada, já não tendo mais lágrimas, tomei uma resolução: "Não me resta mais nada na vida. Não sei que caminho tomar. Não sei o que fazer. Só me resta morrer... Vou jogar-me embaixo do primeiro caminhão que passar."

Levantei-me, peguei a maleta e comecei a andar. Olhando para a estrada, não via nada. Tudo era deserto. Vi bem longe um caminhão que se aproximava. Preparei-me. Seria através dele que deixaria esse mundo que só me fizera tanto mal.

Quando vi que o caminhão se aproximava, larguei a maleta, calculei a distância, fechei os olhos e me joguei. Não pensei em mais nada, queria apenas morrer.

Ouvi o ruído de pneus freando no asfalto. Abri os olhos. Vi um homem que descia do caminhão e vinha muito nervoso em minha direção:

— Estás louca? Queres morrer?

Assustada, comecei a chorar:

— Quero morrer, sim... não posso mais continuar vivendo...

— Não sei qual é o motivo, mas se queres mesmo morrer, arrume um modo que não prejudique ninguém! Se tivesses morrido embaixo do meu caminhão, ias me arrumar um grande problema! Eu teria muita dificuldade em convencer a polícia de que foste tu quem te jogaste!

Ele estava furioso. Só então percebi que, mesmo sem querer, estive prestes a prejudicar uma pessoa que não conhecia e que não tinha nada a ver com meus problemas.

Baixei a cabeça, continuei chorando. O homem, já mais calmo, segurava meus braços ajudando-me a levantar. Disse:

— Parece que estás mesmo desesperada! Levanta-te, vamos conversar. Que fazes aqui neste deserto? Onde é tua casa?

Levantei-me e olhei para ele. Era um senhor de uma certa idade, não sei exatamente, mas não era nenhum rapaz. Seu olhar era carinhoso e pelo sotaque, percebi que não era aqui do Nordeste. Falava de uma maneira que eu nunca ouvira antes. Ainda receosa, respondi:

— Não sei onde estou.... não sei onde fica minha casa...

— Como não sabes onde é tua casa? Pelo que parece, és do Nordeste.

— Sou do Piauí.

— Do Piauí? Estás muito longe de casa. Como chegaste até aqui?

Olhei novamente para aquele estranho. Não queria contar tudo o que passara. Ele deve ter percebido; continuou falando:

— Está bem, não queres dizer nada, não vou insistir. Não vou até o Piauí, mas se quiseres, posso levar-te por um bom pedaço. Queres?

Voltei a olhar para tudo. Deixaria para morrer mais tarde. Teria que pensar num modo que não prejudicasse ninguém. Só não poderia voltar para minha casa. Sabia que meu pai não me aceitaria. Mas sabia também que era a única coisa que podia fazer. Não tinha outro lugar para ir. Contaria o que Paulo havia feito. Meu pai ficaria bravo, talvez até me batesse, mas não me mandaria embora novamente. Pelo menos era isso que eu esperava.

Balancei a cabeça, aceitando o convite daquele estranho.

Ele pegou a maleta que estava no chão e encaminhou-me para a porta do caminhão. Subi e acomodei-me no banco. Ele deu a volta e entrou do outro lado. Sorriu, ligou o caminhão e acelerou. Olhei ainda em direção ao garimpo. Paulo estava lá, mas eu nunca mais queria vê-lo.

Depois de dirigir calado por um bom tempo, o homem disse:

— Tu és ainda muito jovem, não deves ter nem vinte anos. Como podes pensar em morrer? Tens a vida toda pela frente!

Não soube o que responder. Não me sentia jovem, ao contrário. Naquele momento, só queria morrer ou então voltar no tempo e ter o meu pequeno João novamente em meus braços.

Novamente lágrimas começaram a cair por meu rosto. Ele percebeu:

— Não precisas responder, muito menos chorar. Temos uma longa viagem. Precisamos falar sobre qualquer coisa. Já que não queres falar sobre tu, falarei sobre mim. Queres ouvir?

Não sei até hoje por que, mas me senti muito à vontade com ele. Balancei a cabeça, concordando. Ele começou a falar:

— Como é o teu nome?

— Meu nome é Marta...

— Muito prazer! Meu nome é José Lourenço, mas todos me chamam de Gaúcho. Nasci no Rio Grande do Sul. Sou casado, tenho quatro filhos. Três guris e uma guria. Ela tem quinze anos, deve ser essa tua idade também, não é?

— Não, vou fazer dezoito.

Ele sorriu.

— Não parece! És muito menina! Mas isso não importa. Amo minha família. Minha mulher é uma prenda. Quando me casei já era caminhoneiro. Por mais que ame minha família, amo mais a minha liberdade. Adoro viver na estrada! Já percorri quase todo esse Brasil. Meu caminhão vai de um lugar a outro carregando qualquer tipo de carga. Este Brasil é muito bonito! A vida também é! Não sei o que levaria uma pessoa a não querer mais viver. Tu sabes?

Percebendo que ele tentava descobrir alguma coisa e confiando nele, respondi:

— Sei... a desilusão, a traição, o sofrimento.

— Isso tudo faz parte da vida. Todos passam por esses problemas, mas nem todos querem morrer por isso. Na vida tudo passa. O sofrimento vai ficando cada vez mais distante. Quando menos esperamos, outra coisa acontece que nos faz esquecer a anterior. Essa é a vida! Por isso, nada é desculpa para não se querer viver. Nada!

— O senhor está dizendo isso porque tem quatro filhos, ninguém nunca os roubou...

— Roubar!?! Se alguém fizesse isso, eu mataria!

— Pois foi isso que me fizeram. Roubaram meu filho! Por isso estou desesperada!

Ele diminuiu a marcha. Quase gritou:

— Roubaram? Como? Isso não pode ser verdade.

— É verdade, sim... roubaram o meu João...

— Queres me contar como foi isso? Não posso acreditar que alguém faria uma maldade dessa.

Contei tudo o que se passara, e ele ouviu em silêncio. Quando terminei de falar, ele disse:

— Agora estou quase entendendo tua atitude, mas creio que estás tomando um caminho errado. Não deves querer matar-te, ao contrário, fazer tudo para encontrar teu filho e denunciar aqueles que cometeram esse crime. Deves voltar para tua casa, conversar com teus familiares e depois ir à polícia. Esse é o caminho. Nunca morrer! Deves viver para o dia que tiveres novamente teu filho em teus braços.

— Não sei se a polícia pode me ajudar.

— Eles têm que ajudar. Esse tal de Paulo é um criminoso!

Estava realmente nervoso. Eu apenas pensava em tudo o que me dissera. Realmente tinha razão. Eu não podia morrer, tinha que viver e de alguma maneira recuperar meu filho.

— O senhor tem razão. Vou fazer tudo o que for possível para recuperar meu filho! O senhor foi um anjo que Deus me mandou!

Ele soltou uma gargalhada:

— Anjo, eu? Deves estar louca. Posso ser tudo, menos um anjo!

— É um anjo, sim. Eu estava desesperada, não acreditava em mais nada. Com tudo o que me disse voltei à realidade. Vou viver! Nunca mais vou querer morrer! Vou encontrar meu filho, não sei como ou quando, mais o encontrarei!

— Se minhas palavras serviram para fazer-te mudar de idéia, já estou feliz. Se por isso me consideras um anjo, que seja, sou um anjo.

Ele ria enquanto dizia isso. Eu realmente dizia a verdade. Naquele momento, ele era mesmo um anjo que Deus me mandara.

Viajamos o dia inteiro. Já estava começando a escurecer quando ele parou o caminhão. Estranhei:

— Por que parou?

— Logo vai escurecer, estou cansado. Vou preparar alguma coisa para comermos, depois vamos dormir. Amanhã de madrugada seguiremos viagem.

Fiquei muito assustada. Até então ele havia sido muito bom. Conseguira até fazer-me rir algumas vezes. Mas, comer, dormir, onde? Não havia nada por ali, a não ser mato e estrada. Ele percebeu o meu espanto e disse:

— Que é isso? Estás com medo de quê?

— O senhor falou em comer e dormir, só não sei como poderemos fazer isso. Não está pretendendo fazer alguma maldade comigo, está?

Olhou-me como se estivesse me vendo pela primeira vez. Ficou furioso e, gritando, falou:

– Meu Deus do céu! Quem pensas que sou? Meu nome é Zé Lourenço! Sou gaúcho e cabra macho, tche! Tu és ainda uma guria, podias até ser minha filha! Nunca que eu ia fazer-te qualquer mal. Por essa imensa estrada posso ter quantas mulheres quiser! Nunca ia precisar de uma guria como tu. Talvez não seja aquele anjo, mas também não sou nenhum capeta! Vamos apenas comer e dormir, nada mais! Desce daí e vem me ajudar.

Confesso que naquele momento senti muita vergonha. Como pude imaginar aquilo? Ele salvou minha vida, deu-me uma nova esperança, tratou-me com carinho, realmente como se fosse sua filha.

Cabisbaixa, desci do caminhão. Ele abriu um compartimento, foi tirando panela, colher, faca, prato e uma lata com carvão, que acendeu em seguida. Abriu outro compartimento, tirou arroz, farinha e um pedaço de toucinho. Na panela colocou pedaços de toucinho, alho, cebola, pimenta e sal. De um garrafão tirou água e encheu a panela.

As brasas estavam fortes. Em menos de meia hora a água secou. Durante todo esse tempo, não disse uma palavra, percebi que estava mesmo muito bravo. Cada vez mais sentia o quanto o havia ofendido. Um pouco sem graça, disse:

– Seu Zé Lourenço, quero pedir-lhe desculpas. Nunca podia ter duvidado de sua amizade. Salvou minha vida...

Ele me olhou por alguns segundos sem dizer nada. Aos poucos, seu rosto foi se transformando e logo expressou um sorriso:

– Está bem, tu tens motivos para duvidar e temer as pessoas. Foste traída por quem mais confiavas. Não me conheces. Também tive minha dose de culpa. Devia ter te avisado que o caminhoneiro, de vez em quando, faz sua própria comida. No caminhão sempre temos tudo que é preciso para isso. Existem muitas estradas como esta, sem uma vivalma por perto, onde não há lugar para se comer.

Desculpe, fique calma, tudo passou. Vais agora comer um arroz como nunca comeste em tua vida.

Também sorri. Ele pegou um prato e colocou arroz dentro. Comi, e para ser sincera, nunca poderia imaginar que aquele arroz feito daquela maneira pudesse ser tão bom. Não sei se era por estar com muita fome, mas me pareceu o manjar dos Deuses. Tentei algumas vezes fazer igual, mas nunca consegui que ficasse bom daquele jeito. Quando terminamos de comer, ele disse:

– Gostaste?

– Sim! Muito! Está maravilhoso!

– Fico feliz que tenhas gostado. Agora vamos tentar dormir? Amanhã bem cedo seguiremos viagem. Estás longe da tua casa e eu muito mais da minha. Tu vais para o Norte, eu para o Sul, por isso dentro de alguns dias teremos que nos separar. Mas não te preocupes, tenho muitos amigos caminhoneiros, arrumarei algum para te levar ao teu destino.

– Temos que nos separar? Precisa mesmo?

– Infelizmente, sim. Estou há muito tempo longe de casa. Estou voltando. Mas deixe teu endereço, quando estiver passando pelo Piauí vou te visitar. Já que sou teu anjo, não posso ficar sem ter notícias tuas.

Deu uma gargalhada. Eu também. Eu estava triste e com medo por ele ir embora. Sentia que enquanto estivesse a seu lado, nada de mal me aconteceria.

– Tenho medo de ficar sozinha.

– Já te disse que não precisas preocupar-te. Encontrarei alguém que te deixe em casa. Sou conhecido e respeitado, ninguém vai ousar mexer num fio do teu cabelo. Fique tranqüila.

– Se o senhor está dizendo...

– Podes ficar sossegada. Agora vou colocar uma rede aqui fora presa nessa árvore e no caminhão. Vou dormir aqui, e tu dormirás na boléia.

– Vai dormir aqui fora?

– Vou, a noite está quente. Estou acostumado. Vá para dentro. Amanhã vamos acordar cedo. À tarde, quando estiver escurecendo, pretendo chegar a uma cidade onde tem a pensão de um amigo. Passaremos a noite lá. Ali também é um lugar de encontro de caminhoneiros. Encontrarei alguém para te levar.

– O senhor é quem sabe. Está bem, vou para o caminhão.

Subi na boléia, acomodei-me e dormi como uma criança.

Na manhã seguinte, ele me acordou. Lavamos a boca e o rosto com um pouco da água do garrafão. Seguimos viagem. Ele falou de sua mulher e seus filhos. Falei da minha família e da certeza de um dia encontrar meu filho.

Em dado momento, Gaúcho disse:

– Sabes, Marta? Estou aqui pensando em como é esta vida.

– Por que isso agora?

– Depois de tudo que me contaste, de ter até me chamado de anjo, chego a pensar que nossa vida é como um jogo de dominó. Conheces?

– Conheço, eu, meus primos e irmãos jogávamos sempre.

– Pois estou achando que a nossa vida é como esse jogo. Ela vai de um lado para outro, dependendo da pedra que aparece.

– Confesso que naquele dia não entendi muito bem o que ele quis dizer, mas hoje, depois de tanto tempo passado, compreendo e

276

acredito que ele tinha toda a razão quando disse aquilo. Nossa vida é mesmo um jogo.

Hoje, com você aqui a meu lado, fico pensando. Quantas voltas a vida deu para nos reunir novamente? Mas, continuando...

Como ele dissera na noite anterior, quando já começava a escurecer entramos numa cidade. Depois de uns dez minutos, ele estacionou o caminhão numa esquina. Descemos, ele pegou minha maleta, depois pegou um saco, que colocou nas costas, e começamos a caminhar. Dessa vez não senti medo. Caminhamos por duas quadras. Entramos numa rua onde havia vários caminhões estacionados. Ele parou em frente a uma casa grande, pintada de branco, com as janelas verdes. Entramos.

Lá dentro havia uma sala muito grande, onde muitos homens comiam e conversavam. Um deles aproximou-se, sorrindo:

– Gaúcho! Você voltou?

– Isso mesmo! Como vai tudo por aqui?

– Na mesma vida de sempre. Entre. Quem é essa moça?

Enquanto entrávamos, Gaúcho dizia:

– Esta guria é uma amiga. Estamos cansados e com muita fome, disse a ela que aqui tem a melhor comida do mundo.

– Seja bem-vinda, moça. Depois de comer minha comida, vai ver que ele não exagerou, é mesmo a melhor do mundo.

Eu estava envergonhada no meio de todos aqueles homens, que se levantaram para nos receber. Gaúcho era mesmo muito conhecido. Foi abraçado por todos. Ele também parecia muito feliz por encontrar os amigos. O dono da pensão disse:

– Tenho um bom quarto para os dois, fica ali naquele corredor, o número vinte e dois.

Ao ouvir aquilo, Gaúcho falou bravo:

– Que é isso, amigo? Estás me estranhando!?! Esta guria está só me acompanhando na viagem! Quero um quarto só pra ela. Não vês que ela é ainda uma menina?

O homem percebeu que não devia ter dito aquilo:

– Desculpe, Gaúcho, sabe como é! Eu pensei...

– Pensaste demais! Será que um homem não pode estar acompanhado sem segundas intenções?

– Já pedi desculpas! Moça, venha comigo, vou mostrar-lhe seu quarto.

Eu olhei para Gaúcho, que fez um sinal para que eu o acompanhasse. Um pouco sem graça, fui.

— Ali naquela porta é o banheiro, se quiser pode tomar banho. O seu quarto é aquele ali. Gaúcho vai ficar naquele em frente ao seu. Desculpe, moça, por aquilo que disse lá dentro.

Eu não sabia o que dizer. Não podia acreditar que estava numa situação como aquela. Apenas sorri e entrei no quarto. Era um quarto simples, com duas camas de solteiro, um guarda-roupas e uma cortina branca estampada com flores vermelhas na janela. Larguei a maleta no chão, sentei na cama e pensei: "Como vim parar num lugar como este? Como me encontro agora no meio de pessoas estranhas? Será que conseguirei chegar em casa?"

Desesperada, comecei a chorar novamente. Chorava muito, queria parar, mas não conseguia, os soluços saíam lá do fundo do meu coração: "Por que tudo isso está acontecendo comigo? Que mal eu fiz a Deus para que ele permitisse tudo isso? Estou sozinha, com pessoas estranhas! Perdi meu filho e o homem a quem amava. Por que, meu Deus? Por quê? Eu não mereço..."

Chorei nem sei por quanto tempo. As lágrimas secaram. Passei as mãos pelo rosto e pela cabeça. Peguei a maleta, tirei de dentro dela uma saia, uma blusa e roupas de baixo. Na pressa de ir embora não peguei muita roupa. Lembrei-me que até esqueci de pegar dinheiro. Não tinha um centavo: "Quando Gaúcho for embora, sem dinheiro, como conseguirei chegar em casa?"

Ia entrar em desespero novamente, mas desta vez me contive: "Não adianta! Terei que seguir o meu caminho. Quando saí de casa e viajei todos aqueles dias não tive medo, pois estava ao lado de pessoas conhecidas. Além do quê, tinha um motivo. Ia ao encontro do meu amor. Mas, agora? Que motivo tenho? Nenhum, a não ser encontrar meu filho. Vou encontrar! Não sei quando, mas vou! Vou seguir meu caminho, seja o que Deus quiser."

Peguei minha roupa e abri a porta devagar. Olhei o corredor, estava deserto. Entrei rapidamente no banheiro e tranquei a porta. Ele era pequeno e apertado. Havia um caldeirão com água quente e uma bacia grande.

Eu já estava acostumada com aquilo. No hotel de Geni também era assim. Sempre que a bacia e a água eram usadas, ambas eram trocadas. Tomei um banho rápido, pois não me sentia bem naquele lugar. Sequei-me com uma toalha, vesti minha roupa e sai correndo para o quarto. Queria sair daquele lugar o mais depressa possível.

No quarto, terminei de secar meus cabelos. Apesar de tudo, sentia-me muito melhor do que antes. Fiquei lá dentro por alguns minutos, quando ouvi uma batida na porta. Assustei-me:

— Quem é?

— Sou eu, Gaúcho! Estás pronta para jantar?

— Estou!

— Então venha!

Abri a porta, e ele me recebeu com aquele sorriso que eu já conhecia:

— Parece que estás muito bem! O banho te fez bem.

— Estou muito bem, obrigada. Nem sei como agradecer tanta bondade.

— Não tens nada para agradecer, não me disseste que eu era um anjo? Estou apenas cumprindo meu dever de guardião. Vamos?

Ele era sensacional, cada vez o admirava mais. Estendi minha mão e segurei a dele. Caminhamos em direção à sala de jantar. Havia na mesa muita comida e principalmente muita carne.

Gaúcho, notando meu espanto ao ver toda aquela comida, disse:

— Estás achando que é muita comida?

— Estou.

— Pois não é! Quando eu começar a comer, verás que não é muita. Esta comida é muito boa, tu também comerás mais do que de costume.

Realmente ele tinha razão, a comida era deliciosa. Ele comeu e bebeu vinho.

— Viu, guria? Não te disse que ias comer além do que estavas acostumada? Agora vais para o teu quarto e não me saias de lá. Daqui a pouco chegarão algumas moças para divertir os caminhoneiros. Vai haver muito barulho, mas precisamos tentar dormir.

Entendi o que ele dizia, eu já conhecia aquele tipo de moça, pois muitas freqüentavam o hotel de Geni naquelas festas dos sábados à noite. Eu conversava muito com elas. Sabia que por detrás daquelas roupas extravagantes, daquela alegria e dos rostos pintados, todas tinham sua história e eram pessoas comuns, que sonhavam em encontrar um homem que as levasse para o altar. Como toda mulher, queriam mesmo uma casa, marido e filhos. Não disse nada a Gaúcho, apenas balancei a cabeça concordando.

Ele se levantou e eu o acompanhei. Levou-me de volta ao meu quarto. Entrei, fechei a porta e deitei naquela cama. Meu corpo cansado acomodou-se perfeitamente. Ali, sozinha, pensava em você, quando o colocava para dormir. Meus olhos novamente se encheram de lágrimas e meu coração começou a doer. O desespero voltou: "Não posso me conformar com a idéia de nunca mais ter meu menino nos braços. Nunca mais poder niná-lo para que durma! Onde estará agora? Será que está com frio ou com fome? Estará também sentindo a minha falta? Meu Deus! Minha Nossa Senhora! A Senhora também foi mãe! Como pôde permitir que isso acontecesse comigo? A Senhora me conhece! Sabe que não mereço! Por quê? Por quê?"

Ali deitada naquela cama, com o coração em pedaços, com o peso do mundo inteiro em minhas costas, chorei muito. Não sei por quanto tempo, mas cansada, adormeci. Sonhei que estava num lugar com muitas crianças e *que passava por entre elas procurando você. Olhava rostinho por rostinho, mas não conseguia encontrá-lo. Também no sonho eu estava desesperada... também no sonho eu chorava...*

Eunice, ou melhor, Marta, relembrando tudo, estava emocionada. Lágrimas novamente corriam por seu rosto. Walther tornou a abraçá-la com muito carinho:

— Minha mãe... como suspeitei assim que soube de tudo, a senhora sofreu muito. Mas agora estou aqui! Conseguimos nos encontrar. Nunca mais vamos nos separar! Fique calma... sabe que esse coração que sofreu tanto, não está bem... agora nada de mal pode lhe acontecer... precisamos compensar todo esse sofrimento...

Ela correspondeu ao abraço e, beijando seu rosto, respondeu:

— Não se preocupe, meu filho, estou bem, e ninguém morre de felicidade! Apenas me emocionei por relembrar tudo aquilo. Mas estou muito bem. Sempre esperei por este dia. Sabia que chegaria, e graças a Deus chegou...

— Foi também o que mais desejei desde que tomei conhecimento de sua existência.

— Por isso preciso contar-lhe tudo.

Naquela manhã, saímos bem cedo. Viajamos mais três ou quatro dias, não me lembro muito bem. A estrada era solitária, não encontramos nenhuma cidade grande onde houvesse uma pensão ou qualquer coisa parecida. Comemos o que ele preparava e dormimos eu no caminhão, ele na rede.

Conversamos muito, ele era muito alegre e falador. Eu sabia que ele queria me distrair, por isso fingi que estava bem. Na última noite, ele me disse:

— *Amanhã vamos chegar a uma cidade onde há um posto de gasolina grande. La também é uma parada obrigatória para os caminhoneiros. Teremos, então, que nos despedir.*

— *Por quê?*

— *Dali irei para o Sul e tu para o Norte. Mas como já te disse, não precisas te preocupar. Já estás bem perto de tua casa, mais umas seis horas chegarás. Vou encontrar alguém que te leve em segurança.*

— *Sabe que estou com medo...*

— *Sei, mas não tens motivo algum para isso.*

— *Nunca mais vamos nos encontrar?*

— *Claro que sim! Estou sempre por aqui, vais me dar o teu endereço e eu vou até tua casa quando estiver passando por lá.*

— Vai mesmo?

— Claro que sim! Sou teu anjo, não sou?

Fiquei mais calma ao saber que estava perto de casa, apesar de saber que não seria fácil ser recebida de volta. Mas não havia outra coisa a fazer. Não tinha para onde ir. Precisava contar para minha família o que Paulo havia feito, precisava encontrar uma maneira de recuperar meu filho.

Chegamos ao tal posto. Havia muitos caminhões estacionados. Perguntei:

— Por que há tantos caminhões aqui?

— Porque daqui a estrada se divide para muitas direções. Deste ponto pode-se seguir para qualquer parte do país. Há também quartos. Por isso disse que encontrarei alguém para te levar.

Ele estacionou, descemos. Eu estava cansada, meu corpo todo doía, mas sabia que já estava perto de terminar, logo estaria em casa. No posto havia um pequeno restaurante. Estávamos com fome, pois comêramos muito mal nos últimos dias. Gaúcho mostrou-me uma mesa, sentamo-nos.

Um rapaz aproximou-se e deu-nos o cardápio. Escolhemos a comida. Gaúcho pediu uma cerveja:

— Hoje posso beber porque vou sair só amanhã. Saindo bem cedo, à tarde, antes de escurecer, já estarás em tua casa. Tens que me prometer que nunca mais tentarás matar-te.

— Pode ficar tranqüilo, nunca mais pensarei nisso! Como você disse, nossa vida é como um jogo. De agora em diante lembrarei sempre disso e só jogarei com as pedras que vierem parar em minhas mãos.

— Boa guria. É assim que se fala. Um dia a gente tem que ter pedras boas, não é?

— Espero que sim...

— Podes esperar! Um dia, quando as pedras boas chegarem em tuas mãos, vais lembrar-te do que estou dizendo hoje!

— Acredita mesmo nisso?

— Claro que sim! As pedras são distribuídas por alguém. Esse alguém não pode nos mandar só pedras ruins! Um dia, nem que for por distração, mandará pedras boas!

Quando terminou de falar, soltou uma grande gargalhada. Eu também achei engraçado tudo aquilo.

— Bom amigo... como ele previu, estou hoje com pedras boas em minhas mãos... Hoje estou muito feliz...

— Minha mãe, esse homem era um sábio! Tem certeza que ele não tinha religião?

— Era um sábio sim, e um verdadeiro anjo... ele disse várias vezes que não tinha religião, que só acreditava em Deus.

— Embora não tivesse religião, acredito que foi mesmo um anjo mandado. Que aconteceu depois?

Depois de terminarmos o almoço, pediu que eu esperasse e foi em direção a alguns homens que conversavam. Abraçou e foi abraçado. Conversou por alguns minutos, depois voltou:

— Conversei com os caminhoneiros amigos meus. O único que vai para os teus lados é Gilmar. Ele disse que te leva sem problemas. Só que vai sair amanhã bem cedo. Hoje, como quase todos, bebeu demais. Melhor assim, porque sei que também estás cansada. Agora que já comeste, vou arrumar um quarto para que possas passar esta noite. Venha comigo!

Pegou minha mão e juntos fomos até um senhor:

— Seu Jeremias, estamos cansados, precisamos descansar. Antes que penses demais, precisamos de dois quartos.

O homem olhou-me e depois para ele:

— Tem certeza?

— Claro que sim! Dois quartos!

— Está bem, não precisa ficar nervoso! Só tem um problema, não tenho dois quartos vagos, só tenho um, o menor de todos.

— Está muito bem, ela fica com o quarto, eu durmo no caminhão.

— Você é quem sabe. Não posso fazer nada.

Eu estava cansada, mas sabia que ele estava muito mais que eu, pois dirigira muitas horas seguidas:

— Durma você no quarto; está mais cansado que eu.

— Que é isso, guria? Já estou acostumado! Tu ficas com o quarto e não se fala mais nisso.

Percebi que não adiantava dizer mais nada. Ele estava decidido e eu muito cansada para discutir. O homem mostrou-me o quarto que ficava ali mesmo, ao lado da cozinha. Antes que eu fosse para o quarto, Gaúcho disse:

— Vou até o caminhão pegar tua maleta. Poderás tomar um banho e descansar.

Olhou para o homem:

— Ela pode usar o banheiro, não pode?

— Claro que sim! Venha, moça, vou mostrar-lhe o quarto.

Enquanto Gaúcho foi para o caminhão, eu acompanhei o homem. Entrei no quarto que, além de pequeno, cheirava muito mal. Mas eu não estava em condições de escolher, ademais estava mesmo muito cansada.

Sentei-me na cama e fiquei olhando em volta e pensando: "Ainda bem que estou perto de casa! Só mais um dia!"

Gaúcho bateu à porta. Pedi que entrasse. Ele, como sempre, sorria:

— Aqui está tua maleta. Puxa! Este lugar é horrível! Ainda bem que escolhi o caminhão.

— Está muito bom. Nem sei como agradecer.

— Já disse que não precisas agradecer. Estou fazendo porque quero, tu não estás me obrigando a nada. Além do mais, sou teu anjo da guarda, não sou?

— É, sim! E não poderia ser melhor!

— Agora descansa, já estás quase chegando em casa. Sabes que terás que reunir forças para enfrentar teus pais...

— Sei disso, mas conseguirei convencê-los.

Ele saiu do quarto. Abri a maleta, minhas roupas estavam todas sujas. Durante a viagem fui trocando e só tinha limpas uma saia estampada e uma blusa branca abotoada na frente. Com as roupas nas mãos, fui até o banheiro que o homem me mostrara.

Entrei no banheiro. Era pior que o outro, mas melhor que nada. Tomei um banho rápido pois, como da outra vez, não estava à vontade no meio de tantos homens.

Entrei no quarto, deitei-me e adormeci sem perceber. Não sonhei, talvez estivesse muito cansada para isso. Ouvi uma batida na porta e Gaúcho me chamando:

— Guria! Está na hora de levantar... Gilmar já está tomando café e vai sair logo. Não é bom que o deixes esperando.

Abri os olhos, percebi onde estava. Sentei-me na cama, respondendo:

— Estarei pronta dentro de alguns minutos.

— Vou esperar-te para tomarmos café juntos. Assim que fores embora, irei também.

Ao ouvir aquilo, senti um aperto no coração. Eu já me acostumara com sua presença. Sabia que era um bom amigo e que nunca o esqueceria. Levantei-me e rapidamente me vesti. Saí do quarto e fui até o banheiro. Lavei meu rosto, penteei meus cabelos e saí. Vi que Gaúcho estava sentado ao lado de um outro homem. Aproximei-me:

— Bom dia!

Gaúcho respondeu:

— Bom dia, este é Gilmar. Disse que pode levar-te até bem perto de tua casa, na estrada.

— Muito prazer senhor.

— O prazer é todo meu, você é muito bonita!

283

– Obrigada.

– Gilmar! Podes parar! Já te disse que ela é como se fosse minha filha! Se acontecer alguma coisa com ela...

– Pode ficar tranqüilo, não vai acontecer nada! Vou levá-la direitinho.

Olhei com atenção para Gilmar. Ele era mais jovem que Gaúcho. Tinha cabelos pretos e um sorriso franco. Senti que estaria bem em sua companhia. Sentei-me e tomei meu café. Quando terminamos, levantamo-nos. Gaúcho acompanhou-me até o caminhão de Gilmar. Ele foi na frente para verificar se as cordas que seguravam a carga e os pneus estavam em ordem. Gaúcho disse:

– Agora vamos nos despedir. Quero que me dês teu endereço!

– Não sei escrever direito!

– Eu sei, sabes ao menos me dizer onde é?

– Claro que sei!

Expliquei onde ficava o sítio de minha família. Ele anotou num papel e deu-me outro com seu endereço:

– Este é o meu endereço. Se algum dia precisares, podes procurar-me. Moro em Porto Alegre, no Rio Grande do Sul.

Peguei o papel, dobrei e guardei no bolso da saia, junto com meu registro de nascimento.

Ele perguntou:

– Tens algum dinheiro?

– Não, na pressa esqueci de pegar...

– Não tenho muito, mas podes levar este...

– Não precisa! Não disse que já estou chegando?

– Estás, mas vais ter que comer alguma coisa durante a viagem. Não quero que peças a Gilmar. Além do mais não estou dando, é apenas um empréstimo. Quando for visitar-te espero receber de volta.

– Se for assim, vou aceitar. Também não quero pedir a Gilmar. Ele já está fazendo muito em levar-me.

Peguei o dinheiro e coloquei no mesmo bolso. Ele pegou minha mão e apertando-a, disse:

– Agora que estás indo embora, vou dizer-te que ao te ajudar, também me ajudaste. Estou com minha vida toda enrolada. Minhas últimas viagens não têm sido boas. Vendo-te assim desprotegida percebi que minha família, e principalmente minha filha, ficam muito sozinhas. Nunca estou presente. Vendo o quanto precisas de alguém, resolvi que já trabalhei muito, já consegui um bom pé-de-meia. Não vou parar de ser caminhoneiro, pois é a minha vida, não sei fazer outra coisa, mas de agora em diante só farei viagens curtas. Estarei sempre perto de casa.

— Então não vai voltar para me ver?

— Essa viagem eu farei, nem que seja só uma vez. Vá com Deus. Seja feliz e espere as boas pedras que virão, com certeza.

— Obrigada, estarei esperando por você em casa.

— Quando eu chegar, quero ter boas notícias a respeito de teu filho.

— Assim espero.

Não me contive. Atirei-me em seus braços e abraçamo-nos com muito carinho. Eu sentia que estava perdendo um amigo que me ajudara sem saber quem eu era e sem querer nada em troca.

Ouvimos uma voz. Era Gilmar que dizia:

— Pessoal, a conversa está muito boa, mas está na hora de irmos embora.

Separamo-nos. Ele beijou minha testa e afastou-se. Subi no caminhão e acenei. Não conseguia evitar as lágrimas que corriam sem parar. Ele também acenava. Embora não estivesse chorando, percebi que seus olhos estavam tristes.

Eu começaria uma nova etapa da minha viagem, que já estava no fim.

Anjos no Caminho

M arta enxugou os olhos com as mãos, pois as lágrimas rolavam. Walther estava emocionado ouvindo aquela história:

— Que grande homem é esse Gaúcho! A senhora ainda tem o endereço dele?

— Sim. Nunca me desfiz dele. Está guardado numa caixa no guarda-roupa.

— Poderia me mostrar?

— Claro que sim. Depois mostrarei.

— Está bem. Mas se estava tão perto de casa, por que não chegou lá?

— Porque a gente propõe, mas Deus dispõe. Eu não sabia, mas naquele tempo minha vida estava dando uma nova virada. Chego mesmo a pensar que realmente existe uma força maior que nos dirige para nosso verdadeiro caminho.

— Agora também estou quase acreditando nisso. Desde que cheguei a este país, algumas pessoas me falaram sobre isso. A princípio não acreditei, mas agora estou sendo levado a crer.

— É isso mesmo, meu filho. Se voltar ao passado, verá que, como todas as pessoas, teve bons e maus momentos. Verá também que tanto nos bons quanto nos maus momentos, uma ajuda sempre veio através de uma idéia ou de alguém.

Walther ficou olhando para um ponto distante. Rapidamente repassou sua vida. Percebeu que o que Marta dizia era verdade. Nesse mesmo momento, se não houvesse atropelado Laura, somente passaria por aquela estrada e estaria longe, sem saber o que havia acontecido com sua mãe.

— Mas é preciso acontecer sempre uma coisa ruim? Precisa sempre ser através do sofrimento? Dos desencontros?

— Não sei...

— Por favor, continue! Estou realmente muito curioso.

Depois que Gilmar colocou o caminhão na estrada e Gaúcho desapareceu, fiquei olhando o caminho. Gilmar era diferente de Gaúcho, não falava, dirigia com os olhos voltados para a estrada. Ao perceber isso, encostei bem perto da janela e fiquei apreciando a paisagem. Ele só falava o necessário.

No princípio estranhei, mas depois agradeci, pois também não estava com vontade de conversar. Tinha muito em que pensar. Primeiro precisava chegar em casa e convencer meu pai a me receber de volta, depois tinha que encontrar uma maneira de recuperar você.

No íntimo eu sabia que isso era quase impossível, pois você então era filho deles, e estava muito longe. Mesmo que chegasse até você, como provaria que era meu filho?

Viajamos quase o dia todo. Por volta do meio dia, paramos num pequeno posto de gasolina. Eu estava com fome.

Gilmar disse:

— Esta será a última parada. Vamos comer, mas não vamos nos demorar.

— Está bem, preciso mesmo comer algo, estou com fome.

Ele não respondeu. Abriu a porta e desceu. Eu fiz o mesmo. Entramos num pequeno bar.

Não havia muita coisa para se comer, apenas alguns pedaços de carne seca boiando num molho de uma aparência péssima, mas eu estava com fome. Comi um pedaço envolvido em farinha. Não era o suficiente, mas sabia que logo mais estaria em casa e poderia comer uma comida de verdade.

Quando terminei de comer, tirei do bolso o dinheiro que Gaúcho me dera. Ao ver meu gesto, Gilmar, furioso, disse:

— Nada disso! Pode guardar seu dinheiro! Vou pagar a despesa!

— Obrigada, mas não precisa. Tenho dinheiro.

— Já disse, guarde esse dinheiro!

Percebi que não adiantava discutir. Guardei o dinheiro de volta no bolso.

Voltamos para o caminhão e seguimos viagem. Já eram quase três horas da tarde, eu contava os minutos que faltavam para chegar em casa. O Sol estava muito quente, eu muito empoeirada. Mais uma vez, Gilmar falou:

— Já estamos quase chegando. Daqui até onde você mora faltam mais ou menos duas horas.

— Isso é mesmo muito bom, não vejo a hora de chegar.

287

– Desde que Gaúcho me falou de você, estou com algumas dúvidas.
– Que dúvidas?
– Por quanto tempo você e ele estiveram juntos na estrada?
– Por cinco ou seis dias.
– Onde dormiram?
– Na estrada mesmo e numa pensão.
– Ele me disse que não aconteceu nada, que você é uma moça de respeito. Não aconteceu mesmo?
– Aconteceu o quê!?!
– Não se faça de tonta! Vocês dormiram juntos, não dormiram?
– Não! Ele me tratou como se fosse sua filha!
Parou o caminhão bruscamente. Olhou-me com raiva:
– Acha mesmo que vou acreditar numa mentira como essa?
– Não é mentira!
Notei que a expressão de seu rosto havia mudado.
– Ele lhe deu carona sem cobrar nada?
Amedrontada, respondi:
– Isso mesmo...
– Pois comigo vai ser diferente! Você é muito bonita! Agora que estamos chegando, já está na hora de me pagar!
Segurou-me pelos braços e tentou desabotoar minha blusa. Fiquei desesperada, não queria nada com aquele homem. Comecei a gritar, mas não adiantava, não havia vivalma por ali.

Desesperada, quando ele tentou me beijar mordi seus lábios, abri a porta e sai correndo. Corri muito sem olhar para trás. Meu coração batia forte, eu não parava de correr. As lágrimas desciam em abundância por meu rosto.

Estava cansada, quase não conseguia respirar, mas não parava. Sentia que ele me seguia. Estava apavorada.

De repente não consegui correr mais. Minhas pernas se recusavam a obedecer. Ajoelhei-me sem fôlego. Ouvi a buzina do caminhão. Olhei e aliviada percebi que ele estava desviando, seguindo em outra direção. Respirei fundo e sentei-me no chão para descansar.

Minha maleta ficara no caminhão, mas não me importava, a única coisa importante naquele momento era que ele fora embora.

Quando senti que já descansara o suficiente, levantei-me. Olhei a minha volta e só vi a estrada, não havia nenhuma casa.

Comecei a andar. O Sol estava muito quente, eu sentia sede, mas não podia parar. Tinha que chegar em casa depressa, sabia que aquele era o caminho que precisava seguir.

Não sei por quanto tempo andei. Não conseguia mais prosseguir. Vi uma casa, estava no começo da estradinha. Um homem capinava. Gritei com as forças que ainda me sobravam. Ele não ouviu. Fui andando em sua direção, precisava descansar, beber um pouco de água. Sentia que minhas forças não dariam para chegar até ele, mas mesmo assim continuei. Outra vez meus joelhos se dobraram, outra vez fui obrigada a parar. Só que dessa vez ele viu. Eu estava do outro lado do riacho. Ao ver-me começou a gritar:

– Nice! Nice! Nice, venha cá! Tem uma moça aqui!

Desfaleci. Não vi mais nada.

Walther não se conteve. Levantou-se:

– Que canalha era esse Gilmar!

– Também senti muito ódio, mas hoje não sinto mais. Como dizia Gaúcho, ele foi só uma pedra ruim colocada em meu caminho para mudar minha vida.

– Sei! Era só uma pessoa sem caráter! Nada além disso!

– Pode ser, mas de qualquer maneira mudou minha vida. Por causa dele estou aqui hoje, rodeada de crianças, dando a elas todo o amor que não consegui dar a você.

– Pensando dessa maneira, talvez a senhora tenha razão...

Walther tornou a sentar-se. Olhou para Laura, que não dizia nada, apenas deixava as lágrimas caírem. Marta seguiu os olhos dele e percebeu que a filha chorava:

– Desculpe, minha filha.

– Não se preocupe, mamãe. Estou apenas muito triste com tudo que lhe aconteceu. Continue. Foi assim que veio para cá e conheceu meu pai?

– Foi sim.

Quando abri os olhos, vi uma moça sentada ao lado da cama em que eu estava deitada. Ela sorriu ao perceber que eu acordava. Ofereceu-me uma caneca. Ainda assustada, olhei para ela e para a caneca:

– O que é isso?

– Pode beber sem medo, é chá de erva santa, vai acalmá-la. Mas beba devagar, parece que faz muito tempo que não toma água.

Ela era muito bonita e tinha uns olhos grandes que me transmitiram bondade e sinceridade. Peguei a caneca e bebi devagar. Devolvi a caneca; ela perguntou:

– O que aconteceu? Parece que foi atacada.

A seu lado estava um homem, o mesmo que eu vira e por quem gritava. Os dois eram ainda muito jovens. Sentindo-me mais segura, contei tudo o que acontecera com Gilmar. Disse também que minha casa ficava por aqueles lados. Que precisava encontrar o caminho até ela.

Ouviram-me em silêncio. Quando terminei de falar, ela disse:

– Procure esquecer tudo isso, já passou. Não pode ir embora agora, está anoitecendo. Durma aqui esta noite, amanhã bem cedo Zé Antônio vai tentar descobrir onde fica sua casa.

Olhei para a janela, realmente anoitecia. Estava tão cansada que não discuti. Não sei se foi por causa do chá, mas adormeci em seguida.

No dia seguinte acordei com o choro de uma criança. Quando abri os olhos, vi que a moça trocava a fralda de um bebê. Lembrei-me do que acontecera no dia anterior. Sentei-me na cama:

– Bom dia! Não vi essa criança ontem.

– Bom dia! Dormiu bem? Você não viu nada, estava cansada e assustada demais para isso.

– Dormi muito bem. Preciso agradecer o que a senhora e seu marido fizeram para me ajudar...

– Não tem nada a agradecer, somos todos filhos do bom Deus, portanto somos todos irmãos...

Ela terminou de trocar a criança e colocou-a no peito para mamar. A criança começou a mamar com muita força. Olhei a minha volta e percebi que ela e o marido deviam ter dormido numa rede que se encontrava num canto do quarto. Ao lado da cama em que eu estava sentada, outras duas crianças ainda dormiam. Havia uma mesa sobre a qual ela trocara o bebê, um fogão a lenha feito de tijolos e algumas barras de ferro que serviam para segurar as panelas, um armário onde era guardada a louça e os mantimentos, e do outro lado havia uma máquina de costura. Tudo muito pobre. Eu também fora criada numa casa pobre, mas nunca vira pobreza igual àquela. Ela percebeu que eu olhava tudo. Disse:

– Esta admirando a casa?

– Estou. Ontem não vi nada.

– Deve estar achando tudo muito pobre.

Não respondi, fiquei envergonhada. Como ela notou o que eu estava pensando? Continuou:

– Foi tudo o que conseguimos em seis anos de casados. Nós trabalhávamos num engenho de açúcar. Meu marido conseguiu comprar este sítio há pouco tempo. Mas eu não reclamo, gosto muito de meu marido e sei que ele *sente o mesmo por mim. Tenho mais dois filhos. O maior, com quatro anos, chama-se José Antônio, como o pai; o menor, com dois, Manoel Antônio, mas nós o chamamos de Manezinho. E esta é Laura, que está com dois meses.*

Ao ouvirem aquilo, Walther levantou-se e Laura, esquecendo-se da perna imobilizada, tentou levantar-se também. Ficou em pé por alguns segundos, e Walther segurou-a antes que caísse. Ela falou quase gritando:

— Mamãe! A senhora está dizendo que não é minha verdadeira mãe? Está dizendo que sou filha de outra mulher?

— Desculpe, minha filha. Nunca disse nada, pois na realidade amo a você e a seus irmãos como se fossem realmente meus filhos.

— Isso agora não tem importância, estou muito feliz por saber que não sou sua filha verdadeira!

— Meu Deus! Com tudo o que aconteceu esqueci do sofrimento que passaram sem necessidade. Devia ter dito logo no começo que não eram irmãos.

Walther abraçou Laura, agora com muito amor, sem culpa.

— Não somos irmãos! Quer dizer que podemos nos casar?

Marta sorria ao ver a felicidade estampada no rosto dos filhos:

— Não são irmãos, podem se casar quando quiserem.

Soltaram-se. Walther deu a volta novamente ao redor da mesa, só que dessa vez abraçou a mãe com mais carinho ainda, grato por toda a felicidade que sentia:

— Minha mãe! Obrigada por toda a felicidade que está me dando neste momento.

— Eu é que estou feliz por vocês. Nada me fará mais feliz que ver meus dois filhos unidos e felizes. Deus é mesmo muito bom! Obrigada por essas pedras boas que está me mandando agora. Obrigada pela felicidade que estou sentindo neste momento...

Marta levantou-se, foi ao encontro de Laura e abraçou-a com muito amor e carinho:

— Minha filha, sei que será muito feliz ao lado dele. Já demonstrou que é um bom homem e que a ama de verdade. Sempre ouvi dizer que "casamento e mortalha no céu se talha". Vocês estavam destinados um para o outro! Que Deus os abençoe.

Os dois, abraçados, sorriam sem parar. Walther pegou um banquinho e colocou-o ao lado da cadeira em que Laura estava sentada. Disse:

— Agora vamos continuar ouvindo sua história, só que abraçados. Não quero ficar longe dela nem por mais um minuto. Não pode imaginar como sofri quando pensei que ela era minha irmã. Sofria ainda mais por não conseguir deixar de querê-la como minha mulher. Não sabia como seria minha vida sem ela a meu lado.

Marta desculpou-se mais uma vez:

— Eu devia ter contado assim que me disseram que se amavam. Mas depois de ter descoberto que você era meu filho, transportei-me ao passado e realmente esqueci. Desculpem...

— Não faz mal, agora que sabemos está tudo bem. Eu amei essa menina assim que a vi! Acredito que estive esperando por ela toda minha vida.

Laura, enquanto o ouvia falar, chorava e ria ao mesmo tempo.

Walther prosseguiu:

— Agora que essa parte importante foi esclarecida, a senhora pode continuar. Ainda estou curioso para saber por que mudou de nome e por que não foi para casa.

— Vou continuar.

Tentei levantar-me, mas senti uma tontura e voltei a deitar. Eunice assustou-se:

— *O que você tem? Está pálida.*

— *Não sei, estou tonta e sem forças, não consigo me levantar.*

— *Você está muito fraca. Ontem ficou muito tempo no Sol sem beber água. Não se preocupe, fique aí, vou trazer um pouco de café com leite. Depois que comer vai se sentir melhor.*

Tentei novamente me levantar, mas não consegui. Ela foi até a fogão, voltou com uma caneca e tentou entregar-me, mas não consegui segurar. Você ainda mamava em seu peito. Ela a colocou na cama de solteiro junto com os meninos que ainda dormiam. Abraçou-me por trás e ajudou-me a levantar. Com muita paciência fez com que eu bebesse um pouco do café com leite. Eu não conseguia beber, tomei apenas alguns goles e deitei-me novamente.

Ela pôs a mão em minha testa, dizendo:

— *Está com muita febre. Vou fazer-lhe um chá.*

— *Preciso levantar. Tenho que ir para casa.*

— *Não vai conseguir assim como está. Fique calma, volto já.*

Saiu, foi para o quintal e logo depois voltou acompanhada por Zé Antônio. Disse:

— *Ela não está bem. Não consegue nem se levantar, mas quer ir embora.*

– Não tem que se levantar. Pode ficar deitada, não precisa ir embora hoje. Sua casa não vai sair do lugar.

Senti que mesmo que quisesse não conseguiria levantar-me. Apenas sorri e fiquei tranqüila. Sentia que estava entre amigos e que nada de mal me aconteceria. Voltei a dormir.

Fiquei doente por mais dois dias. Eunice cuidava da casa, das crianças, e de mim. Conversávamos muito. Contei tudo o que se passara em minha vida. Ela ouviu, depois disse:

– Todos passamos por momentos difíceis na vida. Quando isso acontece ficamos com medo de não suportar, mas tudo passa. Você está sofrendo muito, mas Deus é nosso pai, não dá uma cruz maior do que aquela que podemos carregar.

Ela era assim, muito otimista e com uma fé que nunca vi igual. Dizia-me essas coisas, mas eu não conseguia entender por que tudo aquilo estava acontecendo.

No terceiro dia, ao acordar, percebi que estava sozinha em casa. Levantei-me e saí para o quintal. Vi Eunice e Zé Antônio sentados à beira do riacho, as crianças brincando perto deles. Percebi que conversavam.

Voltei para dentro e resolvi que já estava bem o bastante para ir para casa. Só não sabia como faria. Não tinha idéia da distância. Tinha muito medo de pedir ajuda a outro motorista. Minha experiência com Gilmar havia sido muito triste.

Estava sentada na cama pensando em como faria quando Eunice e Zé Antônio entraram:

– Bom dia! Já acordou?

– Bom dia, Eunice. Acordei e estou muito bem. Acho que está na hora de voltar para casa.

– É sobre isso mesmo que queremos falar com você.

– Sei... querem que eu vá embora...

– Nada disso, ao contrário, queremos que fique! Precisamos de sua ajuda.

– Ajuda? Ficar? Como? Por quê?

Zé Antônio explicou:

– Precisamos falar seriamente. Comprei estas terras de Zé Venâncio, um amigo que estava indo para São Paulo. Precisava de dinheiro, por isso vendeu-me o sítio por um preço muito bom. Como tinha um pouco de dinheiro guardado, aproveitei. Isso já faz quase um ano. Há alguns dias ele me escreveu dizendo que está muito bem, ganhando muito dinheiro no ramo da construção. Sabendo que sou um bom pedreiro, quer que eu vá encontrá-lo e trabalhar com ele. Garantiu que em pouco tempo ganharei

293

o bastante para montar uma casa e levar Eunice e as crianças. Disse que viveremos muito melhor do que aqui.

Fiquei olhando para ele sem entender o que eu tinha a ver com tudo aquilo. Ele prosseguiu:

— Estou com muita vontade de ir. Quero dar uma vida melhor a meus filhos. Numa cidade grande as crianças poderão ir à escola.

— Creio que será mesmo muito bom, só não entendo em que posso ajudar.

— Desejo muito ir, mas não tenho coragem de deixar Nice e as crianças sozinhas. Já percebeu que moramos distante da cidade, não temos nem um animal para nos conduzir até lá. Eu já aceitara o fato de não poder ir, mas quando você chegou e contou sua história, achamos que talvez quisesse ficar aqui por um tempo. Não sabe se seu pai vai aceitá-la de volta.

Fiquei pensando enquanto ele falava:

— Com você ao lado de Nice, irei tranqüilo. Não será por muito tempo. Logo virei buscar a todos, e se quiser poderá ir também.

Quando terminou de falar, os dois ficaram me olhando, ansiosos por saber minha resposta. Eu estava muito confusa, acabara de conhecer aquelas pessoas que queriam que eu ficasse. Por outro lado, ajudaram-me, deram-me abrigo e comida num momento que precisei. Não sabia o que fazer. Eunice percebeu e disse:

— Sei que mal nos conhece, por isso deve estar preocupada. Não queremos que fique sem pensar. Gostei de você assim que a vi, sinto que a seu lado poderei ficar tranqüila esperando a volta de Zé Antônio. Mas se não quiser, pode dizer, não vamos condená-la por isso.

Eu estava atordoada, não sabia o que fazer. Por outro lado, Zé Antônio tinha razão, eu não sabia se seria aceita por meu pai. Ali eu tinha um abrigo, quase uma família. Tinha também as crianças que me permitiriam sentir-me mãe novamente.

— Está bem, ficarei, mas só até você voltar. Depois vou tentar ir para casa.

— Se quiser, pode fazer isso, mas numa cidade grande, e com dinheiro, terá mais facilidade para tentar recuperar seu filho. Se for como disse meu amigo, logo terei muito dinheiro e uma casa. Ajudarei você em tudo que for possível.

— Está bem, eu fico.

Eunice abraçou-me, agradecida, e eu retribuí o abraço. Também gostara dela desde o início.

— Isso é uma coisa que ainda não entendi. Por que gostamos de algumas pessoas assim que as conhecemos e de outras não?

Walther interrompeu-a:

— Se Isaias, Vó Zu ou Lula estivessem aqui, diriam que é por causa das reencarnações, que são nossos amigos ou inimigos.

— Acredita nisso?

— Não sei, mas estou quase acreditando. Muita coisa tem acontecido comigo. Por favor, continue.

Em menos de quinze dias Zé Antônio partiu. Eu e Eunice ficamos sozinhas com as crianças. Não teríamos problemas, pois além da cabra que fornecia leite, havia também galinhas espalhadas pelo terreiro e uma roça de batata, mandioca e milho que os dois plantaram. Antes de partir Zé comprou sacas de arroz, feijão e farinha. O dinheiro que Gaúcho me dera reservei para comprar alguma coisa que faltasse. Ele disse que assim que recebesse o primeiro salário mandaria pelo correio.

Ele partiu. Eunice chorou depois de se despedir do marido, mas sabia que a separação seria por pouco tempo e que aquilo seria bom para o futuro.

Ele não deu notícias durante mais de um mês. Um dia, estávamos as duas na roça quando um homem chegou numa bicicleta. Estranhamos, mas logo percebemos que era o carteiro. Ele se apresentou, dizendo:

— Tenho esta carta para dona Eunice Bezerra de Souza.

Eunice pegou a carta, mas o carteiro prosseguiu:

— Meu nome é Mário. Sou o único carteiro da cidade. Vim trazer esta carta e avisar que dona Eunice terá que ir até o correio levando este papel, porque chegou também uma quantia em dinheiro que só pode ser retirada lá.

Não conseguimos esconder nossa alegria.

— Iremos logo!

— Não se esqueça de levar um documento, terá que assinar.

— Só temos o registro de nascimento.

— Serve.

— Muito obrigada por ter vindo tão longe.

— Não precisa agradecer. Além de ser o meu trabalho, estou feliz porque a notícia as agradou.

— Nem pode imaginar o quanto.

Ele sorriu, montou na bicicleta e foi embora. Eunice rasgou o envelope. Dentro havia uma carta. Ela começou a ler em voz alta.

Querida Eunice

Sabe que não sei escrever direito, por isso pedi pro meu amigo escrever. Aqui tudo é muito diferente do que pensamos. A cidade grande é muito complicada. Não há tanto dinheiro como Zé Venâncio disse, além disso faz muito frio. Estou trabalhando de pedreiro num prédio de dez andares. Nunca vi um tão grande. O salário é pouco, mas como preparo minha comida, durmo no alojamento da obra e fiz muita hora extra, do meu primeiro pagamento sobrou um pouco, que estou mandando.

Estive pensando e acho que aqui nosso futuro não seria muito melhor que aí. Ao menos temos um pedaço de chão. Aqui seria muito difícil conseguir um.

Com esse dinheiro que estou mandando, você vai poder tratar dos meninos. O que sobrar você guarda. Resolvi que vou ficar aqui só até conseguir um bom dinheiro. Quando eu voltar, vou comprar uma carroça e um cavalo para podermos ir até a cidade. Vou também comprar material de construção e arrumar nossa casa. Aí então seremos muito felizes.

Estou com muitas saudades suas e dos meninos, mas sei que não será por muito tempo.

Marta ainda continua aí com você?

Atrás do envelope está o endereço pra você escrever e contar como tudo vai por aí.

Sem mais,

um beijo cheio de saudade
Zé Antônio

Quando ela terminou de ler, vi que estava chorando. Não disse nada, podia imaginar o que ela sentia. Eu sabia como era triste ficar longe de quem se ama. Eu sentia muita saudade de você, meu filho. Apesar da saudade, ficamos contentes não só pelo dinheiro, mas por saber que ele cumprira o prometido. Com o papel na mão, Eunice disse:

— Precisamos ir até a cidade receber o dinheiro, mas não podemos deixar as crianças sozinhas. Você poderia ir no meu lugar.

— Como ir no seu lugar? É preciso apresentar documentos!

— Foi por isso que disse ao carteiro que só tínhamos o registro de nascimento. Não sei você, mas eu só tenho esse documento mesmo. Nele não há

fotografia. Você vai até lá e se apresenta como se fosse eu. Não gosto de ir à cidade, muito menos de andar, prefiro ficar aqui.

— Para pegar dinheiro no correio acho que vou ter que assinar seu nome, e eu não sei escrever!

— Não sabe!?!

— Não! Só sei assinar mais ou menos meu nome, mais nada.

— Então vai ter que treinar. Venha até a mesa.

Eunice rasgou um saco de papel, pegou um lápis, escreveu alguma coisa e me fez copiar várias vezes, até que eu consegui fazer sem olhar. Quando achou que estava bom, disse:

— Pronto! Agora é ir, assinar onde mandarem e pegar o dinheiro.

— Acha que vai dar certo?

— Claro que vai! Ninguém me conhece e você vai apresentar o meu registro. Sei que Zé pediu pra eu economizar e guardar o que sobrar, mas quando pegar o dinheiro, passe na venda e compre um bom pedaço de carne. Merecemos, não é?

Não consegui discordar dela. Além disso, não vi nada de mal. Fiz o que ela pediu. Ela nunca tinha ido à cidade, nem eu. Por isso ninguém desconfiaria.

Como não havia condução, tive que andar mais ou menos uns quarenta minutos. Enquanto caminhava, achei que ela tinha razão em não gostar de andar. Não me disse que era tão longe.

Fui direto ao correio, apresentei o papel e o registro de nascimento. Recebi o dinheiro, e como ela pedira, comprei carne, banha e sal. Voltei para casa. Quando cheguei, ela perguntou:

— Deu tudo certo?

— Claro que deu. Aproveitei para conhecer a cidade. Entrei na igreja e rezei pedindo a Deus que nos abençoe e ilumine meu caminho quando você for embora encontrar seu marido.

— Parece que Zé não quer mais nos levar para lá. Mas se formos, vai também?

— Ainda não sei... Estive pensando, meu pai estava muito nervoso quando me expulsou de casa. Não sei se me aceitará de volta, mas preciso tentar. Quando Zé voltar, antes de irem embora vou até minha casa. Se ele me receber, ficarei lá, mas se não me aceitar de volta, irei com vocês e seja tudo o que Deus quiser.

— Não pense mais nisso, hoje teremos um ótimo jantar! As crianças bem que estão precisando de um bom pedaço de carne. Vamos cozinhar?

Ela era uma pessoa espetacular, estava sempre rindo e de bem com a vida. Só ficava triste quando pensava no marido e na distância que os separava.

Naquela noite jantamos como havia muito não fazíamos. As crianças também comeram à vontade.

Quando terminamos de comer e colocamos as crianças para dormir, Eunice disse:

— Enquanto você foi à cidade fiquei pensando que não pode continuar sem saber ler e escrever!

— Acha isso importante?

— Claro que é! Resolvi que vou ensiná-la. Não sei muito, mas ensinarei tudo que sei. Devo ter uma cartilha em algum lugar.

— Acha que vou conseguir?

— Tenho certeza. Você é muito esperta! Quando entender as letras verá como é bom saber ler.

— Se você acredita, vou tentar.

— Hoje não, porque daqui a pouco vai escurecer e com lamparina não dá pra ler. Mas amanhã vamos começar, assim quando Zé mandar outra carta não vou precisar ler em voz alta. Você mesma vai lê-la.

Ela estava muito animada, bem mais que eu. Nunca achei que ler fosse importante.

No dia seguinte, depois de cuidarmos das crianças, fomos para a roça, como fazíamos todos os dias. Era importante regar e retirar todo o mato para que a batata, o milho e a mandioca crescessem bem.

Depois do almoço ela pegou a cartilha, deu-me um lápis e um pedaço de papel e começou a me ensinar. Encontrei muita dificuldade, não sei se porque não era mais criança ou porque não estava muito interessada. Mas ela não desistiu, continuou me ensinando.

Todos os dias depois do almoço eu tinha que estudar. Aos poucos fui conseguindo juntar as letras e formar algumas palavras. Fazia aquilo para agradá-la, não por sentir vontade.

Durante cinco meses cartas e dinheiro chegavam. Eu ia até a cidade buscar o dinheiro no correio e a carne na venda.

Na cidade algumas pessoas já me conheciam como Eunice. Sabiam que eu morava naquele sítio do Morrinho.

Eunice já tinha um bom dinheiro guardado. Em sua última carta, Zé disse que pretendia voltar mais ou menos em três meses. Ela ficou muito feliz.

Marta parou de falar. Lágrimas voltaram a escorrer de seus olhos. Walther perguntou:

— Por que está chorando?

Ela secou os olhos com as mãos e prosseguiu:

– Realmente foi tudo muito triste. Mais uma vez, Deus colocou em minhas mãos pedras ruins, uma prova muito difícil...

– O que aconteceu?

– Vou continuar, minha filha. O que vou contar agora tem muito a ver com você.

– Conte logo, por favor!

Como acontecia todos os dias, naquela manhã fomos até a roça, que ficava a uns vinte metros da casa, lá perto do riacho. Enquanto Eunice carregava você no colo e Zezinho agarrado em sua saia, eu levava Manezinho e um caixote, onde você sempre ficava. Tinha sete meses, não andava ainda.

Colocamos o caixote embaixo de uma árvore perto da água, onde seus irmãos brincavam. Da roça, eu e Eunice ficávamos sempre olhando os três.

Eunice entrou na roça e eu fui com um regador pegar água no riacho. Estava voltando com o regador cheio quando vi Eunice dar um grito e um salto. Em seguida sentou-se gritando muito.

Larguei o regador e corri para ela. Seus irmãos, que brincavam perto de onde você estava, também ouviram e correram para ela. Ao chegarmos, ela disse:

– Foi uma cobra! Foi uma cobra que me picou! Tire as crianças daqui!

Entrei em desespero:

– Como cobra!?! Nunca vimos nenhuma cobra por aqui!

– Não sei, mas eu senti e vi quando ela fugia por ali! Era preta e vermelha! Tire os meninos daqui! Ai! Está doendo muito...

Olhei para ver se ainda via a cobra, mas não a vi. Peguei os meninos e levei para junto de você. Lá não havia cobra alguma, pois o lugar não tinha mato. Disse para seus irmãos:

– Vocês dois fiquem aí parados junto de Laura. Não saiam antes que eu mande. Não se mexam!

Voltei para junto de Eunice, que chorava. Parecia sentir muita dor:

– Que vamos fazer? Você precisa ser socorrida!

– Como? Não sei se poderei andar até a cidade!

– Eu vou correndo e trago ajuda!

– Não pode deixar as crianças sozinhas. A cobra pode voltar! Não estou em condições de cuidar deles.

– Também não posso levá-los comigo. Vou demorar muito para chegar à cidade com eles!

– Ajude-me a levantar, vamos para dentro de casa.

Ajudei-a a se levantar, mas doía muito. Eu estava em pânico. Com muito custo consegui levá-la e deitá-la na cama. Não sabia o que fazer, mas sabia que alguma coisa tinha que ser feita. Falei devagar, tentando esconder dela meu desespero:

— Já sei o que vou fazer. Vou buscar as crianças, coloco Laura de volta no berço, levo os meninos comigo e vou o mais depressa possível até a cidade buscar socorro.

— É muito longe! Os meninos não conseguirão andar.

— Eu carrego os dois!

— Não vai conseguir...

— Claro que vou! Preciso trazer ajuda! Só tenho que preparar uma mamadeira para Laura, depois vou correndo.

Voltei correndo ao lugar que os tinha deixado. Trouxe os três para dentro da casa e preparei a mamadeira, enquanto ouvia os gemidos de Eunice. Coloquei você no berço e dei-lhe a mamadeira. Você começou a mamar, e eu sabia que antes mesmo de terminar já estaria dormindo.

Embora continuasse mamando em Eunice, você já tomava de vez em quando leite de cabra. Eunice dizia que era pra você ficar mais forte.

Depois de tê-la acomodado, voltei-me para Eunice, dizendo:

— Agora eu vou. Fique calma, logo trarei alguém para ajudá-la.

Estava saindo quando ela me chamou. Voltei. Ela, chorando, disse:

— Marta, não sabemos que tipo de cobra me picou, nem se era venenosa... receio que quando voltar não estarei mais aqui... por isso preciso que me prometa uma coisa...

— Não vou prometer nada! Vou buscar ajuda. Você estará aqui, vai ficar tudo bem.

— Não temos certeza, por isso tem que me prometer que se alguma coisa acontecer comigo, não vai nunca abandonar meus filhos, ao menos até Zé Antônio voltar...

— Não vai acontecer nada! Vai estar aqui quando ele voltar!

— Prometa, por favor...

Ela segurava minha mão com muita força e pedia com lágrimas. Para me ver livre e poder ir embora, disse:

— Está bem! Não vai acontecer nada, mas se acontecer eu prometo que cuido das crianças. Agora preciso ir. Estamos perdendo tempo. Volto logo, tente ficar acordada.

Ela largou minha mão e sorriu. Peguei os meninos, coloquei um em cada lado da cintura e saí correndo. Corri até chegar à estrada, mas eles, embora pequenos, pesavam, e como podem ver, sou pequena. Na estrada corri por mais alguns metros, mas logo comecei a ficar cansada. Fui obrigada a diminuir meus passos.

Estava desesperada, sabia da gravidade da situação, mas não conseguia andar mais depressa. Continuei andando, mas muitas vezes fui obrigada a parar e descansar, pois minhas pernas não obedeciam. Manezinho chorava, Zezinho queria voltar para casa. Eu dizia que não podia, que precisávamos buscar o doutor para cuidar da mamãe. Eles pareciam entender, e eu continuava.

Aquele percurso que eu fazia em pouco mais de quarenta minutos levei mais de duas horas para vencer. Durante o caminho eu ia rezando muito, pedindo a Jesus e Nossa Senhora que nada de mal acontecesse com Eunice.

Finalmente cheguei à praça da cidade. Fui direto procurar o hospital, que não era como o de hoje. Havia apenas um grande galpão cuidado por quatro freiras. O doutor Moraes, recém-formado, era o único médico da cidade.

Entrei depressa, muito cansada e chorando, não conseguia falar. Uma das freiras me viu:

– O que aconteceu? Por que está chorando desse modo?

– Minha amiga! Uma cobra!

– Não estou entendendo nada. Tente se acalmar para poder falar direito.

Tirou as crianças dos meus braços e fez-me sentar num banco:

– Agora conte-me o que aconteceu...

Ainda cansada e apavorada, contei o que havia acontecido. Quando terminei de falar, ela disse:

– Quanto tempo faz que ela foi picada? Que tipo de cobra era?

– Não sei que cobra era! Não sei quanto tempo se passou! Só sei que ela está lá precisando de ajuda...

– Está bem, vou chamar o doutor Moraes, ele saberá o que fazer. Fique aqui esperando. Acabou de sair, não deve nem ter chegado em casa.

– Por favor, não demore.

Ela saiu e eu voltei a rezar. Naquele momento não podia fazer outra coisa. Rezei muito, pedi, implorei, fiz até promessa.

Depois de um tempo que me pareceu uma eternidade, ela voltou acompanhada do doutor Moraes. Quando viu o meu estado, disse:

– Sabe ao menos como era a cobra? Você a viu?

– Não sei, parece que era preta e vermelha.

– Preta e vermelha?

Percebi que ele ficara nervoso:

– Que foi, doutor?

– Pode ser uma coral.

– E o que tem isso?

– Se for uma coral, receio que não poderemos fazer nada por sua amiga...

– Não diga isso, doutor! Por favor...

301

– A minha charrete está aí fora, vamos o mais rápido possível.

Pegou as duas crianças, a freira ajudou-me a subir e saímos correndo. Sentei com as crianças no colo. Ele fez com que o cavalo corresse muito.

Chegamos. Parou a charrete, descemos e corremos para casa.

Quando estávamos chegando, ouvi você chorando desesperada. Corri mais ainda. Eunice estava deitada no chão, ao lado do berço. Deve ter tentado atendê-la quando começou a chorar, mas não conseguiu e caiu no chão.

Corremos para ela. O doutor Moraes recolocou-a na cama enquanto eu pegava você no colo para que parasse de chorar. Ela ainda estava viva, mas desmaiada, e pela expressão do rosto do médico, percebi que nada adiantaria.

Recomecei a chorar. Ele examinou o local da picada, dizendo:

– Deve ter sido mesmo uma coral, e para ela não temos antídoto. Sinto muito, mas creio que ela não vai resistir...

– Não pode ser! O senhor tem que fazer alguma coisa! É médico!

– Sou médico! Não sou Deus!

– Fui a culpada! Se tivesse corrido mais, teria chegado a tempo...

– Não se culpe! Nada adiantaria.

Eunice abriu os olhos, olhou-me e disse bem baixinho:

– Não se esqueça da promessa que me fez...

– Não vou esquecer nunca, mas você vai ficar boa.

Sorriu e tornou a fechar os olhos. Dali a alguns minutos, o doutor disse:

– Terminou... ela se foi...

Eu ouvi, mas não entendi e nem queria entender. Fiquei olhando para ele e para ela. Você, Laura, chorou em meus braços. Voltei à realidade, pois tudo aquilo me parecia um sonho.

– Que está dizendo?

– Que ela se foi, não podemos fazer mais nada.

Embora eu não quisesse, fui obrigada a entender e aceitar.

– Meu Deus, o que vou fazer agora? Por que isso tinha que acontecer?

O Doutor deixou que eu chorasse. Quando achou que já era o bastante, disse:

– Agora precisamos cuidar do enterro.

– Enterro? Como vou fazer sem ela?

– Vai continuar cuidando dos seus filhos. Ela se foi, mas as crianças continuam aqui e precisam muito de você. Onde está seu marido?

Ao ouvir aquilo, lembrei-me da promessa que havia feito. Fiquei com medo que, se ele soubesse que eu não era a mãe, me tirasse as crianças. Rapidamente respondi:

– Ele está em São Paulo, mas volta logo.

– Acredita que pode ficar aqui sozinha até ele voltar?

– Posso... posso sim...

– Qual era o nome dela? É sua parente?

Naquele momento, com medo de perder as crianças e sabendo que Zé voltaria logo, disse:

– O nome dela é Marta. Ela apareceu aqui um dia e foi ficando. Não é minha parente, mas eu gosto muito dela.

– Sabe onde mora a família?

– Não...

– Tem algum documento dela?

– Tenho só o registro de nascimento.

– Entregue-me, vou levar para a cidade. Depois alguém virá buscá-la.

Eu estava meio tonta, parecia que tudo aquilo era um sonho. Peguei o meu registro de nascimento e dei a ele. Foi embora, dizendo:

– Vai ter que ficar aqui com ela até eu voltar com alguém. Acha que pode?

– Posso sim... preciso alimentar as crianças...

– Faça isso, voltarei logo.

– Está bem...

Ele saiu, eu fiquei ali parada, olhando para Eunice, que parecia dormir. Não queria aceitar a realidade. Comecei a falar:

– Você está muito bonita... quando Zé Antônio voltar vai ficar feliz em vê-la. Ele também está com muita saudade.

Você, Laura começou a chorar novamente, trazendo-me de volta à realidade. Tornei a olhar para Eunice, só que dessa vez não tive como me enganar. Ela estava morta mesmo e eu com vocês três. Eu que tanto rezara, naquele momento revoltei-me e gritei:

– Deus! Como deixou isso acontecer! Ela não podia ter morrido! Tem três crianças! Por que não me levou no lugar dela? Eu, que não tenho mais nada! Já me tirou tudo! E agora minha amiga. Minha irmã! Deus! Onde está o senhor?

Não ouvi resposta alguma. Com você no colo e chorando muito, fui até o fogão e preparei sua mamadeira. Os meninos também estavam com fome. Aqueci um pouco de comida e dei a eles. Não consegui comer nada, tinha como um caroço na garganta. Estava muito triste. Meu coração doía por aquela perda.

Marta parou de falar, não conseguia continuar. Lágrimas corriam por seu rosto. Laura também chorava e Walther fazia um esforço imenso para não demonstrar seus sentimentos. O momento era de muita emoção. Laura disse, baixinho:

– Pobre mãe, que pena não tê-la conhecido...

– Deve sentir mesmo, minha filha... ela era uma pessoa especial... sentiria muito orgulho de você e de seus irmãos...

– Da senhora também, mamãe, pois cumpriu sua promessa. Além de cuidar de mim muito bem e de meus irmãos, cuidou e ainda cuida de muitas crianças.

– Sim, mas para isso tive que cometer um crime...

– Crime? Que crime?

– Sem entender muito bem o que fazia, naquele momento eu tomei uma falsa identidade. Permiti que sua mãe fosse enterrada com meu nome. Para todos os efeitos, passei a ocupar o lugar dela.

– Foi obrigada! Tinha que cumprir a promessa! Precisava nos proteger!

– Tudo isso é verdade, hoje eu sei, mas eu poderia ter dito a verdade. Ninguém me tiraria vocês.

Walther levantou-se da cadeira, foi até a porta e ficou olhando para o céu. Elas perceberam. Marta disse:

– Meu filho, o que aconteceu? Por que se levantou? Não quer ouvir o resto da história?

– Quero! Só estou pensando como foi inútil toda a procura de Paulo. Por que ele nunca teve a idéia de procurar nos cartórios das cidades vizinhas? Fatalmente chegaria até aqui e encontraria um atestado de óbito. Eu mesmo pensei em várias formas de encontrá-la, mas em nenhum momento essa idéia passou por minha cabeça.

– Talvez tenha sido porque vocês nunca me sentiram morta. Por isso não procuraram o atestado.

Ele voltou a se sentar:

– A senhora deve ter razão. Realmente, sempre que cogitava a possibilidade de que estivesse morta, eu afastava esse pensamento. Por outro lado, se tivéssemos encontrado o atestado, nunca mais a procuraríamos e eu provavelmente não estaria hoje aqui. Só vim na esperança de encontrá-la. Mas, por favor, continue.

Marta prosseguiu:

Eunice estava ali deitada com os olhos fechados. Aproximei-me, dizendo:

– Não quero aceitar... você não pode ter morrido dessa forma. Que vou fazer? Como vou cuidar sozinha das crianças?

Naquele momento, em meu desespero, pareceu-me vê-la em pé a meu lado, dizendo:

– Deus não dá uma cruz mais pesada do que a que podemos carregar. Ao lembrar-me do que ela sempre dizia, senti como se uma brisa suave me envolvesse. Ela permanecia ali, deitada, parecendo dormir. Pensei: "Não adianta mesmo eu ficar com medo e me lastimando. O que tenho que fazer agora é deixá-la bem bonita. Vou pegar seu vestido azul, aquele que você tanto gostava".

Levantei-me e peguei o vestido. Vocês três dormiram logo depois do almoço. Peguei um balde, fui até o riacho e trouxe água. Coloquei em cima do fogão para aquecer. Dei um banho nela, vesti o vestido azul e penteei seus cabelos. Ela ficou linda. Nada mais poderia fazer por aquela amiga que eu conhecia havia tão pouco tempo, mas que era muito querida:

– Agora você está pronta para se encontrar com Deus. Pode ir tranqüila, não vou deixar seus filhos sozinhos até que Zé Antônio chegue.

Fiquei ali conversando com ela até que o doutor Moraes voltou acompanhado por quatro homens. Um era o delegado e os outros seus auxiliares.

Entraram, enrolaram o corpo de Eunice num lençol branco que trouxeram e levaram-na até uma carroça que estava parada do outro lado do riacho. Naquele tempo não havia ainda essa pequena ponte. Existia só um tronco de árvore por onde se passava. Eu os acompanhei.

– A senhora quer ir junto?

– Para onde vão levá-la?

– Para o cemitério, será enterrada imediatamente.

– Não sei o que fazer. Não posso deixar as crianças sozinhas, e se os levar, como voltarei depois com os três?

– A senhora é quem sabe. Poderei levá-la, mas, como sabe, não posso ficar muito tempo longe do Posto de Saúde. Não poderei trazê-la de volta.

– Obrigada, doutor, mas não posso ir. Afinal, acredito que será melhor para as crianças não presenciarem o enterro. Eles são ainda muito pequenos. Ficarei aqui, ela já deve estar na companhia de Nossa Senhora.

– Está bem, tome cuidado com essa cobra, ela ainda deve estar por aí.

Estremeci:

– O senhor acha mesmo?

– Claro que sim. Fique atenta quando estiver andando por esses matos. Com a casa não precisa se preocupar, pois ela também tem medo de gente. Mas fique sempre atenta e cuidado com as crianças para que não entrem na roça sozinhas. Quando não estiver em casa, deixe a porta e a janela trancadas.

– Está bem, farei isso.

Foram embora. Acenei para minha amiga, irmã, que estava indo embora para sempre. Quando sumiram na estrada voltei para casa. Vocês

305

continuavam dormindo. Olhei para os três, pensando: "Dormem como anjos que são, não imaginam a grande perda que estão sofrendo neste momento. Preciso pensar no que farei daqui pra frente".

Tomei um gole de café. Não comera nada e também não tinha vontade alguma de comer. Fiquei com a caneca na mão olhando tudo a minha volta. Sem saber por onde começar. Não sei, meus filhos, mas parece que eu estava sendo guiada por uma força qualquer.

Meu olhar foi até o armário onde estava a cartilha. Ao vê-la, tive uma idéia: "Vou escrever para Zé Antônio pedindo que volte!"

Peguei a cartilha e um saco de papel e comecei a treinar. Numa das vezes em que fora ao correio, comprara envelopes e um caderno, onde Eunice escrevia as cartas para o marido.

Só que eu não aprendera o suficiente. Conhecia as letras, conseguia formar uma ou outra palavra, mas não sabia como escrever uma carta. Nunca me arrependi tanto como naquele momento por não ter prestado mais atenção às aulas que ela me dava.

Bem devagar, fui juntando uma letra com outra e formei algumas palavras. Aos poucos, consegui escrever:

Zé Antônio, volta logo. A Nice morreu.

Escrevi só isso, não conseguia escrever mais. Nem sei se escrevi certo, mas era tudo o que podia fazer. Copiei de uma das cartas que Zé Antônio mandara o nome dele e o endereço.

Coloquei a carta dentro do envelope: pensei: "Pronto, agora já é um começo. Quando ele chegar, vamos ver o que podemos fazer".

No mesmo instante desesperei-me novamente:

– Pronto nada! Como vou levar esta carta até o correio? Não posso deixar as crianças sozinhas! Meu Deus! Parece que tudo está dando errado. Por que está fazendo isso comigo? Por quê?

Mais uma vez revoltei-me contra Deus. Ele estava sendo implacável comigo. Tudo de ruim estava acontecendo, eu estava de mãos atadas sem poder fazer nada. Depois de muito maldizer, pensei: "Não tem jeito, terei que esperar até quando o carteiro vier trazer outra carta de Zé Antônio. Aí eu dou esta carta pra ele colocar no correio. É isso mesmo! Só preciso esperar. Enquanto o carteiro não chega, continuo cuidando das crianças".

Naquela noite não consegui dormir. Tratei das crianças, eram muito pequenas para perceber a ausência da mãe e já estavam acostumadas comigo. Zezinho, por ser maior, foi o único que sentiu a falta dela. Quando me perguntou, respondi que ela fora se encontrar com o papai, mas logo os dois voltariam juntos. Ele ficou um pouco triste, mas era criança, logo adormeceu. Fiquei olhando para ele imaginando que era você, meu filho. Meu querido João que eu não sabia onde estava.

Mas ele e os irmãos estavam ali e precisavam de minha proteção. Chorei muito ao lembrar de tudo o que acontecera. Foi tudo tão rápido que eu nem conseguia acreditar que era verdade. Pensava que a qualquer momento veria Eunice sorrindo e brincando como sempre.

Meu coração se apertava, não entendia por que Deus permitira que uma coisa como aquela acontecesse. Não podia ter feito aquilo com ela e com aquelas crianças que não tinham culpa de nada nessa vida. Nem eu! Nunca fizera mal a ninguém! Por que tudo aquilo estava acontecendo comigo? Mais uma vez me revoltei:

– Não! Deus não existe! É tudo mentira o que sempre aprendi a respeito Dele! Tudo uma grande mentira!

Revoltada e com lágrimas nos olhos, adormeci.

No dia seguinte, quando acordei, senti a realidade. Estava sozinha mesmo! Ia começar a me lamentar quando olhei para o lado. Vocês dormiam como anjos. Sabia que logo acordariam e precisavam ser alimentados. Levantei-me, havia muito a se fazer.

Precisava alimentar e trocar as crianças e ainda tinha que cuidar da roça. Já estava acostumada, fazia aquilo todos os dias, só que sempre ao lado de Eunice. Mas agora estava sozinha. Não sabia se conseguiria.

Levantei-me, avivei o fogo e coloquei uma chaleira com água para ferver. Fui para o quintal, o dia estava lindo.

– Tudo continua, a vida continua. Também tenho que continuar...

Pensei em Eunice e na promessa que lhe fizera:

– Cumprirei, minha amiga... cumprirei. Seus filhos nunca serão abandonados. Assim que Zé Antônio voltar, ele encontrará uma solução. Se for preciso, continuarei aqui até que eles cresçam.

As crianças logo acordaram. Fiz tudo como fazia todos os dias. A vida seguia normal, só faltava Eunice. Sempre que me lembrava dela sentia vontade de chorar, mas como se houvesse alguém invisível me ajudando, logo um de vocês fazia qualquer coisa que chamava minha atenção e eu, sem perceber, mudava o meu pensamento.

Fiquei com medo que a cobra voltasse. Todos os dias, quando saía de casa, trancava bem a porta e as janelas. Andava sempre com um pedaço de madeira na mão ou no chão bem perto, ao alcance da mão. Se a cobra aparecesse, eu a mataria sem dó. Quando voltava para casa, antes de levar as *crianças pra dentro eu entrava e olhava tudo. Assim que entrava tornava a fechar a porta. Nunca mais vi a cobra. Não sei para onde ela foi.*

Passaram-se vinte e poucos dias desde que Eunice morrera e eu escrevera a carta. Um dia, depois de ter dado almoço para as crianças, estava fora da casa tomando um pouco de café. Vi a bicicleta do carteiro se aproximando lá na estrada. Meu coração bateu mais forte:

Entrei na casa, peguei a carta e saí correndo para encontrá-lo. Atravessei correndo o tronco sobre o riacho. Ele desceu da bicicleta, dizendo:

— Tenho uma carta para a senhora e o dinheiro está lá no correio.

Peguei a carta, dizendo:

— Obrigada, não pode imaginar o quanto estou feliz em vê-lo. Preciso de um favor seu!

— Pode pedir, farei tudo para ajudá-la.

Ia entregar a carta quando olhei para aquela que ele me entregara. Não sabia ler direito, mas o nome de Zé Antônio eu havia decorado, e aquele que estava na carta não era o dele. Falei:

— Esta carta não é de Zé Antônio! De quem é?

Ele pegou a carta, olhou o remetente e disse:

— Não é mesmo! Quem mandou foi um tal de Zé Venâncio.

— Zé Venâncio? Por que Zé Antônio não escreveu?

Peguei a carta novamente em minhas mãos. Estava muito nervosa. Entreguei a carta de volta:

— Por favor, seu Mário, não sei ler direito, e assim nervosa como estou é que não vou conseguir mesmo! Pode me fazer o favor de ler?

Ele pegou o envelope, rasgou e tirou de dentro o papel. Começou a ler:

Dona Eunice

Com muito pesar envio-lhe esta carta. A notícia que tenho não é boa, mas sou obrigado a lhe contar. Zé Antônio caiu do alto da construção, foi socorrido logo, mas não resistiu. Sinto muito, mas ele morreu. Estou mandando para o correio o último salário e o pouco de dinheiro que ele tinha guardado no alojamento. Se a senhora quiser, pode me escrever para o endereço que está no envelope, farei tudo o que puder para ajudá-la.

meus sentimentos
José Venâncio

Ele terminou de ler e devolveu-me a carta. Como eu, também estava abismado:

— Sinto muito, dona Eunice. Como isso foi acontecer? Que vai fazer agora?

Com a carta na mão, comecei a chorar:

— Não sei! Não sei! Por que nada em minha vida dá certo?

Vendo que eu chorava desesperadamente, ele disse:

— Dona Eunice, não fique assim... Deus sempre protege seus filhos! Ele vai dar um jeito de ajudá-la...

— Deus? Que Deus? Ele não existe! Se existir, não sabe que eu existo! Nunca esteve a meu lado e nem me protegeu! Até agora só tirou tudo que eu tinha!

— Não é assim, ele lhe deu seus filhos!

— Meus filhos?

Ia dizer a ele que não eram meus filhos, mas me calei. Percebi que aquele não era o momento para contar a verdade. Estava desorientada, mas lembrei-me da promessa que fizera.

— Sim, seus filhos. São crianças lindas e precisam de sua proteção. Sei que está nervosa e assustada, mas Ele dará um jeito. Acredite nisso!

— Que jeito? Não tem jeito!

— Não se preocupe, no fim tudo dá sempre certo. Confie.

— Não sei o que farei... não sei como será minha vida daqui pra frente...

— Não se preocupe, Deus nunca dá uma cruz maior do que a que podemos carregar.

Ao ouvi-lo dizer aquilo, lembrei-me de Eunice. Não sabia quantas vezes a ouvira dizer aquilo. Novamente senti como se uma brisa suave me envolvesse. Ele prosseguiu:

— Nunca estamos sozinhos. Sempre que estamos em aflição, alguém aparece ou alguma coisa acontece para nos ajudar. É sempre a presença de Deus a nosso lado. Ele manda ajuda de uma maneira ou de outra. Agora também estará protegida... acredite...

Não sei por que, mas aquelas palavras me fizeram bem. Lembrei-me de Gaúcho, que surgira em minha vida num momento em que julguei tudo perdido. Depois a própria Eunice e seu marido. Enxuguei meu rosto com as mãos:

— Não sei se o que está dizendo é certo, mas também não tenho outra coisa pra fazer. Só esperar que essa ajuda chegue. Como o senhor disse, tenho ainda minhas crianças e vou cuidar delas para sempre.

— Assim é que se fala. Vai dar tudo certo, a senhora vai ver.

Sorri, ele se despediu, montou na bicicleta e foi se afastando. Fiquei ali parada vendo-o ir embora.

De repente, parou a bicicleta, deu a volta e veio em minha direção:

– Dona Eunice! Como vai fazer para ir até a cidade receber o dinheiro? Não pode deixar as crianças sozinhas e nem levar os três.

– Não sei. Como vou fazer? Não tinha pensado nisso! Não poderei ir.

– Já sei! Não posso vir para cá todos os dias, mas quando chegar à cidade vou ver se consigo uma maneira de ajudar. Não se preocupe, vou encontrar uma solução. Até logo!

Ele foi embora. Fiquei ali parada pensando em tudo o que acontecera e sem saber o que fazer. Por mais que pensasse não conseguia entender o que estava acontecendo. Deus me tirara meu filho e agora me deixava ali com três crianças para que eu cuidasse. Por que ele deixou aquelas três crianças sem pai e mãe? Um pai e uma mãe que os amavam muito, que fariam tudo pela felicidade deles. Voltei o meu olhar para a carta. Vi aquelas letras escritas:

– É só um simples papel, mas está modificando minha vida. Não sei se realmente Deus existe. Só sei que não adianta ficar me lamentando. Como disse Mário, alguma solução tem que surgir. Preciso cumprir minha promessa e agora será para sempre, até que cresçam e possam cuidar de suas vidas. Prometi e vou cumprir.

Eu dizia aquilo para me conformar, mas no íntimo sabia que seria muito difícil de conseguir. Comecei a chorar novamente. Estava ajoelhada no chão, chorando, quando ouvi Zezinho me chamando:

– Mãe! A Laurinha tá chorando.

Ao ouvir aquilo meu corpo estremeceu. Ele estava me chamando de mãe! Senti uma emoção muito grande. Era verdade, ele era meu filho! Ele e os outros dois. Dali pra frente seriam meus filhos e eu lutaria por eles, jamais me separaria deles.

Voltei correndo para casa. Estava sofrendo com muitos problemas, mas as crianças não tinham culpa de nada. Precisavam de minha presença, e eu estaria ali, sempre pronta. Era o mínimo que podia fazer em troca do que Eunice e o marido tinham feito para me ajudar. Além disso, eu já as amava como se realmente fossem minhas.

O carteiro não voltou. Soube mais tarde que ele não conseguiu ninguém para me ajudar. Não me preocupei, pois no momento não precisava de dinheiro. Ainda tinha muito arroz, feijão e farinha. O leite da cabra era suficiente para as crianças. Sabia onde ficava o ninho de cada galinha, por isso ovos também não faltavam.

Minha vida voltou ao normal. Às vezes, quando me lembrava que estava ali, sozinha, longe de tudo, ficava com medo, mas logo passava.

Dois meses se passaram, eu já me acostumara com aquela vida. Tudo corria bem.

Numa noite, Laura, você não dormiu bem. Estava com muita febre. Fiz um chá, mas fiquei apavorada porque a febre não baixava. Fiz tudo o que sabia para que você parasse de chorar e dormisse, mas não consegui. Finalmente, amanheceu. Você ainda ardia em febre e chorava muito. Entrei novamente em desespero. Como faria para socorrê-la? Precisava levá-la a um médico, mas como? Àquela distância e com os dois pequenos... lembrei-me de Eunice, de como eu não conseguira socorrê-la por não ter chegado a tempo à cidade.

Novamente entrei em desespero, novamente me revoltei com aquele Deus que só me fazia sofrer. Logo eu, que me julgava uma boa pessoa, que nunca fizera mal a ninguém!

Embora eu já não tivesse tanta certeza de Sua existência, era minha única esperança. Com você chorando em meus braços, e chorando também, comecei a falar:

— Meu Deus! Não sei se o senhor realmente existe, mas neste momento precisa existir! Ajude-me! Dê-me uma idéia para que eu consiga levar minha menina até o médico. Já me tirou tanto! Levou meu filho para longe... levou Eunice e Zé Antônio. Colocou essas crianças em minhas mãos! Por favor, ajude-me! Não permita que minha menina morra! Ajude-me!

Pedi muito. Só me restava novamente tentar chegar até cidade a tempo. Sabia que dessa vez seria pior, pois teria que levar os três. Resolvi que tentaria, talvez dessa vez eu conseguisse chegar a tempo.

Estava trocando sua fralda quando ouvi:

— Ó de casa! Tem alguém aí?

Meu coração estremeceu, era a voz de uma mulher. Corri para fora. Uma freira estava lá se abanado. Ao ver-me, disse:

— Desculpe, estava passando pela estrada, está muito quente. Será que pode dar-me um pouco de água?

Sem responder, ajoelhei-me, peguei suas mãos e comecei a beijá-las, dizendo:

— Obrigada, meu Deus! Muito obrigada.

Ela se espantou com minha atitude:

— Que está acontecendo? Só preciso beber um pouco de água!

Percebi o que estava fazendo:

— Desculpe, irmã, é que minha filha está muito doente. Preciso levá-la até o médico e não tenho condução.

— Onde está a menina?

— Ali dentro de casa, venha, por favor.

— Acalme-se, moça.

Ela entrou, pegou você nos braços e colocou a mão em sua testa, dizendo:

– Ela está mesmo com muita febre. Vamos levá-la, minha charrete está aí fora perto do riacho. Mas antes, por favor, dê-me um pouco de água...

Dei-lhe uma caneca com água e enquanto ela bebia terminei de trocar você. Peguei os meninos e fomos até a charrete. Acomodei-os no banco de trás e sentei-me no banco da frente com você nos braços e ao lado dela. Fomos embora. Ela fez com que o cavalo corresse o mais rápido que pôde. Percebeu que eu estava muito nervosa. Disse:

– Não fique assim, não deve ser nada grave! A menina vai ficar bem.

– Assim espero.

– Meu nome é Cecília. Eu e mais três irmãs moramos na cidade. Tomamos conta do posto de saúde. Minhas irmãs cuidam dos doentes. Eu, embora não devesse, pois sou uma irmã de caridade, não gosto de ver pessoas sofrendo e com dor, por isso ando o dia inteiro com a charrete, vou de fazenda em fazenda em busca de dinheiro para mantermos o posto.

– Foi muita sorte minha hoje ter passado por aqui.

– Não foi sorte não! Foi Deus.

– Por que está dizendo isso?

– Passo quase sempre por aqui. Muitas vezes vi sua casa, mas nunca parei. Estou sempre muito apressada. Hoje, não sei por que, senti muita sede quando estava passando por aqui, e resolvi bater à sua porta. Só pode ter sido Deus atendendo suas preces.

Fiquei pensando, depois disse:

– Deve ter sido isso mesmo. No momento em que chegou, eu estava rezando, pedindo a ele que me ajudasse de alguma maneira ou que me desse uma idéia de como fazer para socorrer minha menina.

– Viu? Não disse que foi Deus? Ele nunca nos abandona! É um pai maravilhoso!

Naquele momento lembrei-me daquilo que Mário, o carteiro, me dissera: "Quando estamos em desespero, Deus sempre manda alguém ou faz com que alguma coisa aconteça para nos ajudar".

Depois de lembrar-me disso, disse:

– Muitas vezes duvidei da bondade de Deus. Cheguei até a acreditar que Ele não existia.

– Existe sim, minha filha. Está em toda parte e com todos nós. Foi ele quem me fez parar e entrar em sua casa. Ele é um pai maravilhoso! Nunca mais duvide disso.

– Não quero duvidar, mas minha menina vai morrer!

– Não vai, não! Se ele me fez parar, foi justamente para evitar que ela morra. Ela vai ficar bem.

Ela falava com tanta fé que me contagiou. Também comecei a acreditar que você não morreria.

Chegamos à cidade e fomos direto ao posto. O doutor Moraes a examinou. Quando terminou, disse:

– Não precisa se preocupar, ela não tem nada grave. É apenas uma inflamação na garganta. Vou dar-lhe uma injeção e um remédio para levar. Em poucos dias estará bem. É uma menina saudável. Vai resistir.

Mais tranqüila e sentindo-me protegida, disse:

– Obrigada, doutor. Se não fosse irmã Cecília, não sei o que teria acontecido...

– Tem razão. Irmã Cecília é uma ótima pessoa, parece que está sempre na hora certa no lugar certo. Mas... a senhora não é aquela que mora lá no Morrinho? A que perdeu a amiga picada pela cobra?

– Eu mesma!

– Muitas vezes pensei na senhora lá, sozinha. Como tem passado?

– Bem. Só tive esse problema agora, mas de certa maneira vai tudo bem.

– Seu marido já voltou?

– Não, recebi uma carta avisando-me que ele morreu...

– Morreu? Como?

– Estava trabalhando na construção de um prédio, caiu lá do alto.

– Que pretende fazer?

– Criar os meus filhos.

– Parece que é uma mulher muito corajosa.

– Parece, mas não sou... às vezes sinto muito medo... tenho medo de não conseguir...

– Vai conseguir, sim. Disso tenho certeza!

Irmã Cecília entrou sorridente:

– Não lhe disse que a menina ficaria bem? Deus nunca nos abandona. Se o doutor já terminou com a menina, podemos ir embora.

– Só vou aplicar uma injeção e dar um remédio. Dona Eunice, depois disso poderá ir embora, e não se esqueça de dar o remédio na hora certa.

– Não esquecerei. Outra vez, muito obrigada.

Ele aplicou a injeção, você chorou muito, mas logo depois dormiu. Irmã Cecília levou-nos de volta. No caminho, disse:

– Agora não vai ficar sozinha por muito tempo. Sempre que passar pela estrada irei visitá-la.

– Isso vai me deixar feliz e tranqüila. Obrigada.

Com a roupa que ela usava quase não se podia ver nada de seu corpo, a não ser o rosto. Seus olhos eram de um azul muito forte.

— A senhora não nasceu aqui no Nordeste, nasceu?

— Não, nasci em Santa Catarina, meus pais são imigrantes alemães.

— Como veio parar aqui?

— Minha congregação dedica-se aos doentes. Eu e minhas irmãs fomos mandadas para esta cidade. Aprendemos assim que entramos para o convento que devemos obedecer às ordens sem reclamar. Quando fui mandada para cá, confesso que fiquei com medo, mas logo me acostumei. Percebi que aqui teria muito trabalho e poderia ajudar pessoas que realmente precisavam. Já estou aqui há quase dez anos e pretendo ficar para sempre.

Quando chegamos não havia socorro médico algum na cidade. Eu e minhas irmãs conseguimos montar esse pequeno posto. Mas um dia ele será maior e melhor. Ao menos é o que desejo.

— Vai conseguir! Tenho certeza.

— Eu também tenho. Deus não abandonaria todas essas pessoas que moram por aqui.

Continuamos em direção ao meu sítio. Em dado momento, ela disse:

— Gostei muito de você. Já percebi o amor que tem por seus filhos. Admiro sua coragem de continuar vivendo ali sozinha.

— Não tem outro remédio. Não tenho para onde ir.

— Se tivesse ao menos uma charrete ou carroça, não teria mais tanta dificuldade para ir até a cidade. Se eu tivesse dinheiro, eu mesma compraria uma para você.

— Dinheiro! Tenho dinheiro! Me esqueci!

— Que dinheiro?

— Eu estava guardando todo o dinheiro que meu marido mandava. Quando recebi a carta dizendo que ele havia morrido, veio também um dinheiro, que está no correio! Não fui receber porque não tinha como deixar nem levar as crianças. Mas o dinheiro está lá.

— Sabe quanto é?

— Não, mas parece que é uma boa quantia.

— Talvez dê para comprar uma charrete ou uma carroça.

— Não sei, nem sei quanto custa.

— Hoje não dá mais tempo, já está tarde, mas amanhã bem cedo eu volto e levo você novamente até a cidade. Vai levar todo o dinheiro que tem em casa. Juntando com o que tem no correio, talvez dê para comprar uma charrete! Vou procurar saber se alguém está querendo vender e o preço.

— A senhora acredita mesmo que conseguirei comprar?

— Não sei, vamos ver.

— A senhora é mesmo outro anjo que caiu em minha vida!

Ela deu uma gargalhada:

– Outro anjo? Por que, já teve outros?

– Sim, primeiro foi Gaúcho, um motorista de caminhão, depois foi Eunice e Zé Antônio que me acolheram no sítio.

Ela parou a charrete:

– Que está dizendo? Você não é Eunice?

Percebi que falara demais. Comecei a chorar. Ela insistiu:

– Não chore! Responda a minha pergunta. Você não é Eunice? Não é a mãe das crianças?

Vendo que não tinha outra solução, contei como tudo acontecera. Quando terminei de falar, ela disse:

– Sabe que o que fez não foi certo, não sabe?

– Sei sim, mas não havia outro jeito! Eu prometera! Fiquei com medo de não poder ficar com as crianças! Era só até Zé Antônio voltar.

– Está bem, pode parar de chorar. Não vou contar a ninguém. Para todos os efeitos, você é a mãe das crianças, e se depender de mim, continuará sendo. Temos agora que pensar num modo de conseguir uma condução para tornar sua vida mais fácil.

Sorri aliviada, pois alguém mais conhecia a verdade e eu tinha uma amiga, que com certeza me ajudaria.

Ela colocou novamente o cavalo em movimento. Chegamos em casa, e ao nos despedirmos, disse:

– Amanhã voltarei para levá-la ao correio.

Foi embora sorrindo e chamando-me de Eunice. Você, Laura, continuava dormindo. Seus irmãos estavam cansados, já era mais de uma hora da tarde e ninguém ainda comera nada.

Coloquei-a no berço e dei um bom banho nos dois. Preparei uma alimentação rápida. Em seguida coloquei-os para dormir. Saí e sentei-me num pequeno banco que havia do lado de fora. Olhei para o céu, como sempre estava azul, com poucas nuvens, e o Sol brilhava.

Lembrei da oração que fizera a Deus pedindo um caminho, uma idéia. Percebi naquele momento que ele realmente existia e que nunca me abandonara. Colocou em meu caminho irmã Cecília, uma mulher maravilhosa que eu sentia que me ajudaria muito.

Passei o resto do dia pensando em como havia sido minha vida até então. Menina pobre, criada sob o jugo de um pai rigoroso, mais tarde apaixonada por Paulo, feliz com o nascimento de meu filho, desesperada quando o perdi. Não entendia por que tudo aquilo acontecera. Não entendia por que estava agora com três crianças que precisavam de meus cuidados.

Aquele céu lindo, aquele campo verde, tudo aquilo deveria ser obra de um Deus poderoso, um Deus que agora eu tinha certeza, sempre esteve e continuaria a meu lado.

– Hoje, tendo você aqui a minha frente, vendo que o meu menino se transformou num homem bonito, um homem que viajou muitos quilômetros para me encontrar e com a ajuda desse Deus me encontrou, só posso agradecer por tudo que passei e dizer do fundo do meu coração: esse Deus realmente existe! É um pai amoroso e divino.

Eunice respirou fundo. Seus olhos brilhavam de felicidade e tranqüilidade. Laura, como Walther, estava emocionada. Olhou para Eunice, dizendo:

– Obrigada, minha mãe, por tudo que fez por nós três... obrigada por ter sido sempre uma mãe maravilhosa.

– Não, minha filha... não deve me agradecer. Vocês foram minha salvação, vocês deram-me vontade de continuar vivendo, eu que não tinha mais nada na vida...

Walther estava admirado com a força daquela mulher tão pequena de estatura, mas com um coração imenso, um coração que tinha lugar para abrigar muitos. Não sabia o que dizer, ficou calado. Depois de alguns segundos, disse:

– Minha mãe, como se tornou mãe de tantos outros?

– Foi a vida, meu filho. Foram as pedras que Deus colocou em meu caminho. Hoje acredito que tudo acontece sempre como tem que ser. Os momentos de crise e sofrimento obrigam-nos sempre a tomar decisões. Descobri também que sempre temos somente dois caminhos para seguir. Quando temos um problema, podemos ficar chorando, nos lamentando, ou levantar a cabeça e seguir em frente. Assim foi minha vida. Várias vezes eu tive que decidir que caminho tomar. Vou continuar minha história, creio que entenderão melhor.

Na manhã seguinte, irmã Cecília chegou cedo. Vinha sorridente e alegre como sempre.

– *Bom dia! Está pronta para irmos ao correio?*

– *Estou sim, as crianças também. Aqui está o dinheiro que eu tinha guardado.*

– *Isso é muito bom! Estive conversando com algumas pessoas, parece que seu Pedro da olaria vai embora e tem alguns animais para vender.*

316

Não sei o preço, mas assim que pegarmos o dinheiro no correio, vamos até lá falar com ele. Quem sabe, não é?

— Tomara que dê certo, preciso muito de uma condução. Nunca mais quero passar o que passei ontem, o mesmo desespero.

— A menina, como está?

— Está muito bem, dormiu a noite toda, nem parece que esteve tão doente.

— Criança é assim mesmo, recupera-se logo de qualquer doença. Mas chega de conversa, vamos embora?

Ajudou-me a colocar as crianças na charrete. Na cidade, depois de retirar o dinheiro, fomos até a olaria falar com seu Pedro. Irmã Cecília falou com ele. Tinha uma carroça e um cavalo, queria vender os dois. Não me lembro agora a quantia que eu tinha, nem o que ele pediu, mas lembro-me que ao ouvir o quanto ele queria, percebi que não conseguiria comprar.

Irmã Cecília não se deu por vencida. Disse a ele que eu morava muito longe e que tinha três crianças. Contou o que acontecera no dia anterior, e que por isso eu precisava muito de uma condução.

Ela insistiu, até que ele concordou. Venderia pelo dinheiro que eu tinha.

Ao ouvir aquilo, fiquei muito feliz. Irmã Cecília voltou-se para o meu lado, dizendo:

— Não disse que Deus é pai?

— Também acho. Só há um problema. Nunca mexi com cavalo ou carroça, não sei conduzir...

— Isso não é problema, em pouco tempo aprenderá.

— Não precisa se preocupar, moça. O cavalo é manso. Está acostumado a pegar no pesado. Não vai dar trabalho, não.

— Já sei o que fazer. Vou amarrar minha charrete na carroça e você vai conduzindo. Durante o caminho vou lhe ensinando. Até chegarmos ao sítio já terá aprendido.

— Será?

— Claro que sim! Você é inteligente! Aprenderá com facilidade. Seu Pedro, pode nos ensinar como se faz para atrelar o cavalo na carroça?

— A senhora não atrela na charrete?

— Sim, mas na carroça não é diferente?

— Tem só uma pequena diferença. Venham, vou ensinar.

Ensinou-nos e amarrou a charrete atrás da carroça. Saímos. Irmã Cecília foi me ensinando, não demorei muito para aprender.

Quando chegamos em casa, estava radiante. Não acreditava que possuía enfim uma condução. Não teria mais problemas caso uma das crianças ficasse doente novamente.

317

Mais uma vez agradeci a Deus por toda a ajuda que me dava.

Daquele dia em diante, Irmã Cecília vinha uma ou duas vezes por semana nos visitar. Sempre trazia um pouco de alimento, principalmente carne, pois sabia que eu não tinha dinheiro para comprar. Tornou-se verdadeiramente meu anjo da guarda.

Numa de suas visitas, enquanto tomávamos café e conversávamos, ela olhou para a máquina de costura. Disse:

— Você sabe costurar?

— Não, quem costurava era Nice.

— Quer aprender? Poderá fazer roupas para as crianças e para você.

— Claro que quero! A senhora me ensinaria?

Não respondeu. Foi até a máquina e começou a mexer nela. Depois de examiná-la bem, disse:

— Está muito boa. Vou ensinar-lhe, mas com uma condição!

— Qual?

— Nas minhas andanças recebo muitas roupas de filhos de fazendeiros. Algumas são quase novas, outras estão descosturadas, sem botões, algumas até rasgadas. Tenho uma porção delas em casa. Separei para consertar antes de distribuir, mas nunca tenho tempo. Acha que pode fazer esse serviço?

— Não sei, mas se eu aprender farei com prazer. Nada que eu faça poderá pagar o muito que fez e tem feito por nós.

— Não estou pedindo como pagamento. O que fiz está feito, é minha obrigação. Sou uma irmã de caridade. Além do mais, gosto muito de você e das crianças. Estou pedindo porque não me sobra muito tempo para esse trabalho.

— Farei com muito prazer.

Ela passou algumas tardes ensinando-me. Como disse, eu era inteligente, aprendi logo.

Daquele dia em diante, trazia-me todas as sextas-feiras roupas que recolhia durante a semana. Eu consertava, lavava e passava. Ela deixava umas e levava outras.

Durante mais de um ano tudo caminhou bem. Vocês cresciam saudáveis. Irmã Cecília não nos deixou faltar nada. Eu já não consertava as roupas apenas, mas também fazia algumas peças com retalhos de tecido que ela trazia.

Com a carroça eu ia para a cidade sempre que precisava. Posso dizer que vivi um período muito bom, sem problema algum.

Laura interrompeu-a:

— Eu me lembro dela, mas nunca soube dessa história.

– Tem razão, mas isso aconteceu porque, aos poucos, nossa amizade foi se tornando tão grande, que nem nos lembrávamos mais de como começara.

Walther perguntou:

– Como a senhora começou a cuidar das outras crianças?

– Ah, meu filho. Acho que foi a vida, o destino ou o próprio Deus, que hoje sei, encaminha nossa vida para onde ela deve ir. Só pode ser...

Todos os meses eu levava as crianças até o posto de saúde para tomar vacinas ou pegar algumas vitaminas. Numa sexta-feira, quando irmã Cecília veio buscar e trazer as roupas, disse-lhe:

– Na próxima sexta-feira a senhora não precisa vir até aqui. Vou levar as crianças ao posto, aproveito para pegar as roupas e deixo as que estiverem prontas.

– Está bem, fazemos assim. Antes de passar no posto, passe lá em casa, estarei esperando.

Tudo combinado, na sexta-feira, assim que cheguei à cidade, passei pela casa das irmãs. Bati palmas, mas ninguém veio me atender. Estranhei, pois combinara com irmã Cecília. Bati algumas vezes, e como ninguém atendeu, resolvi ir até o posto para ver se alguém sabia dela.

Ao entrar, vi-a conversando com quatro crianças. A mais velha, de nove anos, segurava e abraçava os menores com muita força. As crianças eram muito magrinhas, sujas e de pés no chão. Em seus pequenos rostinhos a única coisa que se via muito bem eram os olhos. Aproximei-me:

– Ainda bem que a encontrei. Estava preocupada.

– Desculpe, Eunice, mas surgiu um problema inesperado.

– O que aconteceu?

– Hoje pela manhã chegou aqui na cidade uma mulher com estas quatro crianças. Ela estava muito doente, veio direto para o posto. Fizemos o que foi possível, mas não adiantou, ela morreu.

– Nossa! Que tristeza! Essas crianças!?!

– Sim, são dela. A menina disse que não tem pai, que a mãe veio com eles fugindo da seca.

– Meu deus! E agora?

– Estou tentando dizer à menina que aqui na cidade todos são muito pobres. Essas crianças não podem ficar abandonadas por aí, são ainda pequenas. Posso tentar arrumar uma casa para ficarem, mas não todas juntas. Posso tentar conseguir um lugar para cada uma, só que ela não quer aceitar.

A menina, chorando, disse:

– Não vou mesmo. Prometi pra minha mãe que tomaria conta deles e que nunca nos separaríamos. Vou embora daqui com eles.

A menina chorava, mas em seus olhos percebi que havia muita determinação. Segurei sua mão, dizendo:

– Como é seu nome?

– Marinalva.

– É um nome muito bonito. Não precisa chorar. Você fez uma promessa para sua mãe, e as promessas precisam ser cumpridas. Não se preocupe com nada, pense apenas que, quando fazemos uma promessa, Deus nos ajuda a cumprir.

– Minha mãe sempre disse isso. Que Deus não nos abandona nunca, mas ele abandonou... levou minha mãe.

– Não abandonou, não! Sua mãe teve que ir embora, mas ele deixou irmã Cecília. Ela vai encontrar uma solução. Não é, irmã?

Irmã Cecília não estava entendendo nada. Sabia que seria muito difícil encontrar um lugar onde todos pudessem continuar juntos.

– É, sim, vamos encontrar uma solução... mas como?

– Eu sei!

– Sabe? Qual é?

– Vou levá-los todos para minha casa.

– Não pode! Já tem três para cuidar!

– Onde comem três, podem perfeitamente comer sete. Deus não deixará falta nada. Sei como é importante cumprir uma promessa. Como a senhora sabe, há muito tempo fiz uma, e Deus mandou-me a senhora para me ajudar a cumprir. Agora chegou a minha vez de ajudar esta linda menina.

A menina fitou-me e começou a chorar mais forte. Chorava tanto que seu corpinho magro estremecia:

– A senhora vai mesmo nos levar pra sua casa? Todos nós?

– Vou sim. A casa é pobre, não sei ainda onde vão dormir, mas daremos um jeito. Lá não faltará comida nem muito carinho. Que acha?

– Estamos acostumados com a pobreza e até com a fome, não comemos muito. Obrigada...

Sem que esperasse, ela se jogou em meus braços. Abracei-a com muito carinho, ela me conquistara desde o início. Irmã Cecília, muito preocupada, disse:

– Quer mesmo ficar com todos? São pequenos, vão dar muito trabalho.

– Vou ficar com eles, sim. Tenho certeza. O que é o trabalho?

– Sendo assim, que Deus seja louvado! Vamos embora.

Ajudou-me a levar as crianças até a carroça, dizendo:

– Não posso ir com vocês, tenho algumas coisas para fazer, mas amanhã bem cedo estarei lá para ver se tudo está bem.

– Tudo estará bem. Só tem uma coisa. Dessas roupas que trouxe esta semana, vou tirar algumas para eles. Tenho pouca roupa e nenhuma que sirva para Marinalva.

– Ora, Eunice! Pegue todas as que precisar. Tem comida para eles?

– Tenho sim, não se preocupe, tudo vai ficar bem.

Separei algumas roupas que serviriam para Marinalva e as crianças e fomos embora. Eu me sentia muito bem. Sabia que não seria fácil cuidar de sete crianças, já aprendera que Deus daria um jeito e nada nos faltaria.

Em casa pendurei duas redes, onde dormiríamos eu e Marinalva. Os pequenos dormiriam nas camas de casal e de solteiro. Não seria muito confortável, mas muito melhor do que os lugares que haviam dormido nos últimos tempos.

Walther interrompeu-a:

– A senhora foi muito corajosa e bondosa também.

– Não se tratava de coragem ou bondade. Eu não podia separar aquelas crianças que já haviam sofrido tanto. Marinalva demonstrou que não se separaria dos irmãos. Eu não podia deixar que elas saíssem pelo mundo sem destino. Sabia como isso era difícil.

– Deu certo?

Sim, ela já era grande, ajudou-me muito.

Preparei arroz, feijão e um pedaço de carne e farinha. Era de cortar o coração ver o modo como elas ficaram quando viram toda aquela comida. Deviam estar sem comer havia muitos dias.

Antes da comida, fiz com que todos tomassem banho no riacho e colocassem roupas limpas. Comemos, e elas me pareceram cada vez mais bonitas.

No dia seguinte, logo cedo, como havia prometido, irmã Cecília chegou trazendo muitas roupas e alimentos. Quando chegou eu estava terminando de fritar uns bolinhos de farinha e ovo que as crianças comeriam com café e leite. Ela entrou carregando as sacolas:

– Bom dia, Eunice! Vim tomar seu café e trazer algumas coisas. Está tudo bem por aqui?

– Bom dia, irmã. Entre. Está tudo muito bem. Mas quanta coisa! Onde conseguiu?

– Percorri ontem à tarde algumas casas contando o que você havia feito e dizendo que precisaria de ajuda para alimentar todas essas crianças. As pessoas me deram tudo isso.

– Muito obrigada. A senhora é mesmo um anjo!

Ela deu aquela gargalhada gostosa:

— Um anjo que não gosta de ver doentes? Falta muito para eu ser um anjo.

— Para nós, foi e continua sendo um anjo maravilhoso.

— Está bem, mas dê-me logo esse café.

Tomamos o café. Daquele dia em diante minha vida mudou. As crianças davam mesmo muito trabalho. Estavam com dois, três, quatro anos. Aquela idade em que são muito peraltas, descobrindo o mundo e sem medo de nada. Precisava ficar com vinte olhos em cima delas para que não se machucassem. Elas brincavam muito.

Aos poucos, seus rostinhos foram enchendo, a cor voltou. Em pouco tempo estavam saudáveis e felizes. No início choravam pela falta da mãe, mas aos poucos foram se acostumando.

Marinalva fazia tudo o que podia para me ajudar. Ela era maravilhosa e sabia como conseguir o que queria.

— Onde está ela hoje?

— Quando fez quinze anos, irmã Cecília arrumou um colégio na capital, onde ela foi estudar. Formou-se, arrumou um bom emprego, casou-se e vive muito bem. Já me deu dois netos. Escreve-me sempre, uma ou duas vezes por ano vem me visitar. Todos os meses manda dinheiro. É um dos meus orgulhos.

— A senhora deve ter muitos.

— Sim, muitos... mas vou prosseguir.

Tudo corria muito bem, fazia cinco meses mais ou menos que eu estava com as crianças quando, um dia, irmã Cecília chegou bem cedo. Trazia em sua companhia uma mocinha. Ao vê-la percebi sua barriga. Irmã Cecília, com aqueles belos olhos azuis que brilhavam muito, disse:

— Esta é Valdete. Como já percebeu, precisa de nossa ajuda. Seus pais a expulsaram de casa.

Olhei para a menina e me vi quando também fora expulsa de casa por meu pai. Meu coração apertou-se. Não perguntei nada, apenas sorri, dizendo:

— Seja bem-vinda. Aqui não lhe faltará nada, nem a seu filho. Poderá ficar até a criança nascer. Depois, se quiser, poderá ir embora ou continuar aqui.

A menina não disse nada, apenas chorou. Tentou ajoelhar-se e beijar minhas mãos, mas não permiti.

— Vou ficar sim, obrigada.

Ficou. Passados seis meses, ao acordar pela manhã percebi que ela não estava em casa. Deixou apenas um bilhete e a menina que nascera vinte dias antes. Deus me mandou mais uma criança que eu criaria e amaria.

Depois dessa, veio outra e mais outra. Muitas mães e crianças passaram por aqui. Estão espalhados por este Brasil e alguns até no exterior. Irmã Cecília encarregou-se de trazer as crianças e as mães abandonadas, como também de comentar com as pessoas e principalmente com os fazendeiros sobre o que eu fazia.

Em pouco tempo, conseguiu material de construção e alguns empregados das fazendas, que juntos reformaram minha casa, aumentaram a quantidade de quartos. Providenciaram móveis novos que deram muito mais conforto do que eu tinha até então. Irmã Cecília ensinou-me também a ler e escrever. Dessa vez eu quis aprender, sabia como era importante.

– A senhora é uma santa. Por isso todos a conhecem e respeitam na cidade.

– Não, meu filho. Não sou santa. Apenas dancei conforme a música. Joguei de acordo com as pedras que me foram dadas. Por aqui passaram crianças de todas as idades. Através de cada uma acompanhei seu crescimento. Através dos olhos delas eu via você crescendo, tornando-se homem. Cada olho era como uma janela. Costumo dizer que sou como uma casa grande com muitas janelas.

Walther levantou-se e disse quase gritando:

– O que foi que disse!?!

– Sou uma casa grande com muitas janelas.

– Não vai acreditar! Quando saí a sua procura, eu sonhava sempre que a senhora estava numa casa com muitas janelas. Fiquei o tempo todo procurando por essa casa. Nunca a encontrei.

Eunice começou a rir, enquanto dizia:

– Como não? Está diante dela. Foi Deus quem o guiou.

Walther foi até ela e abraçou-a, dizendo:

– Só pode ter sido... só pode ter sido... Obrigado, meu Deus, por ter feito isso. Obrigada, minha mãe, por existir e ser tão maravilhosa.

Estavam todos muito felizes e emocionados. Walther queria resgatar tudo o que perdera, conhecer tudo a respeito de sua mãe e contar-lhe tudo também. Segurando-lhe as mãos, disse a Marta:

– Mãe, ao contar-lhe tudo o que me acontecera, deixei de contar algumas coisas, fui um pouco superficial. Gostaria que lesse a carta que Paulo me deixou. Está lá no jipe, vou buscá-la. Garanto que terá muitas surpresas ao lê-la.

— Gostaria muito de ler. Apesar de tudo o que passei por causa dele, nunca o esqueci. Ele foi o único homem que amei na vida.

— Está bem, vou buscar a carta. Volto logo.

Ele saiu correndo. Voltou em seguida trazendo a caixa que continha todas as suas fotos. Entregou-a a Marta:

— Nesta caixa vai encontrar toda a minha vida através de fotografias. Aqui está também a carta que Paulo me deixou. Através dela saberá como foi a vida dele depois que se separaram.

Marta pegou a caixa e foi para seu quarto. Laura sorriu para Walther:

— Ela está muito feliz.

— Sim, mas não mais que eu! Quando vim para este país, nunca pensei que teria tantas surpresas.

Escolhas e Resgates

*E*les não perceberam, mas desde que Marta começara a contar sua história, duas pessoas invisíveis a seus olhos acompanhavam tudo e sorriam felizes, concordando com a cabeça. Uma delas era irmã Cecília, a outra Paulo, que muitas vezes chorou e tentou abraçar Marta, principalmente assim que a viu:

— Marta! Minha Marta querida! Como a procurei todos esses anos! Como você está bonita! Por onde andou? O que aconteceu com você?

Tentou abraçá-la, mas foi impedido por irmã Cecília, que disse:

— Não se aproxime dela, sua presença pode fazer-lhe mal. Vamos ouvir o que ela tem para contar. Você saberá de tudo.

— Como minha presença pode fazer-lhe mal? Eu a amo! Sempre amei muito!

— Sei do amor que sente por ela. Sei que não deseja fazer-lhe mal algum, mas acontece que ela ainda está usando um corpo físico, e você não. As energias são diferentes. Tenha calma, vamos ouvir.

Paulo não discutiu. Ele também queria saber o que acontecera com Marta desde que ela o deixara. Agora já sabia como tudo acontecera e porque ela não voltara para casa. Ao mesmo tempo em que se sentia feliz por ver finalmente juntos o filho e a mulher que sempre amou, sofria por saber que ele fora a causa de tanto sofrimento.

Quando acordou, após a sua morte, e tomou conhecimento da verdade, sentiu que precisava de repouso até que pudesse se ambientar à nova vida. Confirmou tudo aquilo que aprendera sobre a vida eterna do espírito. Sentia seu corpo como se ainda vivesse na Terra, mas não estava mais doente, nem sentia mais falta de ar. Estava exatamente como quando morreu, cabelos brancos, envelhecido, mas com muita saúde. Quando irmã Cecília o convidara para fazer uma viagem, nunca imaginou que fosse para finalmente encontrar sua amada Marta, nem que presenciaria o encontro dela com o filho que ele miseravelmente lhe roubara.

Agora ali, diante da felicidade dos dois, não se conteve e começou a chorar com muita dor e arrependimento. Irmã Cecília também estava feliz, pois finalmente sua amiga, quase irmã, encontrara a felicidade tão merecida. Estava junto com seu filho amado, por quem sofrera a vida toda. Mas mesmo com esse sofrimento não se furtara de ajudar muitos que precisavam. Abraçou Paulo, dizendo:

— Agora vamos embora. Já sabe como tudo se passou, já sabe que a vida pode dar muitas voltas, mas o que resta no final é sempre a paz, felicidade e o amor profundo de Deus por todos nós.

— Sei finalmente, mas não consigo me perdoar. Ela é uma santa! Não deveria ter passado por tudo isso. Eu, só eu, fui o culpado de todo o seu sofrimento.

— Por que diz isso?

— Ela, apesar de tudo que a fiz sofrer, dedicou sua vida a crianças. Criou muitas como se fossem suas. Deu amor e carinho. Só uma santa faria isso.

— Realmente ela cumpriu muito bem quase tudo o que prometera antes de renascer.

— Que promessas? Como renascer? Que está dizendo?

— Que antes de renascermos escolhemos a vida que teremos e prometemos cumprir tudo.

— Li muito sobre isso. É mesmo verdade que escolhemos o modo como viveremos na Terra?

— Sim. Sempre que voltamos ao mundo espiritual, ao tomarmos conhecimento de tudo o que fizemos durante nossa vida na Terra, escolhemos como e onde vamos renascer. Prometemos muito, pois aqui nos sentimos seguros e protegidos. Mas ao voltarmos para a Terra, na maioria das vezes não cumprimos nem cinco por cento do prometido.

— Cinco por cento? Só isso? Custo a acreditar.

— Como demorou para acreditar na vida eterna...

— Tem razão. Se eu soubesse antes tudo o que sei agora, talvez não tivesse feito tantas coisas erradas como fiz.

— Se assim fosse, não haveria mérito algum. Por isso Deus nos dá o esquecimento de tudo. Sempre que renascemos, voltamos com o espírito livre, pronto para aprender e decidir sobre o que faremos com a vida que nos foi dada. Isso chama-se livre arbítrio.

— Livre arbítrio? Que quer dizer na realidade?

— Que podemos escolher esse ou aquele caminho. Nada pode interferir em nossa escolha. Somos responsáveis por ela.

— Já li sobre isso, mas sempre achei complicado. Pode me explicar?

— Poderia não, posso, e vou explicar tudo, só que não será aqui. Aqui, agora, está tudo muito bem. Marta lerá sua carta e entenderá tudo. Depois disso algumas coisas ainda acontecerão. Enquanto ela lê, terei tempo de conversar com você e mostrar-lhe como o livre arbítrio funciona. Vamos embora?

— Queria ficar mais um pouco ao lado deles para participar da felicidade que estão sentindo.

— Terá muito tempo para isso. O importante agora é que entenda todo o resto. Venha.

Paulo percebeu que não adiantava insistir. Ela sabia o que queria. Sorriu e acompanhou-a. Segurou em sua pequena mão e os dois seguiram voando. Ele ainda não se acostumara com aquilo, deliciava-se com aquela sensação.

Chegaram a uma casa. Era uma casa branca com janelas azuis. Entraram, ela disse:

— Esta é minha casa. Fico aqui muito pouco tempo, pois vivo andando por aí, mas quando estou aqui, sinto-me muito bem. Pode sentar, temos muito para conversar.

Paulo olhou para a ampla sala. Era agradável, móveis claros e bem posicionados. Quadros de uma beleza nunca vista por ele antes.

— Esta casa faria inveja a qualquer pessoa na Terra.

Ela deu aquela gargalhada à qual Marta se referira. Disse:

— Essa é uma das vantagens de estarmos mortos. Podemos ter a casa e tudo do modo que quisermos.

— Não posso acreditar no que está dizendo. É verdade? Podemos ter tudo? Todos podem?

— Uma pergunta de cada vez. Podemos ter tudo sim e da forma que quisermos, mas nem todos podem. Deus nos criou para que tivéssemos felicidade. O sofrimento pelo qual passamos fomos nós mesmos que atraímos. Por isso, alguns podem, outros não, dependendo de como usaram seu livre arbítrio.

– Precisa mesmo me falar de livre arbítrio.

– Mas se foi para isso que o trouxe até aqui! Para conversarmos sobre isso! O nome José Pedro Pereira de Alcântara lhe lembra alguma coisa?

Paulo ficou pensando, como se quisesse lembrar-se de algo, mas não conseguiu:

– Não, não me traz lembrança alguma.

– E Sarita de Albuquerque?

– Também não! Quem são?

Há muito tempo, Sarita de Albuquerque era uma linda menina. Nasceu filha de uma família pobre, mas digna. Foi criada com muito amor e dedicação. Quando cresceu, tornou-se uma moça muito bonita. Por onde passava atraía a atenção de todos. Aos poucos percebeu que com sua beleza poderia conseguir tudo o que quisesse. Percebeu que em troca de seu corpo os homens lhe dariam jóias e dinheiro. Usou seu corpo, fez dele um instrumento de trabalho. Ganhou muito dinheiro.

Quando começou a envelhecer e deixou de atrair tantos homens como antes, embora ainda fosse muito bonita, resolveu que para manter seu padrão de vida precisava continuar no mesmo ramo, mas sabia que sozinha não conseguiria.

Com todo o dinheiro que ganhara durante a vida, montou uma casa onde os homens iam e tinham noites de amor com várias moças que ela contratara. Tinha muito orgulho da casa e das suas "meninas".

O dinheiro que antes ganhava sozinha, agora vinha em muito maior quantidade. Nunca se casou, mas manteve durante uma boa parte de sua vida um romance com José Pedro Pereira de Alcântara, um médico filho de um rico fazendeiro de café, criado com muito mimo. Não queria ser médico, formou-se apenas para agradar ao pai, que insistia em ter um filho doutor. Por isso deixou-se envolver pelo jogo, bebidas e o glamour das noites.

Aos poucos esqueceu-se de sua profissão e tornou-se um bêbado inveterado. Por esse motivo, foi obrigado a parar de clinicar, embora continuasse com sua licença. Mas isso não o incomodava, pois o dinheiro de sua família, mais o de Sarita, eram suficientes para os dois.

Tudo caminhava bem, eles viviam sem maiores problemas. Sarita tinha como sua fiel companheira uma moça chamada Orlanda, a quem todos chamavam de Landa. Ela era uma espécie de espiã. Quando junto com as moças, falava mal de Sarita, dizia que não gostava dela. Por isso era uma espécie de confidente, todas confiavam muito nela.

Sempre que via ou ouvia alguma coisa que julgasse ser errada, corria a contar para Sarita.

Havia uma outra moça que se chamava Linda. Era uma recém-chegada. Uma das mais bonitas da casa. Um dia, Landa percebeu que ela estava chorando. Aproximou-se e mansamente perguntou:

— Que está acontecendo? Por que está chorando?

— Estou desesperada! Não sei o que fazer.

— O que foi? Que pode ser de tão grave?

— Descobri que estou grávida.

— Nossa! Sarita vai ficar desesperada. Você é quem tem mais clientes aqui.

— Por isso mesmo estou desesperada. Sei que ela não vai aceitar.

— Por que está dizendo isso?

— Porque meu corpo vai mudar e os clientes não vão me querer mais.

— Por que não fala com ela?

— Tenho medo que, quando descobrir, me mande embora. Não tenho para onde ir.

— Ela precisa saber. Quem sabe compreenda.

— Não, você sabe como ela é. Quando vim para cá, falou muito a respeito disso. Não sei como foi acontecer.

— Quer que eu fale com ela?

— Não! Por favor não! Tenho medo.

— Está bem, não vou dizer nada. Mas acredito que seria melhor falar antes que ela descubra.

— Não sei...

— Pense bem, se ela descobrir de outra forma poderá ser pior.

— Vou pensar.

Landa saiu dali e foi direto para o quarto de Sarita. Ela estava diante do espelho maquiando-se:

— Posso entrar?

— Claro que pode, o que aconteceu?

Landa entrou. Ela adorava aquele quarto, lá havia tudo o que sempre sonhara, mas sabia que nunca conseguiria um igual. Não era muito bonita, por isso não tinha muitos clientes. Por esse mesmo motivo vivia fazendo tudo o que Sarita queria. Sempre que trazia alguma novidade, Sarita lhe dava algum dinheiro.

Naquele dia ela entrou e colocou-se atrás de Sarita, dizendo mansamente:

— Tenho algo para lhe dizer que vai deixá-la muito nervosa...

Sarita levantou-se:

— O que aconteceu? O que descobriu?

— Linda está grávida...

Sarita enfureceu-se:

— Grávida!?! Não pode ser. Ela não podia ter feito isso. Como descobriu?

— Ela mesma me contou, agora mesmo...

— Por que ela não me falou?

— Está com medo de sua reação.

— Que reação? Como ela pode saber qual será minha reação?

— Disse a ela para lhe contar. Por favor, cuidado para que não desconfie que eu lhe contei.

— Está bem, terei cuidado. Elas não podem desconfiar que você me conta tudo o que acontece. Mas preciso fazer alguma coisa. Está bem, pode ir, vou pensar em algo. Obrigada, pegue este dinheiro, e continue insistindo para que ela venha falar comigo.

Landa saiu feliz guardando o dinheiro entre os seios. Sabia que enquanto continuasse a ser fiel seria sempre recompensada.

Sarita voltou a se sentar em frente ao espelho, só que agora sua expressão era de preocupação: "Não posso deixar que essa gravidez vá adiante. Ela é uma das melhores meninas que tenho. Se ficar com a barriga grande, por muito tempo não poderá trabalhar. Como farei para impedir isso?"

Levantou-se e foi para o grande salão onde ficavam as moças. Era cedo ainda, por isso o salão estava vazio. As moças preparavam-se para a noite.

Olhou em volta para ver se estava tudo em ordem. Aquela noite seria muito boa, pois era noite de jogo, e os homens mais ricos da cidade viriam. Sabia que muito dinheiro rolaria e que certamente sobraria muito para ela.

Sorriu contente após pensar nisso, mas uma sombra de preocupação passou por seu rosto: "Preciso encontrar um meio de evitar o prejuízo que essa criança causará".

Ao sair do quarto de Sarita, Landa dirigiu-se ao seu para também se preparar. Ela era assim, vivia como cão perdigueiro procurando algo que pudesse contar para assim juntar mais dinheiro para sua velhice.

A noite chegou. Conforme o previsto, logo os homens começaram a chegar. As moças desfilavam pelo salão demonstrando o quanto eram bonitas. Sarita desfilava entre elas, quando percebeu que Linda não estava ali. Perguntou a Landa:

— Onde está Linda?

— Não sei, não passei pelo quarto dela, mas deve estar lá.

— Pode deixar, eu mesma vou ver o que está acontecendo.

Ao entrar no quarto percebeu que Linda estava muito pálida:

— O que você tem? Parece um defunto!

– Não sei, senti um enjôo muito forte, estou um pouco tonta.
– E por que esse enjôo? Comeu alguma coisa que lhe fez mal?
– Não sei, comi o mesmo que todas...
– Estou desconfiada de uma coisa. Não tem nada para me contar?
Linda estremeceu:
– Por que está me perguntando isso?
– Menina, já vivi muito. Esse mal-estar está me parecendo gravidez...
– Grávida, eu? Não, não, deve estar enganada, só não estou me sentindo bem, mas logo vai passar...
– Não sei, não... mas para tirar a dúvida vou pedir ao doutor José Pedro que a examine amanhã.
– Não é necessário! Sei que não estou grávida. Logo passará.
– Mesmo assim, será melhor que ele a examine...
Linda, não suportando mais, começou a chorar:
– É verdade! Estou grávida e não sei o que fazer...
Sarita abraçou-a, dizendo mansamente:
– Por que está tão nervosa? Isso não é o fim do mundo. Tudo vai dar certo. De quanto tempo está?
– Não tenho certeza, mais ou menos dois meses.
– Então não se preocupe, essa criança poderá ser tirada sem problema algum para você. Vou falar com José Pedro, logo tudo ficará bem e você voltará a brilhar em meu salão novamente.
– Tirar o meu filho? Não! Não quero. Isso é um assassinato!
– Assassinato!?! Filho!?! Que filho? Não é ainda um filho, é apenas um feto, não está nem formado.
– Mas vai se transformar numa criança. No meu filho. Não sei ainda o que farei, desconfio que terei que ir embora, mas meu filho nascerá.
Sarita, percebendo que não usara a tática certa, mudou seu tom de voz:
– Está bem... não pensei que queria tanto esse filho... não haverá problema algum. Continuará aqui até a criança nascer. Já ganhei muito dinheiro com você, posso muito bem cuidar de você durante esse tempo. Ainda não está aparecendo, e há muitos clientes esperando, por isso arrume-se e brilhe como sempre.
Linda não acreditou no que ouvia. Nunca pensou que a reação de Sarita seria aquela:
– É verdade mesmo o que está dizendo? Vai deixar que eu continue aqui?
– Claro que sim! Você é a melhor das minhas meninas. Além disso, quero-a muito bem, considero-a como se fosse minha filha.
– Obrigada! Obrigada mesmo. Pode deixar, esta noite estarei mais bonita que nunca. Não se arrependerá por me ajudar. Serei a melhor de todas.

Sarita sorriu e saiu. Do lado de fora sua expressão mudou novamente: "Preciso encontrar um meio de interromper essa gravidez. Vvou encontrar".

Voltou para o salão. Tudo caminhava muito bem. Aquela noite seria mesmo muito boa. Mas não conseguia esquecer de Linda e daquele enorme problema.

Em dado momento, percebeu que todos os olhares dirigiram-se para o mesmo lado. Era Linda que surgira no alto da escada. Estava com um vestido verde que mostrava com nitidez as linhas de seu corpo e dava mais vida aos seus cabelos louros e olhos verdes. Ela era de uma beleza deslumbrante.

Sarita sorriu ao perceber os olhos dos homens que acompanhavam os passos de Linda enquanto ela descia as escadas com altivez e graça. "Ela é realmente uma beleza! Não posso ficar sem ela! O prejuízo será imenso".

Continuou andando por ali, conversando com um e com outro. Mas a imagem de Linda não saía de seu pensamento. Percebeu quando José Pedro chegou. Sorriu: "Ele é a minha solução. Só ele pode me ajudar".

Aproximou-se e estendeu a mão, que ele beijou suavemente. Embora mantivessem um romance há muito tempo, perante todos eram somente bons amigos, e ele apenas um cliente da casa. Ela, sorrindo, disse:

— Preciso falar com você urgente. Vou para o meu quarto. Disfarce e vá ao meu encontro.

— O que aconteceu? Por que todo esse mistério?

— Não posso falar aqui, vá até meu quarto.

— Está bem, irei, mas antes vou pegar uma bebida.

— Nada disso! Precisa estar sóbrio para entender o que preciso.

— Está bem, vá que irei em seguida.

Sarita, disfarçando, foi para seu quarto. Cinco minuto depois, José Pedro apareceu:

— O que houve? Parece tão aflita!

— Estou com um problema imenso, preciso de sua ajuda.

— Que problema?

Contou a ele a conversa que teve com Linda. Quando terminou, ele perguntou:

— Entendi tudo, só não sei como posso ajudá-la.

— Você é médico!

— Fui médico. Fui! Hoje sou apenas um bêbado.

— É um bêbado, mas ainda tem seu diploma de médico. Pode muito bem fazer um aborto.

— Espere aí. Não exerço minha profissão, mas um dia fiz um juramento. Não vou assassinar ninguém!

— Assassinar o quê? Está louco? Ela está apenas de dois meses, nem tem certeza se é de tanto tempo. Não tem nada dentro da barriga, apenas um feto que nem forma tem.

— Não farei isso. Além do mais, disse que ela não quer. Sem sua permissão, como eu faria?

— Ela não precisa saber.

— Como não vai saber? Está louca?

Ela ficou muito nervosa, e segurando em seu braço com força, disse:

— Não estou louca, mas ficarei se não fizer o que quero. Além de louca, nunca mais vou querer vê-lo na minha vida.

— Que está dizendo? Sabe que não vivo sem você...

— Já pensou no prejuízo que terei se ela insistir em carregar essa barriga? Não posso permitir.

— Não sei... não sei se conseguirei...

— Claro que conseguirá!

— Como pensa em fazer isso?

— Podemos dar a ela alguma coisa que a faça dormir. Você faz o trabalho e pronto.

— Pronto como? Quando ela acordar, perceberá o que fizemos, não aceitará. Pode fazer um escândalo. Já pensou nisso?

— Já pensei em tudo. Faça o seu trabalho, o resto deixe por minha conta. Saberei como falar com ela.

— Não sei, vou pensar.

— Não tem muito tempo para pensar. Será esta noite, quando todos forem embora. Por isso trate de não beber. Precisa continuar sóbrio.

— Como não beber!?! Logo esta noite?

— Isso mesmo! Não podemos esperar! Quanto mais tempo passar, pior.

— Que faço agora?

— Volte para o salão. Providenciarei tudo. Tenho um pó que a fará dormir a noite toda. Faremos o que tem que ser feito, amanhã estará tudo bem.

— Estará tudo bem!?! Não sei se isso vai dar certo.

— Claro que vai.

Irmã Cecília, enquanto falava, parecia estar distante, falando para si mesma. Lembrou-se que Paulo estava ali. Disse:

— Está entendendo o que significa o livre arbítrio?

— Não, não sei se estou entendendo...

— Naquele momento, José Pedro e Sarita tiveram o direito de exercer o livre arbítrio. Tinham dois caminhos para seguir. Ele, principalmente, poderia aceitar ou não. Se aceitasse cometeria um crime, se não aceitasse, talvez – eu disse talvez – perdesse a mulher que amava.

– Que caminho ele tomou?

– Que caminho você tomaria?

– Eu!?! Não sei, mas nunca cometeria um crime. Ainda mais contra uma criança que só queria nascer. Só eu sei quanto Marta e eu próprio sofremos quando fiz aquela loucura.

– Naquele momento você também exerceu seu livre arbítrio.

– Como assim?

– Você também tinha dois caminhos. Continuava com seu filho e sua mulher, ou o trocaria por dinheiro.

– Ali foi diferente. Se ele ficasse ao nosso lado, sofreria toda aquela miséria que nós mesmos havíamos sofrido.

– Você encontrou sua pedra logo depois...

– Mas eu não sabia que a encontraria. Se soubesse não teria feito aquilo.

– Se soubesse não estaria exercendo seu livre arbítrio. Precisava decidir que caminho tomar na situação em que estava.

– Tomei o caminho errado, não foi?

– Sim. Mas por mais torto que tenha sido o caminho, tudo no final deu certo. Mas não é de você que estamos falando. Estamos falando de José Pedro e Sarita.

Durante a noite Sarita comportou-se como sempre, sem despertar suspeitas. Sabia que Linda não bebia, por isso não haveria problema algum em dar-lhe o tal pó para que dormisse.

Linda fez tudo o que sabia fazer. Recebeu em seu quarto um rico fazendeiro que sempre vinha à cidade para vê-la.

Já eram quase cinco horas da manhã quando todos se retiraram. Finalmente o salão ficou vazio, só restando as "meninas", que cansadas, estavam sentadas pelas várias poltronas espalhadas por lá.

Sarita aproximou-se de Linda, dizendo:

– Como sempre, você esteve maravilhosa.

– Obrigada, dona Sarita. É tudo que posso fazer para agradecer tanta bondade. Preciso trabalhar bastante enquanto minha barriga não começa a aparecer. Depois terei que me afastar por um bom tempo.

– Isso está muito longe ainda. Demora muito. Não quer tomar um pouco de champanhe antes de se deitar?

– Sabe que não bebo.

– Então acompanhe-me com um suco. Não gosto de beber sozinha.

– Se for um suco, eu a acompanho.

– Fique aqui, sei que está cansada, vou buscar a champanhe e o suco. Sarita dirigiu-se até o bar enquanto Linda a seguia com os olhos, admirada com a beleza e o porte dela. Quando chegou no bar, Sarita pegou uma taça, encheu de champanhe, e num copo colocou o suco e o pó que faria Linda dormir por um bom tempo. Com os copos nas mãos, aproximou-se:

– Pronto, aqui está. Vamos beber, depois nos deitaremos.

Linda pegou o copo e bebeu quase de uma vez:

– Este suco de abacaxi está ótimo! Também, está tão calor, não é?

– É. Além disso, deve estar cansada, eu ao menos estou, e muito.

– A noite foi muito boa. Parece que os clientes ficaram satisfeitos.

– Ficaram sim. Tudo correu como devia.

Linda sentiu seu corpo amolecer. Tentou ficar com os olhos abertos, mas não conseguiu. As outras moças perceberam, correram para ajudar. Sarita acalmou-as, dizendo que não era nada, que ela apenas estava exausta.

Ajudada por Landa, levou Linda para o seu próprio quarto. José Pedro já as esperava. Embora tivesse prometido, não agüentou, bebeu, e muito. Ao vê-lo naquele estado, Sarita ficou nervosa, com medo que ele não conseguisse fazer o trabalho. Mas ele disse com ironia:

– Calma, querida. Estou acostumado a matar crianças todos os dias.

– Cale a boca. Já está bêbado e falando asneiras. Tem certeza que conseguirá mesmo?

– Claro que sim. Deite-a na cama, já está tudo preparado. A sua fiel escudeira já preparou tudo.

Realmente, enquanto a festa transcorria no salão, Landa forrara a cama com lençóis e preparara tudo seguindo as instruções de José Pedro. Ele, um pouco cambaleante, fez tudo o que tinha que ser feito, depois disse:

– Pronto, já está terminado. Agora é só esperar. Amanhã ela sentirá algumas dores, depois vai expelir o feto. Ficará bem dentro de alguns dias.

– Tem certeza que ela ficará bem?

– Sim, ela é jovem e forte. Eu é que não estou bem, preciso de um trago.

José Pedro tomou quase uma garrafa inteira. Não se sentia bem com o que fizera, mas de qualquer maneira o fato estava consumado. Naquele momento ele era, juntamente com Sarita, o responsável por um espírito que fora impedido de nascer e cumprir sua missão aqui na Terra.

Sombras negras o envolveram. Sarita continuava impassível. Para ela, fizera o que julgava ser o certo. Linda permanecia adormecida, entorpecida pelo pó. No plano espiritual, aquela atitude fez com que muitos sofressem.

– Quem?

– Sempre que voltamos para a Terra, deixamos aqui no plano espiritual irmãos que nos amam e que fazem tudo para que possamos cumprir com êxito nossa missão. Quando nos desviamos do caminho, eles sofrem muito por mais um fracasso nosso. Mas não havia nada a ser feito. Ambos, José Pedro e Sarita fizeram uso do livre arbítrio e nada nem ninguém poderia ter evitado. A não ser eles mesmos. Tinham o destino nas mãos e teriam que colher os resultados.

– Não entendo. O destino nas mãos?

– Como já lhe disse, somos responsáveis por nossos atos. Nós mesmos, um dia, nos daremos nossa sentença.

– Isso é terrível!

– Não, é divino! Essa é a justiça divina que não condena, não pune.

– Com o tempo acabarei aprendendo isso tudo, mas agora estou curioso para saber o que aconteceu quando Linda acordou.

Pela manhã ela realmente acordou. Percebeu logo que não estava em seu quarto. Conhecia bem aquele quarto onde estava: "O quarto de Sarita! O que estou fazendo aqui?"

Tentou levantar-se, mas sentiu uma dor muito forte na barriga, que fez com que se deitasse novamente. Não percebeu que num sofá ao lado José Pedro dormia tranqüilamente. Ela colocou as mãos por debaixo do lençol e percebeu que alguma coisa acontecera. Deu um grito estridente.

Logo o quarto encheu-se de gente. As moças acordaram com o grito. Sarita, que já havia acordado e ido até o banheiro que ficava no corredor, estava secando o rosto quando ouviu o grito. Largou a toalha e foi também para o quarto. Linda chorava com as mãos sujas de sangue.

Ao ver Sarita, perguntou:

– O que aconteceu comigo? Por que estou aqui no seu quarto?

Sarita viu que as outras moças olhavam horrorizadas para Linda e para ela. Logo retomou o controle:

– Fique calma... não aconteceu nada. Vocês todas podem voltar para seus quartos. Ela está bem, só um pouco assustada, nada mais.

As moças obedeceram. Uma a uma foram embora. Não entendiam o que havia acontecido, mas estavam cansadas demais para questionar qualquer coisa. A noite fora muito movimentada, estavam com sono. Foram dormir novamente.

Linda chorava sem parar. Sarita aproximou-se, dizendo:

– Não fique assim. Tudo ficará bem. Logo estará nova em folha.

– O que aconteceu? Que sangue é esse? O que houve com meu filho?
– Ontem à noite teve um problema, precisou ser socorrida às pressas. Infelizmente perdeu a criança que estava esperando.
– Perdi a criança!?! Como? Não senti nada! Não pode ser.
– Essas coisas acontecem. Não é a primeira vez e nem será a última. Ademais, até que foi bom ter acontecido. Imagine o que seria sua vida daqui para a frente se essa criança permanecesse dentro de você. Ficaria muito tempo sem trabalhar. E quando nascesse, então? Não poderia ficar aqui. Teria que ir embora.
– Isso não importa. Eu queria essa criança. Queria muito! Se não pudesse ficar aqui eu iria embora sim, arrumaria um outro emprego. Faria tudo para dar felicidade a minha criança. Isso não podia ter acontecido! Não podia.
– Mas aconteceu e você não pode fazer nada. Agora eu e Landa vamos levá-la de volta a seu quarto. Lá ficará melhor. Ficará bem quietinha para se recuperar o mais rápido possível. Em breve tudo isso passará e você voltará a ser a menina mais linda e desejada da minha casa. Agora tente dormir novamente. Lembre-se que foi a vontade de Deus.

Linda não entendia. Pensava: "Como ela consegue ser tão fria e falar dessa maneira? Como ela pode dizer que foi bom meu filho ter morrido?"

Ela não entendia, mas estava muito fraca para discutir. Sentiu um enorme desejo de dormir, e foi o que fez.

Depois de levarem Linda para o quarto, Sarita voltou e acordou José Pedro. Ela estava feliz por ter convencido Linda de que tudo havia sido inevitável. Uma triste realidade. Abraçou-se a ele, dizendo:
– Não disse que daria tudo certo? Ela aceitou muito bem o que lhe disse. Está certa e conformada de que foi tudo como Deus queria.
– Como está se sentindo?
– Quem? Eu? Estou ótima. Não lhe disse que conseguiria? Não posso perder essa menina. Ela vale ouro!
– Não está sentindo remorso?
– Não! Nem você deve sentir! Isso tudo faz parte da vida! Para que iríamos querer uma criança aqui?
– Não sei, não sei.
– Então esqueça tudo e dê-me um abraço. Vamos nos amar como nunca.

Paulo estava estarrecido.
– Estou pensando o mesmo que Linda. Como ela podia ser tão fria?

Eram onze horas da manhã quando Sarita voltou ao quarto. Linda continuava dormindo, só que ao olhar para seu rosto, Sarita não gostou do

337

que viu. Ela estava muito pálida e queimava em febre. Levantou o lençol e viu que estava deitada numa enorme poça de sangue. Percebeu que ela estava tendo uma hemorragia. Assustou-se e foi correndo chamar José Pedro, que já estava tomando mais um trago.

— José Pedro! Venha correndo! Linda não está bem!

Ele largou o copo:

— O que ela tem? Você está muito assustada!

— Não sei o que ela tem! Vamos logo!

Ao entrar no quarto, ele percebeu que realmente Linda não estava bem. Examinou-a e constatou:

— Ela está tendo uma hemorragia muito intensa, receio que já seja tarde demais. Precisamos levá-la a um hospital.

— Hospital!?! Não! Não podemos!

— Por que não? Se não for atendida imediatamente, morrerá!

— Se formos a um hospital, saberão que ela sofreu um aborto, e vão querer saber quem praticou. Que vamos dizer? Que fizemos isso sem o consentimento dela? Isso é crime! Poderemos ser presos!

— Tem razão, não havia pensado nisso. Que vamos fazer? Ela precisa de atendimento.

— Parece que ela não está sentindo nada. Será que está desmaiada?

— Perdeu muito sangue, sua pressão está muito baixa. Se não tomarmos logo uma atitude, ela morrerá.

— Sentirá alguma dor?

— Não, creio que não, apenas sentirá muita fraqueza.

— Então deixe que se vá em paz...

— Que está dizendo? Vai deixá-la morrer assim dessa maneira?

— Ou isso, ou a cadeia, temos que escolher.

Paulo não se conteve:

— Meu Deus, essa mulher era mesmo um monstro!

— É verdade, naquele momento ela teve mais uma oportunidade para exercer o seu livre arbítrio. Ela errara ao provocar um aborto sem o consentimento de Linda, mas tinha nesse momento a oportunidade de se redimir, só que não o fez. José Pedro, fraco, dominado por aquele amor insensato e pela bebida, omitiu-se; baixou a cabeça, concordando. Ficaram os dois ali ao lado de Linda até que ela deu o último suspiro.

— Deixaram-na morrer?

— Sim...

Assim que ela deu o último suspiro, Sarita, aliviada, chamou Landa. Quando ela entrou no quarto, percebeu que Linda estava morta:

– O que aconteceu? Ela parece...

– Morta! É isso mesmo, ela morreu...

– Como? Por quê?

– Não sabemos, teve uma hemorragia.

Landa quis começar a chorar, mas Sarita disse:

– Não vá chorar agora. Temos muito que fazer. Primeiro comunique às outras o que aconteceu. Ela morreu de pneumonia.

– Elas não vão acreditar! Vão perguntar! Ontem à noite todas a viram maravilhosa no salão!

– Isso não importa. Todas terão que jurar que ela morreu de pneumonia. É isso que doutor José Pedro vai escrever no atestado de óbito. E isso será a realidade. Diga a elas que ninguém, mas ninguém mesmo, deve dizer outra coisa. Entendeu?

– Entendi, vou falar com elas.

Landa saiu. José Pedro estava novamente com o copo na mão. Escutou tudo o que Sarita disse. Não foi capaz de fazer nada. Apenas seguiu as ordens dela. Assinou o atestado de óbito.

Não houve perguntas, Linda foi enterrada sem maiores problemas.

– Não aconteceu nada? Eles não foram presos?

– Não. Ele, sendo médico, embora não exercesse a profissão, podia assinar um atestado de óbito.

– Não posso acreditar.

– Paulo, sei que é difícil, mas foi isso mesmo que aconteceu. Aquela foi a primeira vez. Muitas outras vezes eles provocaram abortos em outras moças da casa. Com o consentimento delas ou não. A própria Sarita fez muitos em si mesma. Ela tinha horror só em pensar que poderia ter naquela casa uma criança. Ela não suportava essa idéia.

– Se outras moças morressem? Ela não ficou com medo que isso acontecesse?

– Não, não houve mais mortes. Ela não teve medo, pois sabia que se algo acontecesse, José Pedro estaria ali para assinar outro atestado de óbito.

– Eles ficaram assim, impunes?

– Sim, viveram muitos anos sem problema algum. Continuaram suas vidas de orgia e bebidas. O tempo passou, ele foi o primeiro a morrer por causa da bebida, vítima de uma cirrose hepática. Sarita, com quase sessenta anos, morreu de pneumonia. A única que ficou por mais dez anos foi Landa. Envelhecida e sem família, acabou num asilo para velhos. Lá conviveu com outros velhos, alguns deles doentes. Quando ia dormir, não suportava os gemidos de dor de alguns que tinham doenças incuráveis e que estavam simplesmente esperando a morte chegar. Ela tinha verdadeiro horror a doenças e muito medo de sentir dor.

Naqueles dez anos em que esteve lá, pôde repensar sua vida. Percebeu que todo o dinheiro que conseguira através de sua maldade, naquele momento não servia de nada. Além disso, não lhe sobrara nada. Tudo que ganhara gastara com roupas e jóias tentando assim ficar bonita, coisa que nunca o fora. Quanto mais envelhecia, mais desesperada ficava.

Naquele momento, naquele lugar de tristeza e sofrimento, pôde entender como sua vida fora inútil. Finalmente ela também morreu.

Irmã Cecília parou de falar por alguns segundos. Paulo perguntou:

– Os três se encontraram aqui no plano espiritual?

– Sim, ficaram vagando perdidos por muito tempo. Entenderam que só tinham uns aos outros, mas não conseguiam se encontrar. Foram perseguidos por todos aqueles espíritos que não deixaram nascer, que existiam mais em suas lembranças que na realidade. Eram o resultado da culpa que aos poucos foram sentindo. Suas próprias consciências os atraíam. Tentavam esconder-se, mas não conseguiam. Sofreram muito, descobriram que a morte não era o fim, mas sim uma seqüência. Enquanto viveram na Terra, através de meios escusos conseguiram esconder seus crimes, mas aqui não. Aqui possuíam um inimigo do qual não podiam se esconder: suas consciências. Sofreram muito. Seus amigos espirituais sempre estiveram ao lado deles, intuindo bons pensamentos.

Aos poucos foram entendendo a extensão do que fizeram. Um após o outro foram se arrependendo e sendo recolhidos e trazidos para esta colônia. Aqui finalmente se reencontraram. Juntos novamente, sentiram-se bem. Já tinham consciência de todo o mal que haviam feito. Pediam a todo instante a oportunidade de renascer para reparar os erros cometidos, libertando a própria consciência.

– E conseguiram?

– Sim, Deus, na Sua infinita bondade, sempre nos dá a oportunidade de resgatar o mal praticado. Finalmente obtiveram permissão. Teriam que voltar juntos para a Terra. Precisavam escolher como seria essa nova encarnação.

– O que escolheram?

– Conversaram muito entre si. José Pedro entendeu que se entregara à bebida e à vida de prazeres por ter nascido numa família rica, onde teve tudo sem ter que trabalhar para isso. Pediu para nascer numa família pobre e só conseguir o que sonhasse através do seu trabalho. Sarita entendeu que havia perdido sua encarnação por ter sido gananciosa e colocado o dinheiro acima de tudo. Pediu também para nascer numa família pobre e ter muitos filhos, podendo assim dar oportunidade de nascer a todos aqueles que antes impedira. Landa entendeu que perdera sua encarnação por ter nascido feia, sem atrativos, e pediu para nascer bonita. Assim evitaria o risco de praticar o mal, não teria mais motivo. O irmão programador das reencarnações ouviu os três. Assim que terminaram de dizer como queriam suas vidas na Terra, disse:

– *Vocês estão neste momento decidindo suas vidas. Será como pediram, mas terão também uma missão a cumprir.*

Os três olharam para ele, sem entender. José Pedro perguntou:

– *Que missão?*

– *Vocês impediram que muitos espíritos reencarnassem, e isso pesa em suas consciências. Por isso se encontrarão na Terra. Você e Sarita nascerão numa casa pobre. Você trabalhará como garimpeiro, encontrará uma pedra que lhe dará fortuna. Casar-se-á com Sarita e terão muitos filhos. Além de seus próprios filhos, com o dinheiro que conseguir construirão um orfanato. Assim poderão receber a todos que impediram de nascer. Você, Landa, será bonita. Encontrará os dois e os ajudará no orfanato. Terão todas as condições para cumprir o compromisso que estão fazendo agora. Sempre haverá ajuda de nossa parte. Só dependerá de vocês que tudo dê certo e possam voltar vitoriosos.*

– *Assim será fácil! Dessa vez não vamos fracassar.*

– *Não será tão fácil assim. Vocês cometeram crimes contra a vida que deverão ser reparados. Se tudo caminhasse bem, não haveria mérito algum, não resgatariam e nem cresceriam no aprendizado. Por isso haverá momentos em que terão que decidir, terão que usar o livre arbítrio. Dessas escolhas dependerá o futuro de cada um. A missão que estão levando com certeza chegará a suas mãos. Dependerá só de vocês se a aceitarão ou não. Dependerá de vocês, também, como ela será cumprida. Não se esqueçam de que nunca estarão sozinhos, independente das escolhas que fizerem. Encontrarão amigos e inimigos. Os inimigos servirão para fazer com que caminhem, os amigos os ajudarão na caminhada.*

Paulo estava de boca aberta. Sua voz quase não saiu quando perguntou:

— Garimpo? Pedra!?! Está me dizendo que eu sou José Pedro? Sarita é Marta?

— Isso mesmo, são vocês.

— Mas não deu nada certo. Não nos casamos, não tivemos muitos filhos! Ficamos separados a vida toda! Perdemos nosso filho!

— Sua vida foi exatamente aquela que pediu antes de partir daqui. Mas lá na Terra, não se conformou com a pobreza. Revoltou-se, e na primeira oportunidade, quando chegou a hora de exercer seu livre arbítrio, trocou tudo por dinheiro, embora encontrar a pedra fizesse parte do planejado.

— Eu não tinha certeza que a encontraria! Mas mesmo assim, sei que fui o culpado. Mas e Marta? Ela sofreu muito mais que eu. Perdeu seu filho. Não conseguiu criá-lo.

— Sarita nunca quis crianças por perto. Muitas moças choraram por serem obrigadas a ficar sem os filhos. Entre elas, uma perdeu a vida.

— Linda!?!

— Sim, ela mesma. Voltou para cá antes do tempo por ter sido assassinada. Aquele filho que estava esperando seria o começo de uma nova vida. Dessa vez ela veio com dinheiro para tentar comprar o mesmo filho que vocês tiraram dela. Eu disse tentar. Se você tivesse resistido, ela seguiria o seu caminho, mas você não resistiu, viu naquela criança mais uma vez a oportunidade de obter lucro.

— Mais uma vez!?! Então Walther era o filho de Linda!?! Geni era a própria!?!

— Isso mesmo. Ela veio em busca do seu filho.

— Mas ela não o teve. Ele foi adotado. Marta era sua verdadeira mãe.

— Aqui no plano espiritual não existem documentos, filhos sem pais, ou pais sem filhos Aqui só existe a lei do amor. Os laços sangüíneos são importantes, mas tanto o sangue como o corpo permanecem na Terra, o que importa realmente são os laços espirituais, os compromissos assumidos.

— Está me dizendo que toda criança adotada pertence mesmo aos pais adotivos?

— Sim. Nenhuma criança chega aos braços dos pais se não for pela lei do amor e do compromisso. Ninguém está fora do lugar onde realmente deveria estar.

— Nunca imaginei que fosse assim...

– A lei de Deus é justa. Jesus se fez homem exatamente para nos ensinar isso. Ensinou que o amor ao próximo, a caridade e o perdão eram os caminhos que nos levariam até Deus. Ensinou que para cada ação, existe sempre uma reação. Temos em nossas mãos a felicidade presente e futura.

– Se eu não tivesse feito aquela troca, tudo seria diferente?

– Sim, quando se encontraram aqui, Geni e Walther entenderam e perdoaram. Vocês criariam Walther dando-lhe amor e carinho. Ela resgataria outros compromissos. Geni só exigiria seu filho de volta caso um de vocês ou os dois o desse a ela. Foi programado que esse dia chegaria. Era a oportunidade que vocês teriam de exercer novamente o livre arbítrio.

– Estou entendendo... eu fui o escolhido... fracassei mais uma vez...

– Não existem fracassos, existem apenas aprendizados. Com sua pretensa fraqueza, deu oportunidade a Marta para que cumprisse sua missão. Ela, sem você e o filho, dedicou a vida a todas aquelas crianças que um dia não permitiu que nascessem. E a muitas mais.

– Então, no final deu tudo certo?

– Isso mesmo! Tudo está sempre certo.

– Por que não sabemos disso quando estamos na Terra?

– Já lhe disse que não haveria mérito algum. As conquistas não teriam valor.

– Estou feliz, pois apesar de tudo que fiz, Marta é hoje uma mulher amada e respeitada por muitos. Alguns a consideram uma santa.

– Como pode ver, ela está muito longe da santidade. Mas nessa encarnação está dando um enorme passo para isso. Você também aprendeu muito. Viu que o dinheiro só é bom quando pode trazer a felicidade. Sempre deu dinheiro para orfanatos, socorreu Lorena e o pequeno Léo quando a vida os colocou em seu caminho. Sofreu a solidão e o desespero por não conseguir encontrar seu amor.

– Ficamos separados nessa vida. Mas sei que a amo e que sempre a amarei.

– Por esse mesmo motivo, ela também ficou sozinha. O único amor dela foi e será você, mas precisava que fosse assim. A separação não seria necessária, poderiam caminhar juntos, mas separados cada um teve seu aprendizado. Hoje estão com a missão cumprida e com louvor. Aprenderam muito, e numa próxima vez se encontrarão novamente para uma felicidade eterna. Serão, como dizem, almas afins.

– Nasceremos juntos novamente? Seremos felizes?

– Sim, fizeram por merecer. Não disse que Deus é um pai amoroso?

– Quando será isso?

– O tempo aqui passa depressa. Marta está na Terra e permanecerá lá por um bom tempo. Ainda não terminou sua missão.

– Ela está doente. Seu coração não está bom.

– Sim, mas não morrerá ainda. Mas não se preocupe, um dia ainda estarão juntos.

– Só posso mesmo esperar... A senhora me falou sobre Sarita e José Pedro, mas e com Landa, o que se passou?

– Como ela pediu, nasceu muito bonita. Loira, com os olhos azuis, nasceu em Santa Catarina.

– Landa é a senhora?

Irma Cecília sorriu:

– Sim. Eu mesma.

– Como pode ser? Assim como Marta, a senhora é considerada por todos uma santa.

– Assim como Marta, estou longe da santidade. Terei que contar minha história.

Nasci numa família que, embora não fosse rica, vivia muito bem. Meus pais eram imigrantes alemães e haviam chegado pouco antes de eu nascer. Desde pequena fui sempre muito religiosa. Ia sempre à igreja. Perto de minha casa havia um convento, com um orfanato. Sempre ia até lá para brincar com as crianças.

De repente, minha mãe ficou muito doente e morreu. Meu pai, vendo-se sozinho, resolveu ir trabalhar no norte do país e entregou-me às freiras até quando voltasse. Levou com ele meus dois irmãos, pois poderiam trabalhar com ele.

Ele nunca mais voltou. Embora fosse uma criança linda, nunca ninguém se interessou em me adotar. As freiras não entendiam por que isso acontecia. Eu era aquele tipo de criança que não ficava muito tempo num orfanato. Elas me tratavam muito bem, mas eu era mais uma criança entre as muitas que ali viviam.

Cresci tentando entender por que minha mãe morrera. Por que meu pai me abandonara. Nunca obtive essas respostas, e por isso fui uma criança muito infeliz. Hoje sei que assim deveria ser para que eu aprendesse o valor de uma família.

Criada no meio de cânticos e orações, apaixonei-me pela Virgem Maria. Sabia que ela havia perdido o filho na cruz. Muitas vezes tentei imaginar seu sofrimento.

Já mocinha, as freiras nos levaram até um lugar muito pobre que havia na cidade. Diante de tanta pobreza e miséria, decidi naquele dia que seria uma irmã de caridade. Na minha congregação as freiras dedicavam-se aos pobres a aos doentes.

Eu jurei que cumpriria todas as determinações, mas como irmã Cecília, não suportava ficar ao lado de pessoas doentes. No princípio isso foi um problema, mas a madre superiora percebeu que eu tinha outra qualidade. Através de minha palavras, sabia como conseguir dinheiro. Dinheiro que era necessário para que as obras fossem feitas.

Quando fui mandada para o Nordeste, ao ver tanta pobreza senti que ali conseguiria cumprir minha missão, que era tentar ajudar a todos que precisassem. Mas só quando conheci Marta foi que comecei realmente. Fiquei ao lado dela durante dezesseis anos.

– Pediu a beleza e não fez uso dela?

– Nunca me achei bonita, mas isso também nunca me preocupou. Sentia que tinha que fazer algo pelos pobres, principalmente pelas crianças. Hoje sei que como Landa cometi muitos erros, mas aprendi através de todo o sofrimento que passei naquele asilo onde fui internada e depois da morte, no tempo todo que fiquei vagando, sozinha, sofrendo todo tipo de horror que eu mesma havia plantado. Entendi que aqueles irmãos que eu impedira de nascer tinham o direito de me perseguir. Prometi que dedicaria minha próxima vida na Terra a ajudá-los. Foi o que fiz.

– Conseguiu, por isso está aqui me ajudando? Hoje é um espírito iluminado!?!

– Consegui muitos pontos, mas ainda tenho muito a aprender para ser um espírito iluminado. Ainda tenho muitos irmãos precisando de ajuda, irmãos que de uma maneira ou outra prejudiquei.

– Eu, ao contrário, não consegui ponto algum. Por minha culpa Marta sofreu tanto. Por minha culpa não fomos felizes e não tivemos muitos filhos...

– Os caminhos podem serem mudados. Muitas voltas podem serem dadas. Podemos até nos afastar, mas o final é sempre um só. A luz divina. Não conseguiram ficar juntos, mas conseguiram aprender muito, amadurecer. Em cada encarnação sempre ganhamos algum ponto. Sempre aprendemos alguma coisa. Repito, Deus é um pai amoroso.

– Entendo, mas tenho ainda algumas dúvidas.

– Quais?

– Isaias, Ismenia, Léo, Lorena, Gaúcho, Gilmar, Eunice e Zé Antônio. Todos eles fazem parte da mesma história? Todos deveriam nos ajudar?

– Sim, todas as pessoas que encontramos sempre fazem parte da nossa história. Os encontros são determinados para que as missões possam ser cumpridas.

– Mesmo os inimigos? Aqueles que nos ofendem e machucam? Gilmar, por exemplo. Ele tentou estuprar Marta! De que maneira pode ter ajudado?

– Foi um dos mais importantes. Ele era um homem bom. Depois que Marta saiu correndo, não entendeu por que fizera aquilo com ela. Era casado, tinha dois filhos e gostava muito da esposa. Martirizou-se muito com aquela atitude.

– Não entendo...

– Ele serviu como instrumento para que Marta saltasse do caminhão exatamente naquele lugar. Assim encontraria Eunice e Zé Antônio, dois espíritos amigos que se prontificaram a renascer e ajudá-la na missão. Eles estavam ali naquele lugar com aquelas três crianças somente esperando a chegada dela para voltar para cá.

– Então foi tudo planejado? Eles morreriam assim que ela chegasse?

– Sim. As crianças eram resgate de Marta. Naquele momento, com a morte dos dois, ela teve a oportunidade de exercer seu livre arbítrio e escolher seu caminho.

– Como assim?

– Poderia não ter aceitado, poderia ter entregado as crianças para qualquer um e ter ido embora para casa, como era seu plano inicial. Mas escolheu cumprir a promessa e criar as crianças. Só assim poderia começar sua missão.

– Meu Deus! Como tudo tem lógica, tudo faz sentido! Quantas vezes me revoltei com a vida que levava? Quantas vezes julguei que Deus não existia?

– Ele existe sim, está em toda parte, principalmente dentro de cada um. E nos dá de acordo com o que fazemos e desejamos. Nos dá o direito de escolher nossas atitudes, criar nosso destino.

Paulo não suportou. Seus olhos encheram-se de lágrimas. Sentia-se o mais ingrato dos homens. Sentiu o quanto havia perdido, mas também o quanto havia ganho. Ajoelhou-se, elevou os braços e deixou que seu rosto se banhasse com lágrimas de agradecimento e humildade. Irmã Cecília acompanhava em silêncio aquela demonstração de fervor.

– Chore, meu amigo. As lágrimas só nos fazem bem. Ontem, juntos, praticamos muitas maldades. Hoje, juntos, louvamos a Deus, nosso pai e criador.

Abraçaram-se. Dois espíritos unidos pelo amor de Deus.

O Destino da Pedra

*E*nquanto isso, Marta permanecia em seu quarto lendo a carta que Walther lhe entregara. Muitas vezes teve que parar e secar as lágrimas ao reviver todos aqueles momentos que passara ao lado de Paulo. Principalmente quando seu filho fora roubado. Ao ver que ele encontrara a pedra de seus sonhos, jogou a carta de lado e disse em voz alta:

– Ele encontrou a pedra? Ele encontrou a pedra? Por que, meu Deus, isso só aconteceu depois dele ter vendido nosso filho? Por que o Senhor foi tão injusto conosco? Tanto sofrimento poderia ter sido evitado...

No momento em que dizia isso, irmã Cecília e Paulo chegavam. Ouviram. Entreolharam-se e sorriram. Paulo disse:

– É uma pena que ela não saiba como isso foi bom. Que isso foi a melhor coisa que poderia ter-nos acontecido.

– Hoje ela não sabe, mas um dia saberá.

Paulo aproximou-se de Marta e deu-lhe um beijo na testa. Ela sentiu um bem-estar incrível. Disse:

– Talvez um dia eu tenha essas respostas. Por enquanto, direi o que digo todos os dias antes de dormir: seja feita a vossa vontade. Continuou lendo.

Walther e Laura conversavam na sala sobre tudo o que a mãe lhes contara. Estavam muito felizes por tudo o que descobriram nas últimas horas, principalmente por descobrirem que não eram irmãos e que poderiam casar-se, como planejaram. Walther não cabia em si de tanta felicidade.

Marta terminou de ler a carta e ficou por alguns minutos com ela nas mãos, relembrando tudo. Percebeu que Paulo também sofrera muito com a separação, mas agora nada mais poderia ser feito para que se reencontrassem:

Ele se foi para sempre. Por que tudo teve de ser dessa maneira? Por que não conseguimos ficar juntos e criar nosso filho? Por que tivemos que sofrer separados? Não sei... talvez nunca consiga essas respostas, mas isso agora já não tem mais importância... ainda bem que consegui rever meu filho... obrigada, meu Deus...

Levantou-se, e com a caixa e a carta nas mãos, foi para a sala. Sem que fosse notada, ficou observando Walther e Laura, e sorriu ao notar a felicidade deles:

Obrigada, meu Deus, por este momento de felicidade. Obrigada por ter trazido de volta meu filho. Obrigada por ele ser como é.

Entrou na sala dizendo:

– Walther, meu filho, terminei de ler a carta.

– Que achou?

– Antes de conhecer o lado dele, tinha muito ressentimento de Paulo. Mas agora, tendo você ao meu lado, vendo o quanto ele se arrependeu e sofreu também, só me resta desejar que esteja muito feliz onde quer que esteja.

– Deve estar... deve estar. Viu que ele encontrou a pedra?

– Vi, mas infelizmente encontrou-a tarde demais. Essa pedra e o dinheiro que lhe deixou farão com que tenha uma vida muito boa. Você merece, meu filho. Ela é e sempre foi sua. Desejo que seja muito feliz.

– Tem razão, essa pedra me daria muita felicidade se fosse minha, mas não é. Ela é sua, Paulo guardou-a durante todos esses anos, só não a entregou à senhora por não tê-la encontrado. A senhora é quem a merece mais do que ninguém. Não preciso dela, o dinheiro que me deixou é mais do que suficiente para que eu viva o resto da minha vida com todo o conforto.

A senhora agora poderá ir embora conosco. Eu e Laura vamos nos casar e queremos que venha morar em nossa casa. Não há mais motivos para que nos separemos.

– Sabe o quanto estou feliz por tê-lo reencontrado, é o que mais sonhei em toda minha vida, mas não posso ir embora daqui. Tenho minhas crianças, não posso abandoná-las.

– Podemos contratar alguém para que tome conta de tudo por aqui na sua ausência.

– Nem pensar! Não são crianças quaisquer! São todos meus filhos. Nunca os abandonarei. Foi graças a essas crianças que um dia refiz minha vida.

– Já fez o bastante por elas. Criou e deu amor a muitas crianças. Será que não pode agora simplesmente dedicar-se aos netos que eu e Laura lhe daremos?

– Obrigada, meu filho, mas não posso aceitar. Meus netos terão tudo, mas ainda existem por aqui crianças que nunca terão nada. Por isso vou continuar neste lugar e fazer tudo o que puder por estas e quantas mais aparecerem por aqui.

– Se é assim que quer, assim será, mas poderá ao menos aumentar esta casa, ou mandar construir uma maior na cidade. Com luz elétrica terá mais conforto. Agora tem dinheiro, a pedra que Paulo lhe deixou é muito valiosa

– Vivi quase toda minha vida aqui. Mas se diz que a pedra é minha mesmo, quero que me faça um favor. Venda-a, e todo o dinheiro que conseguir será usado para construir uma casa, onde as crianças poderão viver melhor, com mais conforto. Podemos até construir uma escola para as crianças da cidade, mesmo as que têm pais. Puxa, isso seria realmente maravilhoso. Acha que o dinheiro será suficiente para tudo isso?

Walther começou a rir:

– Claro, para isso e muito mais. Ficará muito feliz se isso acontecer, não é?

– Muito!

– Que seja. Amanhã bem cedo vou para São Paulo providenciar tudo. Isaias deve saber como trocar a pedra. Voltarei o mais breve possível.

Foi o que ele fez. No dia seguinte, bem cedo, despediu-se de todos e voltou para São Paulo.

A viagem de volta foi mais rápida do que a de ida, pois ele estava feliz. Finalmente encontrara a mãe e a mulher que amava. Pensava:

É... a vida nos reserva cada surpresa...

Finalmente chegou a São Paulo.

Quando contou tudo a Isaias e Ismenia, eles vibraram. Como ele previra, Isaias, que sempre trabalhara ao lado de Paulo, sabia como conseguir um bom dinheiro pela pedra. Começou a fazer contatos imediatamente.

Walther contratou uma construtora para tocar o projeto de Marta. Tudo certo, voltou para junto delas.

A construção durou quase seis meses. Durante todo esse tempo, ele ficou indo e voltando de São Paulo. Combinou com Laura que se casariam no mesmo dia da inauguração da casa-escola.

Marta não cabia em si de tanta felicidade. Paulo e irmã Cecília também vieram várias vezes para ver como eles estavam.

Finalmente, o grande dia chegou. A casa ficou pronta, cada detalhe examinado por Marta. Foram construídos dez quartos, todos muito bem mobiliados, e uma sala imensa. Na parte de baixo construíram um salão enorme, dividido em várias salas que serviriam como salas de aulas.

Professores foram contratados. Na parte de fora da casa foram construídas outras salas onde os meninos aprenderiam marcenaria, sapataria e outras profissões. As meninas aprenderiam a bordar e costurar, além de higiene doméstica.

Marta percorria todos os aposentos. Sentia uma felicidade muito grande. Em dado momento, lembrou-se de irmã Cecília. Sorriu feliz.

A cidade toda estava em alvoroço pelo casamento e a inauguração da casa. Programaram uma grande festa. Dois dias antes do casamento, Marta mudou-se com as crianças. Estava preocupada, pois Walther não lhe dissera quem seriam seus padrinhos. Quando ela perguntou, disse que era uma surpresa.

O casamento seria às dez horas da manhã. Marta ajudava Laura a colocar o vestido de noiva:

– Você está linda, minha filha! Que Deus a proteja! Sei que será muito feliz!

– Assim espero, mamãe.

Alguém bateu à porta. Marta foi abrir. Seu coração quase parou.

– Mãe! Minha mãe...

A velha senhora não conseguia falar de tanta emoção. Apenas abriu os braços. Marta abraçou-se a ela:

– Quanta saudade senti da senhora! Mas tive medo de voltar.

– Perdão, minha filha. Perdão por não ter evitado que seu pai fizesse aquilo!

– Ora mãe, isso agora não importa. Estou bem, no final tudo deu certo. Sou hoje a mulher mais feliz deste mundo. Reencontrei meu filho e agora a senhora. Mãe...

Companheiros de Jornada

*F*icaram assim por um longo tempo. Quando se soltaram, Marta pôde ver seu tio e sua tia, que também estavam lá. Abraçaram-se e choraram muito. O reencontro, depois de tanto tempo, só poderia ser de muita emoção mesmo. Marta perguntou:

— Como chegaram até aqui?

— Seu filho foi nos buscar, ele é um bom rapaz.

— É sim! Apesar de tudo, recebeu uma boa educação. Desde que o reencontrei só me trouxe alegria. Esta é minha filha Laura, que se casa hoje com Walther.

Laura aproximou-se dos velhos e abraçou-os carinhosamente. Marta saiu do quarto acompanhado-os. Queria agradecer a Walther por tudo que estava fazendo por ela. Ao chegar à sala, parou mais uma vez. Ficou sem fala:

— Que é isso, guria? Não conheces mais os amigos?

— Gaúcho!?! Gaúcho! É você mesmo?

— Seu filho foi pessoalmente ao Rio Grande do Sul me procurar, e encontrou. Durante muito tempo procurei-te por essas estradas. Não pode imaginar como fiquei contente quando soube que estavas viva e bem. Estou com quase setenta anos, mas não podia deixar de vir. Venceste mesmo! Encontraste teu filho e conseguiste esta casa, que é uma belezura!

Marta correu e abraçou-se àquele homem que conhecera por pouco tempo, mas que fora muito importante em sua vida.

Ele estava acompanhado apenas dos filhos. Sua mulher falecera havia cinco anos.

Marta sentiu-se mal, pediu uma cadeira. Todos ficaram preocupados, principalmente Walther, pois sabia do seu problema cardíaco. Correu para o lado dela. Abraçou-a e colocou-a sentada:

– Por favor, mamãe, fique calma.

– Não se preocupe, meu filho, ninguém morre de felicidade, e ainda vou viver muito.

Walther pediu a Isaias que quando estivesse vindo para a festa passasse pela casa de Vó Zu e a trouxesse junto. Para ele era muito importante ter presentes, naquele dia que era o mais feliz de sua vida, todas as pessoas que encontrara durante o tempo em que procurava pela mãe.

Lula veio com seus pais, primos e irmãos. Abraçou o primo com entusiasmo, dizendo:

– Não lhe disse que Deus cuida de todos nós?

Walther concordou com a cabeça e correspondeu ao abraço.

– Obrigado por tudo que me ensinou.

Olhou por trás dos ombros de Lula. Seu tio Luiz estava ali, acompanhado de Cinira e os filhos. Sorriu para o tio:

– Como pode ver, estou muito feliz por esta imensa família que tenho. Sei que o magoei, mas naquele dia estava um pouco perdido. Hoje, depois de tudo que aconteceu, posso pedir que me abrace? Quero chamá-lo de meu tio. Posso?

Luiz, emocionado demais, não conseguiu dizer nada. Apenas abriu os braços. Walther, também em silêncio, abraçou-se a ele. Naquele momento, não eram necessárias palavras. Lula apenas sorriu e agradeceu em pensamento por poder assistir àquele momento de reconciliação.

Epílogo

Realizou-se o casamento. A festa foi grande e muito concorrida. Já era noite quando todos começaram a ir embora. Gaúcho, a família, Isaias, Ismenia, Léo, Vó Zu e Steven pernoitaram na casa de Marta, que agora podia abrigar a todos. Walther e Laura foram até Teresina, onde ficariam num hotel por aquela noite.

No dia seguinte bem cedo ele e Laura voltaram. Todos podiam ver a felicidade estampada no rosto dos dois. Marta acordou cedo, mandou preparar um café reforçado, pois todos iriam embora. Walther e Laura chegaram quase na hora do almoço. Conversou com todos. Em dado momento, disse:

— Mamãe, viemos nos despedir. Eu e Laura estamos seguindo para o Rio de Janeiro, de lá tomaremos um avião que nos levará para os Estados Unidos.

— Vão para lá? Pensei que ficariam aqui para sempre!

— Vamos por um ou dois meses. Preciso colocar a casa de meus pais à venda, mas voltaremos. Decidi que vou, juntamente com Isaias, retomar os negócios de Paulo. Ficaremos morando em São Paulo, mas estaremos sempre por aqui. Nunca mais quero me separar da senhora. Além do mais, este é o meu país! A minha terra! Todos que amo estão aqui.

— Ainda bem, meu filho. Temi que novamente nos separássemos!

— Nunca mais!

— Por que se refere a Paulo pelo nome, nunca como pai?

— Não sei, mas ainda não o sinto como pai. Talvez um dia, talvez um dia...

— Não esqueça de que ele fez o que fez pensando muito mais no seu bem-estar...

— Pode ser, mas por enquanto continuarei chamando-o de Paulo.

Marta não quis insistir. Sabia que no fundo ele tinha suas razões.

Todos se despediram. Isaias levou consigo Vó Zu, que durante toda a viagem foi contando histórias para Léo, que estava encantado com ela.

Marta passou o dia cheia de afazeres. Contratou algumas mulheres da cidade para ajudá-la com as crianças. Por recomendação do doutor Moraes, deveria fazer o mínimo de esforço.

À noite, depois das crianças se recolherem, foi de quarto em quarto ver como estavam. Sorriu ao ver que elas dormiam tranqüilas naquelas camas limpas e quentes.

Saiu. A noite estava quente, o céu estrelado. Respirou fundo, lembrou-se de irmã Cecília. Disse em voz alta:

— É uma pena, minha amiga, que não esteja aqui para ver o que conseguimos. Sinto muito sua falta...

Irmã Cecília, juntamente com Paulo, estava a seu lado. Abraçou-a, dizendo:

— Estou aqui sim, minha amiga, e sempre estarei a seu lado. Sei o quanto conseguimos. Você é que não imagina na realidade o quanto foi.

Marta sorriu. Podia jurar que sentia o perfume dela.

— Devo estar louca!

— Dona! É nesta casa que ajudam as pessoas?

Marta olhou para baixo. Na calçada, uma mocinha apresentando uma barriga perguntava. Ela olhou para cima, sentiu novamente o perfume. Disse:

— É sim, minha filha, pode entrar.

Irmã Cecília e Paulo entreolharam-se e sorriram. Ela, com os olhos marejados, disse:

— Vamos embora, meu amigo. Ela tem ainda muito para fazer.

Foram embora.

Marta olhou para uma estrela e sorriu enquanto dizia:

— Entre, minha filha, entre! Vejo que terá uma linda criança...

Fim

Sucessos de ZIBIA GASPARETTO

Crônicas e romances mediúnicos.
Retratos de vidas nos caminhos da eternidade.
Mais de quatro milhões de exemplares vendidos.

- Crônicas: Silveira Sampaio
PARE DE SOFRER
O MUNDO EM QUE EU VIVO
BATE-PAPO COM O ALÉM
- Crônicas: Zibia Gasparetto
CONVERSANDO CONTIGO!

- Autores diversos
PEDAÇOS DO COTIDIANO
VOLTAS QUE A VIDA DÁ

- Romances: Lucius
O AMOR VENCEU
O AMOR VENCEU *(em edição ilustrada)*
O MORRO DAS ILUSÕES
ENTRE O AMOR E A GUERRA
O MATUTO
O FIO DO DESTINO
LAÇOS ETERNOS
ESPINHOS DO TEMPO
ESMERALDA
QUANDO A VIDA ESCOLHE
SOMOS TODOS INOCENTES
PELAS PORTAS DO CORAÇÃO
A VERDADE DE CADA UM
SEM MEDO DE VIVER
O ADVOGADO DE DEUS
QUANDO CHEGA A HORA
NINGUÉM É DE NINGUÉM

Sucessos de LUIZ ANTONIO GASPARETTO

Estes livros irão mudar sua vida!
Dentro de uma visão espiritualista moderna, estes livros irão ensiná-lo a produzir um padrão de vida superior ao que você tem, atraindo prosperidade, paz interior e aprendendo acima de tudo como é fácil ser feliz.

ATITUDE
SE LIGUE EM VOCÊ *(adulto)*
SE LIGUE EM VOCÊ - nº 1, 2 e 3 *(infantil)*
A VAIDADE DA LOLITA *(infantil)*
ESSENCIAL *(livro de bolso com frases para auto-ajuda)*
FAÇA DAR CERTO
GASPARETTO *(biografia mediúnica)*
CALUNGA - "Um dedinho de prosa"
CALUNGA - Tudo pelo melhor
CALUNGA - Fique com a luz...
PROSPERIDADE PROFISSIONAL
CONSERTO PARA UMA ALMA SÓ *(poesias metafísicas)*

série CONVERSANDO COM VOCÊ:
(Kit contendo livro e fita k7)
1- Higiene Mental
2- Pensamentos Negativos
3- Ser Feliz
4- Liberdade e Poder

série AMPLITUDE:
1- Você está onde se põe
2- Você é seu carro
3- A vida lhe trata como você se trata
4- A coragem de se ver

INTROSPECTUS:
Jogo de cartas para auto-ajuda.
Modigliani criou através de Gasparetto, 25 cartas mágicas com mensagens para você se encontrar, recados de dentro, que a cabeça não ousa revelar.

OUTROS AUTORES

Conheça nossos lançamentos que oferecem a você as chaves para abrir as portas do sucesso, em todas as fases de sua vida.

LOUSANNE DE LUCCA:
• ALFABETIZAÇÃO AFETIVA

MARIA APARECIDA MARTINS:
• PRIMEIRA LIÇÃO
"Uma cartilha metafísica"

VALCAPELLI:
• AMOR SEM CRISE
VALCAPELLI e GASPARETTO:
• METAFÍSICA DA SAÚDE:
vol.1 (sistemas respiratório e digestivo)

ELISA MASSELLI:
• QUANDO O PASSADO NÃO PASSA
• NADA FICA SEM RESPOSTA
• DEUS ESTAVA COM ELE

RICKY MEDEIROS
• A PASSAGEM
• QUANDO ELE VOLTAR

MARCELO CEZAR
• A VIDA SEMPRE VENCE

LUIZ ANTONIO GASPARETTO

Fitas K7 gravadas em estúdio, especialmente para você!
Uma série de dicas para a sua felicidade.

● PROSPERIDADE:
Aprenda a usar as leis da prosperidade.
Desenvolva o pensamento positivo corretamente.
Descubra como obter o sucesso que é seu por
direito divino, em todos os aspectos de sua vida.

● TUDO ESTÁ CERTO!
Humor, música e conhecimento em busca do
sentido da vida.
Alegria, descontração e poesia na compreensão
de que tudo é justo e Deus não erra.

● série VIAGEM INTERIOR (1, 2 e 3):
Através de exercícios de meditação mergulhe
dentro de você e descubra a força da sua essência
espiritual e da sabedoria.
Experimente e verá como você pode desfrutar de
saúde, paz e felicidade desde agora.

● TOULOUSE LAUTREC:
Depoimento mediúnico de Toulouse Lautrec, através
do médium Luiz Antonio Gasparetto, em entrevista
a Zita Bressani, diretora da TV Cultura (SP).

- série PRONTO SOCORRO:
Aprenda a lidar melhor com as suas emoções, para conquistar um maior domínio interior.
1. Confrontando o desespero
2. Confrontando as grandes perdas
3. Confrontando a depressão
4. Confrontando o fracasso
5. Confrontando o medo
6. Confrontando a solidão
7. Confrontando as críticas
8. Confrontando a ansiedade
9. Confrontando a vergonha
10. Confrontando a desilusão

- série CALUNGA:
A visão de um espírito, sobre a interligação de dois mundos, abordando temas da vida cotidiana.
1. Tá tudo bão!
2. "Se mexa"
3. Gostar de gostar
4. Prece da solução
5. Semeando a boa vontade
6. Meditação para uma vida melhor
7. A verdade da vida
8. "Tô ni mim"

- série PALESTRA
1- A verdadeira arte de ser forte
2- A conquista da luz
3- Pra ter tudo fácil
4- Prosperidade profissional (1)
5- Prosperidade profissional (2)
6- A eternidade de fato
7- A força da palavra
8- Armadilhas do coração
9- Se deixe em paz
10- Se refaça
11- O teu melhor te protege
12- Altos e baixos
13- Sem medo de errar
14- Praticando o poder da luz em família
15- O poder de escolha

PALESTRAS GRAVADAS AO VIVO:

● série PAPOS, TRANSAS & SACAÇÕES
1- Paz emocional
2- Paz social
3- Paz mental
4- Paz espiritual
5- O que fazer com o próprio sofrimento?
6- Segredos da evolução
7- A verdadeira espititualidade
8- Vencendo a timidez
9- Eu e o silêncio
10- Eu e a segurança
11- Eu e o equilíbrio

● série PALESTRA AO VIVO
1- Caia na real

● LUZES
Coletânea de 8 fitas k7. Curso com aulas captadas ao vivo, ministradas através da mediunidade de Gasparetto.
Este é um projeto idealizado pelos espíritos desencarnados que formam no mundo astral, o grupo dos Mensageiros da Luz.

LUIZ ANTONIO GASPARETTO EM CD

Títulos de fitas k7 que já se encontram em CD

• Prosperidade
• Confrontando a ansiedade
• Confrontando a desilusão
• Confrontando a solidão
• Confrontando as críticas

LUIZ ANTONIO GASPARETTO
em vídeo

● SEXTO SENTIDO
Conheça neste vídeo um pouco
do mundo dos mestres da pintura,
que num momento de grande ternura
pela humanidade, resolveram voltar
para mostrar que existe vida além da vida,
através da mediunidade de Gasparetto.

● MACHU PICCHU
Visite com Gasparetto a
cidade perdida dos Incas.

● série VÍDEO & CONSCIÊNCIA
Com muita alegria e arte, Gasparetto
leva até você, numa visão metafísica,
temas que lhe darão a oportunidade de
se conhecer melhor:
O MUNDO DAS AMEBAS
JOGOS DE AUTO-TORTURA
POR DENTRO E POR FORA

ESPAÇO VIDA & CONSCIÊNCIA

Acreditamos que há em você muito mais condições de cuidar de si mesmo do que você possa imaginar, e que seu destino depende de como você usa os potenciais que tem.

Por isso, através de PALESTRAS, CURSOS-SHOW e BODY WORKS, GASPARETTO propõe dentro de uma visão espiritualista moderna, com métodos simples e práticos, mostrar como é fácil ser feliz e produzir um padrão de vida superior ao que você tem. Faz parte também da programação, o projeto VIDA e CONSCIÊNCIA. Este curso é realizado há mais de 15 anos com absoluto sucesso. Composto de 8 aulas, tem por objetivo iniciá-lo no aprendizado de conhecimentos e técnicas que façam de você o seu próprio terapeuta.

Participe conosco desses encontros onde, num clima de descontração e bom humor, aprenderemos juntos a atrair a prosperidade e a paz interior.

Maiores informações:

Rua Salvador Simões, 444 • Ipiranga • São Paulo • SP

CEP 04276-000 • Fone Fax: (0_ _ 11) 5063-2150

Gasparetto

INFORMAÇÕES E VENDAS:

Rua Santo Irineu, 170
Saúde • CEP 04127-120
São Paulo • SP • Brasil
✆: (11) 5574-5688 / 5549-8344
FAX: (11) 5571-9870 / 5575-4378
e-mail: gasparetto@snet.com.br
site: www.gasparetto.com.br